Esplêndida
A história de Emma

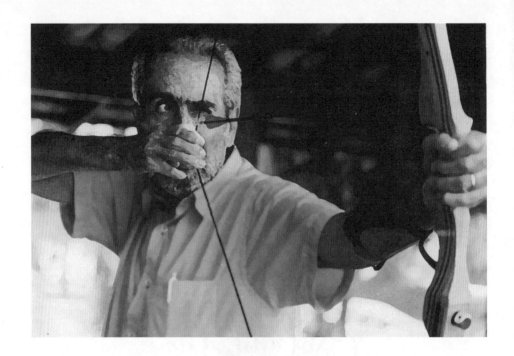

O Arqueiro

GERALDO JORDÃO PEREIRA (1938-2008) começou sua carreira aos 17 anos, quando foi trabalhar com seu pai, o célebre editor José Olympio, publicando obras marcantes como *O menino do dedo verde*, de Maurice Druon, e *Minha vida*, de Charles Chaplin.

Em 1976, fundou a Editora Salamandra com o propósito de formar uma nova geração de leitores e acabou criando um dos catálogos infantis mais premiados do Brasil. Em 1992, fugindo de sua linha editorial, lançou *Muitas vidas, muitos mestres*, de Brian Weiss, livro que deu origem à Editora Sextante.

Fã de histórias de suspense, Geraldo descobriu *O Código Da Vinci* antes mesmo de ele ser lançado nos Estados Unidos. A aposta em ficção, que não era o foco da Sextante, foi certeira: o título se transformou em um dos maiores fenômenos editoriais de todos os tempos.

Mas não foi só aos livros que se dedicou. Com seu desejo de ajudar o próximo, Geraldo desenvolveu diversos projetos sociais que se tornaram sua grande paixão.

Com a missão de publicar histórias empolgantes, tornar os livros cada vez mais acessíveis e despertar o amor pela leitura, a Editora Arqueiro é uma homenagem a esta figura extraordinária, capaz de enxergar mais além, mirar nas coisas verdadeiramente importantes e não perder o idealismo e a esperança diante dos desafios e contratempos da vida.

Julia Quinn

DAMAS REBELDES • 1

Esplêndida
A história de Emma

ARQUEIRO

Título original: *Splendid*

Copyright © 1995 por Julie Cotler Pottinger
Copyright da tradução © 2021 por Editora Arqueiro Ltda.

Todos os direitos reservados. Nenhuma parte deste livro pode ser utilizada ou reproduzida sob quaisquer meios existentes sem autorização por escrito dos editores.

Publicado mediante acordo com Harper Collins Publishers.

tradução: Ana Rodrigues

preparo de originais: Marina Góes

revisão: Camila Figueiredo e Tereza da Rocha

diagramação: Abreu's System

capa: Renata Vidal

imagem de capa: © Ildiko Neer / Trevillion Images

impressão e acabamento: Cromosete Gráfica e Editora Ltda.

CIP-BRASIL. CATALOGAÇÃO NA PUBLICAÇÃO
SINDICATO NACIONAL DOS EDITORES DE LIVROS, RJ

Q64e

Quinn, Julia, 1970-
Esplêndida / Julia Quinn ; tradução Ana Rodrigues. – 1. ed. – São Paulo : Arqueiro, 2021.
336 p. ; 23 cm.   (Damas rebeldes ; 1)

Tradução de: Splendid
Continua com: Brilhante
ISBN 978-65-5565-101-0

1. Romance americano. I. Rodrigues, Ana. II. Título. III. Série.

21-68832

CDD: 813
CDU: 82-31(73)

Meri Gleice Rodrigues de Souza – Bibliotecária – CRB-7/6439

Todos os direitos reservados, no Brasil, por
Editora Arqueiro Ltda.
Rua Funchal, 538 – conjuntos 52 e 54 – Vila Olímpia
04551-060 – São Paulo – SP
Tel.: (11) 3868-4492 – Fax: (11) 3862-5818
E-mail: atendimento@editoraarqueiro.com.br
www.editoraarqueiro.com.br

Para minha mãe, que me deixou arrastá-la para todas aquelas livrarias.

*E para Paul, ainda que ele tenha insistido que o
título deveria ser "Esplêndida na grama".*

PRÓLOGO

Boston, Massachusetts
Fevereiro de 1816

– O senhor está me mandando embora?

Os olhos violeta de Emma Dunster se arregalaram de choque e desalento.

– Não seja tão dramática – retrucou o pai. – É claro que não a estou mandando embora. Você só vai passar um ano em Londres com seus primos.

Emma ficou boquiaberta.

– Mas... por quê?

John Dunster se ajeitou na cadeira, aparentando desconforto.

– Acho que você deveria ver um pouco mais do mundo, só isso.

– Mas eu já estive em Londres. Duas vezes.

– Sim, bem, mas é que agora você está mais crescida.

John pigarreou algumas vezes e se recostou no espaldar.

– Mas...

– Não entendo por que isso está parecendo ser um sacrifício tão grande. Henry e Caroline amam você como se fosse filha deles, e você mesma me disse que gosta mais de Belle e Ned do que dos seus amigos aqui de Boston.

– Mas eles passaram dois meses conosco. Ainda nem deu tempo de eu sentir saudade.

John cruzou os braços.

– Você voltará com eles de navio amanhã, está decidido. Vá para Londres, Emma. Divirta-se um pouco.

Ela estreitou os olhos.

– O senhor está tentando me casar para se livrar de mim?

– É claro que não! Só acho que uma mudança de cenário vai lhe fazer bem.

– Discordo. Eu simplesmente não posso deixar Boston no momento, por milhares de razões.

– É mesmo?

– Sim. Esta casa, por exemplo. Quem vai administrá-la na minha ausência?

John deu um sorriso afetuoso para a filha.

– Emma, moramos em uma casa de doze cômodos. Não são necessários grandes esforços para administrá-la. E estou certo de que a Sra. Mullins tem competência para dar conta de tudo.

– E quanto a todos os meus amigos? Eu não vou aguentar de saudade deles. E Stephen Ramsay vai ficar muito desapontado se eu partir tão subitamente. Acho que ele está prestes a me pedir em casamento.

– Pelo amor de Deus, Emma! Você não dá a mínima para Ramsay. Não dê esperanças ao pobre rapaz só porque não quer ir para Londres.

– Achei que o senhor quisesse que nos casássemos. O pai dele é seu melhor amigo.

John suspirou.

– Quando você tinha 10 anos, talvez eu tenha pensado nessa possibilidade. Mas já naquela época era evidente que vocês não combinam. Você o enlouqueceria em uma semana.

– Sua preocupação com sua filha única me comove – resmungou Emma.

– E ele mataria você de tédio – concluiu John, com carinho. – Só gostaria que Stephen percebesse a inutilidade da ideia. E esse é mais um motivo para você sair da cidade. Se estiver a um oceano de distância, ele finalmente vai procurar uma noiva em outro lugar.

– Eu realmente prefiro Boston.

– Você adora a Inglaterra – retrucou John, beirando a exasperação. – Na última vez que estivemos lá, você não parava de falar sobre quanto havia amado o país.

Emma engoliu em seco e mordeu o lábio, nervosa.

– E a empresa? – perguntou, baixinho.

John suspirou e voltou a se recostar na cadeira. Ali estava, finalmente, a verdadeira razão pela qual Emma se mostrava tão resistente a deixar Boston.

– Emma, o Estaleiro Dunster ainda vai estar aqui quando você voltar.

– Mas ainda tenho tanto que aprender! Como vou assumir o controle da empresa no futuro se não aproveitar para aprender tudo que puder agora?

– Emma, nós dois sabemos que não há outra pessoa para quem eu gostaria de deixar a empresa. Eu construí o Estaleiro Dunster do zero e Deus sabe que quero passá-lo a alguém do meu sangue. Mas precisamos encarar os fatos. A maior parte dos nossos clientes relutaria em fazer negócios com uma mulher. E os empregados não vão querer receber ordens suas. Ainda que você carregue o sobrenome Dunster.

Quase chorando diante da injustiça de tudo aquilo, Emma fechou os olhos. Ela sabia que era verdade.

– Sei que não há ninguém mais adequado do que você para administrar o estaleiro – continuou o pai, carinhosamente –, mas isso não significa que alguém vá concordar comigo. Por mais que isso me enfureça, preciso aceitar que a empresa vai falir com você no comando. Perderíamos todos os nossos contratos.

– Por nenhuma outra razão além do fato de eu ser mulher – comentou Emma, frustrada.

– Lamento, mas sim.

A expressão nos olhos de Emma era clara e terrivelmente séria.

– Algum dia eu vou administrar essa empresa.

– Santo Deus, menina. Você não desiste, hein?

Emma se manteve firme.

John suspirou.

– Eu já lhe contei sobre a ocasião em que você pegou uma forte gripe?

Emma balançou a cabeça, sem entender a súbita mudança de assunto.

– Foi logo depois que a doença levou sua mãe. Você tinha 4 anos, eu acho. Era uma coisinha muito pequenina – disse ele, fitando a filha única com os olhos brilhando de afeto. – Você era muito pequena quando criança… Ainda é, mesmo adulta, mas quando menina… ah, era tão, tão pequenina que achei impossível que tivesse forças para resistir.

Emma se sentou, profundamente comovida com as palavras do pai, que tinha a voz embargada.

– Mas você conseguiu se recuperar – disse ele, de repente. – E então eu me dei conta do que a havia salvado: você simplesmente era teimosa demais para morrer.

Emma não conseguiu conter um sorrisinho.

– E eu era teimoso demais para deixar que você morresse – disse John, endireitando os ombros, como se para afastar o sentimentalismo do momento. – Na verdade, talvez eu seja a única pessoa na face da Terra mais teimosa do que você, filha, portanto é melhor aceitar seu destino.

Emma soltou um gemido de desgosto. Mas era hora de encarar os fatos… não havia como evitar ir para a Inglaterra. Não que uma viagem ao exterior pudesse ser considerada uma punição. Ela adorava os primos. Belle e Ned eram como os irmãos que ela nunca tivera. Mas, mesmo assim, era preciso pensar nas coisas sérias da vida, e Emma não queria negligenciar o compromisso que se autoimpusera com o Estaleiro Dunster. Ela olhou novamente para o pai – que estava sentado diante da escrivaninha, de braços cruzados e com uma expressão implacável no rosto – e suspirou.

– Tudo bem então.

Emma se levantou para sair do cômodo... para fazer as malas, imaginou, já que partiriam no dia seguinte em um dos navios do pai.

– Mas eu volto.

– Tenho certeza disso. Ah, Emma...

Ela se virou novamente para ele.

– Não se esqueça de se divertir um pouco enquanto estiver lá, viu?

Emma lançou seu sorriso mais travesso para o pai.

– Sinceramente, papai, acha mesmo que eu me negaria o prazer de desfrutar Londres só porque não quero ir?

– É claro que não. Que tolice a minha.

Emma pousou a mão na maçaneta e abriu a porta alguns centímetros.

– Uma temporada social em Londres é uma oportunidade única na vida de uma moça, creio eu. E ela pode muito bem se divertir, mesmo não sendo do tipo social.

– Ah, que maravilha! Conseguiu convencê-la a ir? – exclamou a irmã de John, Caroline, condessa de Worth, ao entrar subitamente no escritório.

– Nunca lhe ensinaram que é falta de educação ouvir a conversa dos outros? – perguntou John, com bom humor.

– Bobagem. Eu estava passando pelo corredor e ouvi a voz de Emma. Ela deixou a porta entreaberta, se não reparou – disse Caroline, voltando-se para a sobrinha. – Mas agora que isso já foi esclarecido, que história é essa de você ter dado um soco no nariz de um ladrão hoje?

– Ah, isso – falou Emma, corando.

– Como é? – perguntou John.

– Ned e Belle estavam discutindo sobre uma bobagem qualquer, como sempre fazem, e ele não percebeu que ia ser furtado. Eu vi o homem tentando pegar a carteira dele.

– E então você deu um soco no ladrão? Não poderia ter apenas gritado?

– Ah, pelo amor de Deus, papai. O que eu teria conseguido com um *grito*?

– Bem, ao menos foi um bom soco?

Emma mordeu o lábio inferior mais uma vez, parecendo tímida.

– Na verdade, acho que quebrei o nariz dele.

Caroline soltou um gemido alto.

– Emma… Você sabe que estou contando ansiosamente com você em Londres na próxima temporada social, certo?

– Eu sei.

Caroline era o mais próximo que Emma tinha de uma mãe. A tia estava sempre tentando fazê-la passar mais tempo na Inglaterra.

– E sabe que eu a amo profundamente e que não desejaria mudar nada em você.

– Sei – falou Emma, hesitante.

– Então espero que não se ofenda se eu disser que, em Londres, jovens damas educadas não saem por aí socando o nariz de figuras repulsivas.

– Ah, tia Caroline, jovens damas educadas também não fazem esse tipo de coisa aqui em Boston.

John riu.

– E, no fim das contas, você conseguiu recuperar a carteira de Ned?

Emma tentou lançar um olhar altivo ao pai, mas não conseguiu conter o esboço de um sorriso.

– É claro.

John abriu um largo sorriso.

– Essa é a minha garota!

CAPÍTULO 1

Londres, Inglaterra
Abril de 1816

– Voc>ê tem consciência, é claro, de que o inferno se abaterá sobre nós se a minha mãe nos pegar, certo?

Arabella Blydon examinou a própria roupa com uma expressão cética. Ela e Emma haviam pegado uniformes emprestados com as camareiras – para o desalento das tais camareiras – e, naquele momento, desciam sorrateiramente a escada dos fundos da casa de Belle em Londres.

– O inferno será ainda pior se ela pegar você falando desse jeito – comentou Emma em um tom sarcástico.

– Não me importo nem um pouco. Se eu tiver que supervisionar a confecção de mais um único arranjo de flores para a *sua* festa, vou começar a gritar.

– Acho que dificilmente seria apropriado gritar quando pretendemos descer a escada *sorrateiramente*.

– Ah, cale a boca – resmungou Belle, sem o menor bom humor, descendo outro degrau na ponta dos pés.

Emma olhou ao redor enquanto seguia a prima. A escada dos fundos com certeza era bem diferente da que ela e Belle costumavam usar no saguão principal, que se curvava graciosamente, coberta por luxuosos tapetes persas. Os degraus de madeira encerada da escada dos fundos eram estreitos, e as paredes eram caiadas e sem qualquer decoração. A simplicidade da escada fez Emma se lembrar de sua casa em Boston, que não era decorada no estilo opulento de Londres. A mansão Blydon, localizada na elegante Grosvenor Square, era da família deles havia mais de um século, e era cheia de relíquias inestimáveis e retratos muito ruins dos Blydons anteriores.

Emma voltou a olhar para as paredes nuas e suspirou baixinho enquanto lutava contra uma onda de saudade do pai.

– Não consigo acreditar que estou me esgueirando pela minha própria casa como uma ladra para evitar a minha mãe – resmungou Belle quando chegou à base do primeiro lance de escada e deu a volta para começar a descer o segundo. – Sinceramente, eu preferiria estar enroscada na cama com um bom livro, mas ela com certeza iria me encontrar lá e me fazer repassar mais uma vez o cardápio.

– Um destino pior do que a morte – sussurrou Emma.

Belle a encarou, irritada.

– Eu já revi aquele maldito cardápio com a minha mãe um milhão de vezes. Se ela me emboscar mais uma vez com perguntas sobre a musse de salmão, ou o pato assado com laranja, acho que não me responsabilizarei pelos meus atos.

– Está vislumbrando a possibilidade de um matricídio?

Belle a olhou de lado mas não respondeu enquanto descia a escada com cautela.

– Cuidado com esse degrau, Emma – sussurrou, apoiando-se na parede. – Ele range no meio.

Emma seguiu rapidamente o conselho da prima.

– Posso deduzir que você costuma descer essa escada com frequência, certo?

– Eu costumava fazer isso. É bastante oportuno saber como andar por aqui sem que ninguém tenha ideia do que pretendemos fazer. Só não costumo fazer isso vestida como a minha camareira.

– Ora, não poderíamos usar vestidos de seda se vamos ajudar a Cozinheira a preparar toda a comida para a noite.

Belle não pareceu convencida.

– Sinceramente, não acho que ela vá gostar de ter nossa ajuda. A Cozinheira é muito tradicional e não acha nem um pouco adequado que a família frequente a cozinha – disse Belle, e abriu a porta da cozinha. – Olá, pessoal. Viemos ajudar.

Todos ficaram horrorizados.

Rapidamente, Emma se virou para a Cozinheira e abriu um largo sorriso, tentando consertar a situação.

– A senhora ficaria feliz em ter quatro mãos extras, não é?

A Cozinheira jogou os braços para o alto e deu um grito de susto, fazendo nuvens de farinha voarem pelo ar.

– O que, em nome de Deus, vocês duas estão fazendo aqui embaixo?

Uma das copeiras parou de sovar a massa por um momento e se arriscou a perguntar:

– Perdão, miladies, mas por que estão vestidas assim?

– Não acho que vocês deveriam estar na minha cozinha – continuou a Cozinheira, levando as mãos aos quadris formidáveis. – Só vão atrapalhar.

Como nenhuma das duas moças mostrou qualquer intenção de sair, a mulher cerrou os dentes e começou a acenar com a colher de pau para elas.

– Caso vocês ainda não tenham percebido, temos muito trabalho extra aqui embaixo. Agora, fora daqui antes que eu chame a condessa.

Belle deu um grito abafado ao ouvir a menção à mãe.

– Por favor, nos deixe ficar, Cozinheira.

Ela estava certa de que a Cozinheira tinha um nome de verdade, mas todos a chamavam assim havia tanto tempo que ninguém lembrava mais qual era o nome dela.

– Prometemos não atrapalhar. Na verdade, tenho certeza de que vamos ser de grande ajuda. E também ficaremos em silêncio.

– Não é certo vocês ficarem aqui embaixo. As senhoritas não têm nada melhor para fazer do que brincar de criadas da cozinha?

– Na verdade, não – respondeu Belle, com sinceridade.

Emma sorriu para si mesma, concordando silenciosamente com a prima. Ela e Belle tinham se metido em uma encrenca após outra desde que haviam chegado, três semanas antes. Não que Emma tivesse a *intenção* de se meter em encrencas. Mas é que parecia haver muito pouco para fazer em Londres. Em Boston, o Estaleiro Dunster a mantinha ocupada. Em Londres, no entanto, cuidar da contabilidade não era visto como um passatempo apropriado para mulheres, e parecia que as jovens damas educadas da cidade não tinham qualquer outro dever a não ser experimentar vestidos e aprender a dançar.

Emma estava profundamente entediada.

Não que estivesse infeliz. Por mais saudade que sentisse do pai, Emma gostava de ser parte de uma família grande. O problema era que em Londres ela não se sentia útil. Ela e Belle haviam começado a ultrapassar alguns limites para se entreterem. Emma sorriu para si mesma, culpada, ao se lembrar das peripécias. Certamente não lhes ocorrera que o gato de rua que haviam levado para casa apenas duas semanas antes pudesse estar infestado de pulgas. Não imaginaram que todo o primeiro andar da mansão Blydon precisaria ser arejado. E Emma realmente não tivera a intenção de permitir que todos da casa dessem uma boa olhada em suas roupas de baixo quando subiu em uma árvore para resgatar aquele mesmo gato.

14

Na verdade, os parentes deveriam lhe agradecer. Durante a semana em que precisaram se livrar das pulgas na casa, a família toda saiu de Londres e passou dias adoráveis no campo, montando a cavalo, pescando e se entretendo até altas horas jogando cartas. Emma havia ensinado os parentes a jogar pôquer – em Boston, ela subornara um vizinho para que ele a ensinasse.

Caroline balançara a cabeça e suspirara, dizendo que Emma era uma má influência. Antes da chegada de Emma, Belle era só uma rata de biblioteca. Agora, era uma rata de biblioteca e agitadora.

– Deus do céu – retrucara Emma. – O que é bem melhor do que se fosse apenas agitadora, certo?

Mas Emma sabia que podia testar os limites de Caroline sem se encrencar. O amor da tia por ela era aparente tanto nos agrados quanto nas repreensões, e elas agiam muito mais como mãe e filha do que como tia e sobrinha. Por isso Caroline estava tão empolgada com a apresentação de Emma à sociedade londrina. Embora soubesse que a sobrinha pretendia voltar para junto do pai, torcia secretamente para que Emma se apaixonasse por um inglês e se estabelecesse em Londres. Talvez então John, que fora criado na Inglaterra e por lá vivera até se casar com uma americana, também retornasse à cidade, para ficar perto da irmã e da filha.

Assim Caroline organizara um enorme baile para apresentar Emma à aristocracia inglesa. O evento aconteceria naquela noite, e Emma e Belle haviam fugido para a cozinha porque não queriam ser convocadas para ajudar a resolver as últimas pendências. A Cozinheira, no entanto, não gostou nada da ideia e não parava de repetir que as duas moças só atrapalhariam ali.

– Por favor, não podemos ajudá-la? Está um horror lá em cima – pediu Emma, suspirando. – Ninguém fala de outra coisa a não ser do baile.

– Ora, você vai descobrir que aqui estamos todos falando da mesma coisa, mocinha – retrucou a Cozinheira, balançando o dedo. – Sua tia vai receber quatrocentos convidados hoje à noite, e precisamos cozinhar para todos eles.

– Exatamente por isso a senhora precisa da nossa ajuda. O que gostaria que fizéssemos primeiro? – indagou Belle.

– Eu gostaria que saíssem da minha cozinha antes que a sua mãe encontre vocês aqui! – exclamou a Cozinheira.

As duas já haviam descido para a cozinha antes, mas aquela era a primeira vez que se vestiam com roupas das criadas e se ofereciam para ajudar.

– Mal posso esperar que a temporada social comece e vocês tenham o que fazer – acrescentou a Cozinheira.

– Bem, ela começa hoje à noite – declarou Belle –, com o baile que vai apresentar Emma à aristocracia. Talvez a senhora tenha sorte e apareçam tantos pretendentes que vamos acabar sem tempo para perturbá-la.

– Deus a ouça – murmurou a Cozinheira.

– Mas, por favor – pediu Emma –, tenha piedade de nós. Se não nos deixar ajudá-la aqui, tia Caroline vai nos colocar para fazer arranjos de flores. De novo.

– Por favor – pediu Belle, em tom bajulador. – A senhora sabe que adora mandar em nós.

Era verdade. Belle e Emma realmente alegravam o pessoal que trabalhava na cozinha com suas travessuras. Também animavam a Cozinheira... que só não queria que elas soubessem disso.

– Santo Deus... Está bem – resmungou a Cozinheira. – Imagino que vocês vão me atormentar a manhã toda se eu não ceder, suas diabinhas. Mas estou agindo contra o meu bom senso. Vocês deveriam estar lá em cima se arrumando, e não zanzando pela minha cozinha.

– Mas a senhora adora a nossa encantadora companhia, não é mesmo, Cozinheira? – perguntou Belle, com um sorriso.

– Encantadora companhia, hum, até parece – resmungou a mulher enquanto pegava um saco de açúcar na despensa. – Estão vendo aquelas tigelas em cima da bancada? Quero seis xícaras de farinha em cada uma delas. E duas xícaras de açúcar. Sejam cuidadosas e não atrapalhem os outros, hein?

– Onde está a farinha? – perguntou Emma, olhando ao redor.

A Cozinheira suspirou e já estava prestes a voltar a entrar na despensa quando se deteve.

– Prestem atenção, vocês duas. Se estão tão dispostas a fazer o meu trabalho, levantem *vocês mesmas* aqueles sacos grandes de farinha.

Emma riu enquanto trazia com facilidade o saco até Belle, que estava medindo o açúcar.

Belle riu também.

– Graças a Deus escapamos de mamãe. Ela provavelmente iria querer que já começássemos a nos arrumar, e ainda faltam oito horas para o baile.

Emma assentiu. Mas, para ser sincera, ela estava bastante empolgada para o seu primeiro baile em Londres, ansiosa para colocar em uso o que aprendera nas aulas de etiqueta e de dança. Mas tia Caroline, muito perfeccionista, não parava de distribuir ordens para todo lado como um general do Exército. Depois de semanas de escolha de vestidos, flores e músicas, nem Emma nem Belle queriam ser vistas em nenhum local próximo ao salão de baile enquanto a condessa deixava tudo a seu gosto. A cozinha era o último lugar onde Caroline procuraria por elas.

Enquanto mediam o açúcar e a farinha, Belle se virou para Emma, os olhos azuis muito sérios.

– Está nervosa?

– Por causa de hoje à noite?

Belle assentiu.

– Um pouco. Vocês, ingleses, podem ser um tanto assustadores, sabe, com todas as suas regras de comportamento e de etiqueta.

Belle deu um sorriso solidário para a prima e afastou uma mecha de cabelos ruivos dos olhos dela.

– Você vai se sair bem. Tem autoconfiança. Sei por experiência própria que se agir como quem sabe o que faz, as pessoas acreditam em você.

– Sabichona – falou Emma, com carinho. – Você lê demais.

– Eu sei. E isso ainda será a minha ruína. Jamais vou arrumar um marido se passar o tempo todo com o nariz enfiado em um livro – disse Belle, revirando os olhos em um horror fingido.

– Sua mãe disse isso?

– Sim, mas ela tem boa intenção, você sabe. Mamãe jamais me obrigaria a casar só por casar. Ela me deixou recusar um pedido de casamento do conde de Stockton no ano passado, e ele foi considerado o melhor partido da temporada.

– O que havia de errado com ele?

– O conde pareceu ter ficado preocupado demais com o fato de eu gostar de ler.

Emma sorriu enquanto derramava mais farinha nas tigelas.

– Ele me falou que ler não era apropriado para o cérebro feminino – continuou Belle. – Disse que dava ideias às mulheres...

– Ah, que Deus não permita que tenhamos ideias, não é mesmo?

– Eu sei, eu sei. Mas ele disse que eu não me preocupasse, que estava certo de que conseguiria acabar com esse meu hábito depois que nos casássemos.

Emma lançou um olhar de soslaio para a prima.

17

– Você deveria ter perguntado ao conde se ele achava que você conseguiria acabar com o hábito dele de ser tão arrogante.

– Tive vontade, mas não perguntei.

– Eu teria perguntado.

– Eu sei – disse Belle, sorrindo para Emma. – Você tem um talento especial para falar o que lhe vem à cabeça.

– Isso é um elogio?

Belle pensou na pergunta por um instante antes de responder.

– Acho que sim. Ruivas não estão muito na moda atualmente, mas prevejo que você… e essa sua boca escandalosa… serão um sucesso tão grande que no mês que vem eu serei informada… pelas Pessoas Que Informam… de que cabelos ruivos passaram a ser a última moda e se isso não é uma sorte para a minha pobre prima que teve a má sorte de nascer na América.

– Por algum motivo, duvido, mas é muito gentil da sua parte dizer isso.

Emma sabia que não era tão encantadora quanto Belle, mas estava satisfeita com a própria aparência, e decidira muito tempo antes que se não podia ser uma beldade, ao menos seria fora do comum. Certa vez, Ned a chamara de camaleão, dizendo que os cabelos da prima mudavam de cor cada vez que ela balançava a cabeça. Bastava um facho de luz para fazer com que os cachos parecessem em chamas. E os olhos, normalmente de um tom claro de violeta, ficavam nublados e perigosamente escuros quando Emma estava furiosa.

Ela jogou um pouco de farinha na última tigela e limpou as mãos no avental.

– Cozinheira! – chamou. – E agora? Já medimos toda a farinha e o açúcar.

– Ovos. Quero três em cada tigela. E sem nem um pedacinho de casca, ouviram? Se eu encontrar casca de ovo nos meus bolos, vou deixá-los aqui na cozinha e servir a cabeça de vocês no lugar.

– Nossa, ela está nervosa hoje, hein? – comentou Belle, com uma risadinha.

– Eu ouvi isso, mocinha! Não pense que não! E não vou aceitar brincadeirinhas. Se vão ficar na minha cozinha, ao trabalho!

– Onde a senhora guarda os ovos? – perguntou Emma enquanto investigava a caixa onde eram guardados os insumos perecíveis. – Não estou achando em lugar algum.

– Ora, então não deve estar procurando direito. Eu sabia que vocês duas não tinham noção de como é uma cozinha.

A Cozinheira foi pisando firme até onde elas estavam e abriu a caixa. No entanto, sua busca se provou tão infrutífera quanto a de Emma.

– Ora, vejam só… Estamos sem ovos – disse ela, e então, furiosa, gritou:

– Quem foi a tola que se esqueceu de pegar ovos no mercado?

Não foi surpresa o fato de ninguém ter levantado a mão.

A Cozinheira olhou lentamente ao redor e seu olhar finalmente pousou em uma jovem copeira que estava debruçada sobre uma pilha de frutas vermelhas.

– Mary – chamou. – Já terminou de lavar isso?

Mary enxugou as mãos no avental.

– Não, senhora, ainda tenho baldes delas para lavar. Nunca vi tantas frutas vermelhas.

– Susie?

Susie estava com os braços enfiados até os cotovelos na água com sabão enquanto lavava apressadamente a louça.

Emma olhou ao redor. Havia mais de dez pessoas na cozinha, e todas pareciam absurdamente ocupadas.

– Ora, que beleza – resmungou a Cozinheira. – Preciso cozinhar para quatrocentas pessoas e não tenho ovos. E não há um par de mãos livre para ir buscá-los.

– Eu posso ir – ofereceu-se Emma.

Tanto Belle quanto a Cozinheira a encararam com expressões que ficavam em algum lugar entre o choque e o horror.

– Está louca? – perguntou a Cozinheira.

– Emma, isso simplesmente não se faz – disse Belle ao mesmo tempo. Emma revirou os olhos.

– Não, não estou louca. E por que não posso ir ao mercado? Sou perfeitamente capaz de escolher alguns ovos. Além do mais, gostaria de um pouco de ar fresco. Passei a manhã toda presa dentro de casa.

– Mas alguém pode vê-la – protestou Belle. – E você está coberta de farinha, pelo amor de Deus!

– Belle, ninguém me conhece. Como alguém saberia quem eu sou?

– Mas você não pode sair por aí em um uniforme de criada.

– Este uniforme é exatamente o que me faz *poder* sair – explicou Emma com paciência. – Se eu usar um dos meus vestidos, todos vão se perguntar o que uma dama da aristocracia está fazendo na rua sem acompanhante,

19

isso sem mencionar o fato de estar indo ao mercado comprar ovos. Mas ninguém vai sequer olhar para mim se eu estiver vestida como uma criada. *Você* certamente não pode me acompanhar; você, sim, seria reconhecida em um segundo.

Belle suspirou.

– Mamãe me mataria.

– Então veja... se a Cozinheira precisa da ajuda de todas as criadas na cozinha, eu sou a única solução.

Sentindo o cheiro da vitória, Emma sorriu. Belle não estava convencida.

– Não sei, Emma. Isto é muito errado, deixar você sair sozinha.

Emma soltou um suspiro exasperado.

– Veja, vou prender o meu cabelo bem para trás, como as nossas criadas fazem – disse ela, arrumando rapidamente o cabelo em um coque. – E vou derramar um pouco mais de farinha no uniforme. E talvez sujar um pouco o rosto com ela.

– Já basta – interveio a Cozinheira. – Não precisamos desperdiçar a minha boa farinha.

– Então, Belle? – perguntou Emma. – O que acha?

– Não sei. Mamãe não vai gostar nem um pouco disso.

Emma aproximou bem o rosto do da prima.

– Ela não vai ficar sabendo, vai?

– Ah, que seja então... – disse Belle, rendendo-se, e virou para todas as criadas na cozinha, balançando o dedo. – Nem uma palavra sobre isso para mamãe. Todas entenderam?

– Não gosto nada disso – manifestou-se a Cozinheira. – Nada mesmo.

– Bem, não temos escolha, não é? – argumentou Emma. – Não se a senhora quiser servir bolos no baile. Agora, por que não coloca Belle para trabalhar espremendo aqueles limões? Prometo que estarei de volta antes mesmo que percebam que saí.

E, com isso, Emma pegou algumas moedas da mão da Cozinheira e saiu pela porta.

Chegando à rua, respirou fundo o ar fresco de primavera. Liberdade! Era tão bom escapar do confinamento da casa dos primos de vez em quando. E, vestida como criada, poderia caminhar sem ser notada. Depois do baile, nunca mais conseguiria deixar a mansão Blydon sem estar acompanhada.

Emma dobrou a última esquina antes de chegar ao mercado. Foi caminhando lentamente pela calçada, parando para olhar a vitrine de cada loja. Como havia imaginado, ninguém dentre as damas e os cavalheiros que passaram por ela lançou mais do que um rápido olhar na direção da criada pequena e ruiva, coberta de farinha.

Ela cantarolava alegremente quando entrou no mercado cheio e comprou várias dúzias de ovos. Era um pouco difícil carregá-los, mas Emma teve o cuidado de não fazer careta. Uma copeira estaria acostumada a carregar aquele tipo de compra, e Emma não queria estragar o disfarce. Além do mais, ela era bem forte e estava a apenas cinco quarteirões de casa.

Emma sorriu para o vendedor, se despedindo com um aceno de cabeça.

– Muito obrigada, senhor.

Ele devolveu o sorriso.

– Ora, você é nova por aqui? Fala como se tivesse acabado de chegar das Colônias.

Os olhos de Emma se arregalaram de surpresa. Não havia esperado ter que responder às perguntas do vendedor.

– Ah, sim, eu cresci lá, mas já moro em Londres há muitos anos – mentiu.

– Ora, eu sempre quis conhecer a América – disse ele.

Emma gemeu por dentro. O homem parecia disposto a ter uma longa conversa, e ela realmente precisava voltar correndo para casa, antes que Belle começasse a se preocupar. Por isso começou a recuar na direção da porta, sorrindo o tempo todo.

– Volte sempre, mocinha. Para quem você disse que trabalha?

Mas Emma já havia saído correndo pela porta, fingindo não ter ouvido a pergunta. A meio-caminho de casa, sentia-se animada e assoviava, feliz, certa de ter encenado sua farsa sem deixar pistas. Caminhava lentamente, ansiosa para prolongar sua pequena aventura. Além do mais, estava gostando de observar os londrinos cuidando de seus afazeres diários. Com o uniforme de criada, ninguém prestava atenção nela, assim podia olhar para tudo sem o menor pudor, desde que desviasse os olhos se alguém a olhasse de volta.

Emma esticou o pescoço para ver um menininho adorável, de 5 ou 6 anos, que descia de uma carruagem elegante, puxada por uma parelha de cavalos idênticos. Ele carregava um filhotinho de cocker spaniel e fazia carinho na cabecinha do bicho. O cãozinho preto e branco retribuiu o afeto lambendo o rosto do menino, que deixou escapar uma risadinha aguda. Nesse momento, a mãe dele enfiou a cabeça para fora da carruagem para ver o que estava acontecendo. Era uma mulher linda, de cabelos escuros e olhos verdes, que cintilavam com um amor evidente pelo filho.

– Não saia daí, Charlie – disse ela ao menino. – Estarei com você em um instante.

A mulher se virou para dentro da carruagem, provavelmente para falar com alguém. O menino de cabelos escuros revirou os olhos e ficou mudando o peso do corpo de um pé para o outro enquanto esperava a mãe.

– Mamãe – pediu –, anda logo.

Emma sorriu ao ouvir a impaciência óbvia na voz dele. Pelo que o pai lhe contara, ela fora exatamente daquele jeito quando pequena.

– Só um minuto, danadinho. Já vou descer.

E então um gato malhado atravessou correndo a rua. O cachorrinho subitamente soltou um latido alto e pulou dos braços de Charlie, para perseguir o gato pela rua.

– Wellington! – gritou Charlie, e saiu em disparada atrás do cachorro.

Emma ficou sem ar. Um coche de aluguel descia a rua e o condutor, concentrado na conversa com o homem sentado ao seu lado, não estava prestando a menor atenção à sua frente. Charlie seria esmagado sob os cascos dos cavalos.

Emma gritou e não parou para pensar antes de largar os ovos e atravessar a rua correndo. Quando estava a poucos metros do menino, mergulhou no ar, rezando para conseguir impulso suficiente para derrubá-lo e sair do caminho com ele antes que os dois fossem atropelados pelo coche.

Charlie gritou, sem entender por que uma mulher estranha havia se jogado em cima dele e caído ao seu lado.

Pouco antes de atingir o chão, Emma ouviu mais gritos.

Depois disso, veio a escuridão.

CAPÍTULO 2

Emma ouviu vozes antes de abrir os olhos.

– Ah, Alex! – disse uma voz chorosa de mulher. – E se essa mocinha não estivesse aqui? Charlie teria sido atropelado! Sou uma péssima mãe. Deveria ter tomado conta dele com mais atenção. Nunca deveria tê-lo deixado sair da carruagem antes de mim. Temos que voltar para casa. No interior ele não se mete em tanta confusão.

– Não, Sophie – disse uma voz masculina, firme. – Você *não* é uma péssima mãe. Mas precisa parar de gritar antes que apavore essa pobre moça.

– Ah, sim, é claro – concordou Sophie, mas em um instante estava soluçando de novo. – Não consigo acreditar que isso aconteceu. Se Charlie tivesse se machucado, eu não sei o que faria. Simplesmente morreria. É sério. Eu definharia e morreria.

O homem suspirou.

– Sophie, por favor, se acalme. Está me ouvindo? Charlie está bem. Deve ter sofrido no máximo um arranhão. Só temos que nos dar conta de que ele está crescendo, e de que precisamos ficar mais atentos.

Emma gemeu baixinho. Ela sabia que devia demonstrar que havia recuperado a consciência, mas, para ser sincera, suas pálpebras pareciam terrivelmente pesadas e a cabeça latejava.

– Ela está recobrando os sentidos? – perguntou Sophie. – Ah, Alex, não sei como agradecer a ela. Que mocinha corajosa. Talvez eu deva contratá-la. Talvez as pessoas para quem ela trabalha no momento não a tratem com gentileza. Partiria o meu coração saber que ela é maltratada.

Alexander Edward Ridgely, o duque de Ashbourne, suspirou. Sophie, sua irmã, sempre falara muito, mas parecia ficar ainda mais tagarela quando estava nervosa ou aborrecida.

Foi então que Charlie falou.

– O que aconteceu, mamãe? Por que você está chorando?

A voz de Charlie só serviu para fazer Sophie chorar ainda mais.

– Ah, meu bebê – disse ela aos soluços, puxando o filho contra o peito.

Sophia segurou o rosto dele entre as mãos e começou a cobri-lo de beijos estalados.

– Mamãe! Pare com isso! Vai me deixar todo molhado!

Charlie tentou se desvencilhar do abraço da mãe, mas ela o apertou com mais força até ele sussurrar, irritado:

– Mamãe, o tio Alex vai pensar que eu sou um *fracote*!

Alex riu.

– De jeito nenhum, Charlie. Não prometi que ensinaria você a jogar uíste? Você sabe que não jogo cartas com fracotes.

Charlie assentiu com todo o vigor enquanto a mãe o soltava repentinamente.

– Você está ensinando o meu filho a jogar uíste? – perguntou ela, entre soluços. – Sinceramente, Alex, ele só tem 6 anos!

– Na minha opinião, nunca se é jovem demais para aprender. Certo, Charlie?

O menino abriu um largo sorriso com vários dentes faltando.

Sophie suspirou alto, desanimada com o esforço de sempre ter que manter a mão feminina firme sobre o irmão e o filho.

– Vocês são dois patifes. Isso mesmo, patifes.

Alex riu.

– É claro, somos parentes.

– Eu sei, eu sei. E lamento. Mas já chega de falar sobre jogos de cartas. Precisamos cuidar dessa pobre moça. Você acha que ela vai ficar bem?

Alex pegou a mão de Emma e sentiu seu pulso. Estava forte e firme.

– Acho que sim.

– Graças a Deus.

– Mas vai acordar com uma dor de cabeça dos infernos amanhã.

– Alex, olhe o linguajar!

– Sophie, pare de tentar bancar a puritana. Não combina com você.

Sophie deu um sorrisinho.

– Não, acho que não mesmo. Mas tenho que dizer alguma coisa quando você pragueja.

– Se sente uma necessidade tão forte de dizer alguma coisa, por que não pragueja também?

Em meio a esses gracejos, Emma deixou escapar um gemido baixo.

– Ah, meu Deus! – exclamou Sophie. – Ela está voltando a si.

– Quem é ela? – perguntou Charlie, de repente. – E por que ela pulou em cima de mim?

Sophie encarou o filho, boquiaberta.

– Não acredito que você acabou de dizer isso. Você, meu caro menino, quase foi atropelado por um coche. Se essa moça bondosa não tivesse se jogado, você teria sido pisoteado pelos cavalos!

Charlie fitou a mãe, boquiaberto.

– Achei que ela talvez fosse um pouco louca.

– O quê? – perguntou Sophie, com um gritinho agudo. – Você não viu o coche? É, vejo que vai ter que aprender a ser mais cuidadoso.

A voz alta de Sophie estava fazendo a cabeça de Emma latejar ainda mais. Ela gemeu de novo, desejando que aquelas pessoas lhe dessem ao menos um minuto de silêncio.

– Quieta, Sophie – repreendeu Alex. – Seus gritinhos obviamente estão incomodando a moça. Ela precisa de um pouco de silêncio para que a dor de cabeça que deve estar sentindo amenize e ela consiga abrir os olhos.

Emma suspirou. Felizmente havia ao menos uma pessoa com bom senso naquela carruagem.

– Eu sei, eu sei. Estou tentando. Estou, sim. Só que…

– Soph – interrompeu Alex –, por que não vai ao mercado comprar alguns ovos para repor os que a moça deixou cair? Olhe só a bagunça ali, parece que quase todos estão quebrados.

– Você quer que eu vá comprar ovos?

Sophie ergueu as sobrancelhas diante de uma ideia tão improvável.

– Não pode ser assim *tão* difícil comprar ovos, Sophie. Pelo que sei, as pessoas fazem isso todos os dias. Vi um mercado alguns quarteirões atrás. Leve o cocheiro com você. Ele carregará os ovos até aqui.

– Não sei se é adequado que você fique sozinho com ela dentro da carruagem.

– Sophie – falou Alex entre dentes. – Ela é uma copeira. Ninguém vai exigir que eu me case com ela depois de passarmos alguns minutos sozinhos em uma carruagem. Pelo amor de Deus, *vá comprar os benditos ovos!*

Sophie recuou. Sabia que não devia provocar demais o humor do irmão mais velho.

– Ah, tudo bem, tudo bem.

Ela se virou e desceu com elegância da carruagem.

– Leve Charlie com você! – falou Alex. – E fique de olho nele dessa vez!

Sophie mostrou a língua para o irmão e pegou a mão de Charlie.

– Muito bem, Charlie – disse ela. – Você sempre precisa olhar para os dois lados antes de atravessar uma rua. Veja como eu faço.

Sophie virou o pescoço com exagero em todas as direções. Charlie riu alto e ficou pulando.

Alex sorriu e se virou para a criada, que estava recostada contra o assento acolchoado da carruagem. Ele não conseguira acreditar nos próprios olhos ao vê-la atravessar a rua correndo e se jogar em cima de Charlie para afastá-lo do caminho do coche. Bravura não era algo que Alex estava acostumado a ver em mulheres, mas aquela jovem criada misteriosa acabara de demonstrar exatamente isso. Ele estava interessado nela, tinha que admitir. E não sabia bem por quê. A moça com certeza não era do tipo que costumava chamar sua atenção. Bem, ele na verdade não tinha um "tipo" no que se referia a mulheres, mas, se tivesse, tinha quase certeza de que aquela ruiva pequenina não se encaixaria. Ainda assim, Alex podia dizer que a moça não era nada parecida com as mulheres com quem costumava se relacionar. Com certeza não conseguia imaginar as jovens da aristocracia – que a mãe estava constantemente empurrando para cima dele – arriscando a vida para salvar Charlie. E o mesmo valia para as mulheres maduras com quem ele passava as noites. Aquela mulher incomum o intrigava.

Depois de bater com a cabeça com um estrondo doloroso, ela agora estava inconsciente. Alex baixou o rosto e afastou dos olhos dela um cacho dos macios cabelos ruivos. Ela gemeu de novo, e Alex decidiu que nunca ouvira um som tão doce e delicado.

Maldição, o que havia de errado com ele? Sabia que não deveria se envolver romanticamente com uma criada. Desprezando as emoções primitivas que percorriam seu corpo, Alex soltou um gemido. Não poderia negar que, por algum motivo, aquela jovem o afetara profundamente. Ele sentira o coração disparar no momento em que a vira deitada, aparentemente morta, na rua. E não se acalmara até ter certeza de que ela não estava gravemente ferida. Depois de examiná-la em busca de alguma fratura, ele a pegou no colo e acomodou-a gentilmente no assento da carruagem. A moça era pequena e leve, e se encaixou perfeitamente contra o corpo grande dele.

Sophie, é claro, chorara o tempo todo. Graças a Deus ele conseguira convencer a irmã a ir comprar mais ovos. As lágrimas e os soluços dela quase o deixaram louco, e, o mais importante, ele queria estar sozinho com a criada quando ela acordasse.

Alex se ajoelhou no chão ao lado dela.

– Vamos, meu bem – disse ele, pressionando os lábios com gentileza contra a têmpora dela. – Está na hora de abrir os olhos. Estou louco para ver de que cor eles são.

Emma gemeu de novo quando sentiu uma mão grande acariciando seu rosto. A dor latejante em sua cabeça começou a ceder, e ela deixou escapar um suspiro de alívio. Então abriu lentamente as pálpebras e por um instante o brilho do sol que entrava pelas janelas da carruagem a cegou.

– Aaaah – gemeu ela, e fechou os olhos com força.

– A luz a incomoda?

Alex ficou de pé na mesma hora e baixou as cortinas. E voltou imediatamente para o lado dela.

Emma soltou outro longo suspiro e abriu um pouco os olhos. E logo arregalou-os. Havia um homem fitando-a atentamente, o rosto moreno a poucos centímetros do dela. Um cacho de cabelos negros caía de forma jovial sobre sua testa. Emma sentiu vontade de tocá-los para conferir se eram tão macios quanto pareciam. E então ele tocou novamente o rosto dela.

– Você nos deu um susto e tanto, sabia? Esteve inconsciente por quase dez minutos.

Emma o encarou sem compreender, ainda incapaz de formular uma frase coerente. A culpa era daquele homem, pensou... ele era bonito demais e estava próximo demais.

– Consegue falar, meu bem?

Emma abriu a boca. "Verdes" foi a única palavra que saiu.

Que sorte a minha, pensou Alex. A criada de cozinha mais linda de toda Londres aterrissa na minha carruagem, e é completamente louca. Os olhos dele se estreitaram enquanto a fitava mais atentamente e Alex perguntou:

– O que você disse?

– Seus olhos são verdes – disse ela, com a voz estrangulada.

– Sim, eu sei. Eles são dessa cor há décadas, na verdade. Desde que eu nasci, imagine só.

Emma fechou os olhos com força. Santo Deus, ela realmente acabara de dizer àquele homem que os olhos dele eram verdes? Que coisa absurdamente estúpida para se dizer. É claro que ele sabia qual era a cor dos próprios olhos.

As damas provavelmente se aglomeravam ao redor dele para elogiar aqueles olhos verdes lindos e cativantes. Mas o homem estava tão perto e a encarava com tanta intensidade, com um olhar absolutamente hipnotizante... Emma decidiu que imputaria sua idiotice momentânea à dor de cabeça.

Alex riu.

– Ora, devemos ficar gratos por seu acidente não ter deixado você cega. Agora, acha que é capaz de me dizer o seu nome?

– Emm... ahn – Emma tossiu para disfarçar a hesitação. – Meg. Meu nome é Meg.

– É um prazer conhecê-la, Meg. O meu é Alexander Ridgely, mas pode me chamar de Alex. Ou, se preferir, Ashbourne, como me chamam muitos dos meus amigos.

– Por quê?

A pergunta escapou antes que Emma conseguisse se conter. Criadas de cozinha não deveriam fazer esse tipo de pergunta.

– Na verdade, é o meu título. Sou o duque de Ashbourne.

– Ah.

– Você tem um sotaque interessante, Meg. Por acaso veio das Colônias?

Emma fez uma careta. Havia poucas coisas que odiava mais do que ouvir os ingleses se referirem ao país dela como as "Colônias".

– Venho dos Estados Unidos da América – disse ela com atrevimento, esquecendo-se novamente do seu disfarce de criada de cozinha. – Já somos independentes há várias décadas e não devem se referir a nós como sendo colônias *suas*.

– Muito bem corrigido. Você está absolutamente certa, minha cara, e devo dizer que fico feliz ao ver que você já recuperou parte da vivacidade.

– Perdão, Vossa Graça – disse Emma, baixinho. – Não deveria ter falado dessa forma com o senhor.

– Ora, Meg, não faça papel de acanhada comigo. Posso ver que não há um único osso frágil no seu corpo. Além do mais, acho que você pode falar comigo da forma que quiser depois de ter salvado a vida do meu sobrinho.

Emma estava pasma. Ela havia se esquecido completamente do meni-ninho.

– Ele está bem? – perguntou, ansiosa.

– Está, não precisa se preocupar com Charlie. É com você que estou preocupado, meu bem.

– Estou bem, de verdade. Acho… acho que preciso voltar agora.

Santo Deus, ele estava acariciando o rosto dela de novo, e Emma com certeza não conseguia manter um único pensamento no lugar quando aquele homem a tocava. Ela continuou com os olhos fixos nos lábios carnudos do duque, imaginando como seria senti-los nos próprios lábios. Então gemeu e enrubesceu ao se dar conta dos pensamentos escandalosos.

Alex ouviu o som na mesma hora, e seus olhos ficaram nublados de preocupação.

– Tem certeza de que não está se sentindo tonta, meu bem?

– Acho que o senhor não deveria me chamar de "meu bem".

– Ah, acho que deveria.

– Não é nem um pouco adequado.

– Raramente ajo de forma adequada, Meg.

Emma mal teve tempo de digerir aquelas palavras antes que ele demonstrasse claramente como era capaz de ser inapropriado. Faltou-lhe o ar quando sentiu os lábios do homem capturando os dela em um beijo suave. Durou apenas um breve instante, mas foi o bastante para que todo o ar se esvaísse dos pulmões de Emma, deixando sua pele quente e formigando. Ela ficou olhando para Alex sem entender, subitamente insegura de si mesma e da estranha sensação que dominara seu corpo.

– Isso é só um gostinho do que ainda está por vir, meu bem – sussurrou Alex em um tom apaixonado contra a boca de Emma.

Ele levantou a cabeça e olhou dentro dos olhos dela. Viu apreensão e confusão no rosto da jovem e na mesma hora ficou horrorizado com seu comportamento atrevido. Alex se afastou rapidamente dela e sentou-se no banco acolchoado do outro lado da carruagem. Sua respiração estava acelerada e irregular. Não conseguia se lembrar de alguma vez ter ficado tão abalado com um único beijo. E tinha sido um beijo curto, rápido. Seus lábios mal haviam tocado os de Meg. Ainda assim, o desejo disparava por suas veias e tudo o que ele queria fazer era… bem, era melhor nem *pensar* no que queria fazer, porque estava certo de que acabaria se sentindo ainda pior.

Alex levantou o olhar e viu Meg encarando-o com olhos arregalados e inocentes. Diabos, ela provavelmente desmaiaria se conseguisse ler os pensamentos dele. Ele não tinha nada que se envolver com uma moça como aquela, que mal devia ter 16 anos. Alex praguejou baixinho. Ela provavelmente ia à igreja aos domingos.

Emma começou a se sentar, esfregando as têmporas ao sentir uma onda de tonteira atingi-la.

– Acho que devo ir para casa – falou ela.

Emma pousou os pés no piso da carruagem enquanto estendia a mão para a porta. Os primos haviam lhe dito que as ruas de Londres eram perigosas, mas ninguém lhe avisara dos perigos que se escondiam dentro da carruagem de um nobre.

Alex segurou-a pelo pulso antes que ela alcançasse a maçaneta. E, gentilmente, fez com que ela se recostasse de volta no assento, acomodando-a sentada.

– Você não vai a lugar algum. Acabou de bater com a cabeça, e provavelmente acabaria desmaiando pelo caminho. Vou levar você de volta agorinha mesmo. Além do mais, minha irmã foi comprar mais alguns ovos para você. Precisamos esperar que ela volte.

– Os ovos – disse Emma com um suspiro, e levou a mão à testa. – Eu tinha me esquecido. A Cozinheira vai me matar.

Os olhos de Alex se estreitaram imperceptivelmente. Será que Sophie tinha razão ao temer por ela? Meg seria maltratada na casa da família que a empregava? Ele não ficaria impassível vendo uma jovem delicada como ela ser exposta à crueldade. Ele mesmo a contrataria antes de permitir que ela retornasse a uma vida de sofrimento.

Alex gemeu quando uma nova onda de desejo disparou por seu corpo. É claro que não poderia contratá-la. Em poucos dias a moça terminaria na cama dele. Sophie estava certa. Meg deveria ir trabalhar para ela, onde estaria protegida de tipos como ele. Santo Deus, ele estava espantado com o próprio cavalheirismo. Já fazia muito tempo desde que sentira qualquer preocupação por qualquer mulher, a não ser, é claro, a mãe e a irmã, a quem adorava.

Era bem sabido por toda Londres que Alex era um solteiro convicto. Ele sabia que teria que se casar em algum momento, mesmo que fosse só para produzir um herdeiro, mas não via razão para apressar esse sacrifício. Mantinha distância de todas as damas da aristocracia, preferindo a companhia de cortesãs e de cantoras de ópera. Tinha pouca paciência para a maior parte da elite social de Londres e não confiava nem um pouco nas mulheres. Ainda assim, as damas se aglomeravam ao seu redor nos poucos eventos sociais a que comparecia, encarando seus modos indiferentes e seu cinismo como um desafio. Alex raramente tinha pensamentos gentis a respeito de qualquer uma delas. Se uma dama bem-nascida flertava com ele, Alex presumia que ela era extremamente tola ou que sabia exatamente o que – ou, melhor, quem – ela queria. Ele ocasionalmente ia para a cama com todas, mas nada além disso.

Alex levantou a cabeça e viu que Meg ainda estava sentada muito ereta, os olhos fixos modestamente nas próprias mãos cruzadas no colo.

– Não precisa ficar tão assustada, Meg. Não vou beijá-la de novo.

Foi a vez dela de levantar a cabeça e encará-lo com os olhos violeta muito abertos. Emma não sabia o que dizer. No momento, duvidava sinceramente de sua capacidade de formar uma frase coerente.

– Eu disse que você não precisa ter medo, Meg – repetiu Alex. – A sua virtude está a salvo comigo… ao menos pelos próximos minutos.

Ela ficou boquiaberta diante da audácia dele. Então, ofendida, cerrou os lábios e desviou os olhos.

Alex gemeu internamente de novo enquanto observava aqueles lábios cheios. Deus, ela era linda. Os cabelos, que haviam cintilado, muito vermelhos, sob a luz do sol, agora que as janelas estavam fechadas pareciam de um vermelho escuro. E os olhos… primeiro, Alex achou que fossem azuis, depois violeta, mas agora pareciam negros.

Emma tinha a sensação de que estava prestes a explodir, tensa com a arrogância do homem à sua frente. Ela respirou fundo algumas vezes, tentando conter o temperamento que já a tornara famosa em duas casas, em dois continentes. Mas perdeu a batalha.

– Realmente não acho que deveria falar comigo desse modo escandaloso. É muito injusto da sua parte tirar vantagem da minha condição vulnerável de forma tão lasciva, principalmente levando em conta que a *única* razão pela qual estou sentada aqui com um inchaço na cabeça… isso sem mencionar o fato de estar diante do homem mais rude que já tive a infelicidade de conhecer… é que estava prestando atenção no seu sobrinho tendo em vista que o senhor e a sua irmã foram descuidados demais para tomar conta dele direito.

Emma se recostou, satisfeita com o próprio discurso, e encarou-o com uma expressão dura.

Alex ficou impressionado com aquelas palavras, mas teve o cuidado de não demonstrar surpresa.

– Você tem um excelente vocabulário, Meg – comentou, lentamente. – Onde aprendeu a falar tão bem?

– Não é da sua conta – retrucou Emma enquanto tentava desesperadamente inventar uma história crível.

– Mas estou terrivelmente interessado. Poderia me contar um pouquinho do seu passado?

– Se quer mesmo saber, minha mãe trabalhou como ama de três crianças. O pai e a mãe delas eram muito gentis e permitiram que eu assistisse às aulas com eles.

Sim, aquilo parecia bom.

– Entendo. Muito generoso da parte deles.

Emma suspirou e revirou os olhos diante do sarcasmo dele.

– Alex – chamou uma voz aguda. – Voltei! Compramos duas dúzias de ovos. Espero que seja o bastante.

Duas dúzias! O coração de Emma afundou no peito. Ela não conseguiria carregar sozinha aqueles ovos todos. Agora, teria que deixar o duque levá-la para casa de carruagem.

A porta do veículo foi aberta e o rosto de Sophie apareceu.

– Ah, você está acordada! – exclamou, olhando para Emma e pegando suas mãos com força. – Não sei se algum dia serei capaz de lhe agradecer. – Se eu puder ajudá-la de algum modo, por favor, me diga como. O meu nome é Sophie Leawood, condessa de Wilding, e estarei em débito com você para sempre. Tome – disse ela, e enfiou um cartão na mão de Emma –, fique com isto. É o meu endereço. Você pode aparecer a qualquer hora, de dia ou de noite, se porventura precisar de alguma coisa.

Emma só conseguiu fitá-la enquanto a mulher de olhos verdes à sua frente parava para tomar fôlego.

– Ah, meu Deus – continuou Sophie. – Onde estão os meus modos? Qual é o seu nome?

– O nome dela é Meg – respondeu Alex, tranquilamente. – E ela não parece inclinada a nos dizer seu sobrenome.

Emma ficou irritada. Ele nem sequer perguntara qual era o sobrenome dela.

– Não tem problema, minha querida – falou Sophie. – Você não tem que nos dizer nada que não queira…

Emma olhou para Alex com uma expressão triunfante.

– ... desde que se lembre de que serei sua amiga pelo resto da vida, e que pode contar comigo para tudo.

– Muito obrigada, milady – disse Emma, baixinho. – Vou me lembrar disso. Mas realmente gostaria de voltar para casa. Já estou fora há algum tempo e a Cozinheira deve estar se perguntando onde eu me meti.

– Talvez você possa nos dizer onde trabalha – falou Alex.

Por um instante, Emma o encarou sem entender.

– Você trabalha *mesmo* em algum lugar? Não estava planejando comer esses ovos sozinha, não é?

Ah, maldição, ela havia se esquecido de novo do disfarce.

– Hum, trabalho para o conde e a condessa de Worth.

Alex sabia o endereço e instruiu o cocheiro. Sophie não parou de falar nem um instante pelo curto caminho de carruagem até chegarem à mansão Blydon.

Emma quase saiu correndo da carruagem.

– Espere! – disseram Alex e Sophie em uníssono.

Sophie a alcançou primeiro.

– Preciso agradecer devidamente. Caso contrário passarei semanas tendo pesadelos.

A condessa levou as mãos às orelhas, tirou rapidamente os brincos de esmeralda e diamantes que usava e enfiou-os nas mãos de Emma.

– Por favor, fique com eles. É só um pequeno sinal de reconhecimento pelo que você fez, eu sei, mas talvez eles a ajudem se você algum dia precisar.

Emma estava estupefata. Não podia simplesmente dizer àquela mulher que era a única herdeira de um negócio de navegação gigante, mas ao mesmo tempo conseguia ver que Sophie precisava desesperadamente lhe dar alguma coisa em agradecimento.

– Que Deus a abençoe.

Sophie beijou o rosto de Emma e subiu na carruagem.

Emma se virou para o cocheiro e pegou os ovos que estavam com ele. Então sorriu para Sophie e começou a caminhar na direção da entrada lateral da mansão.

– Não tão rápido, meu bem – disse Alex, surgindo ao lado dela. – Eu levo isso para você.

– Não! – disse Emma, em um tom um pouco ríspido demais. – Quer dizer, realmente prefiro que o senhor não faça isso. Ninguém vai se incomodar por eu estar atrasada se eu explicar sobre Charlie, mas não vão gostar se eu entrar com um estranho.

– Tolice – falou Alex.

Ele estendeu a mão para pegar os ovos com a autoconfiança suprema de quem espera que suas ordens sejam obedecidas. Emma recuou. Seria uma confusão sem tamanho se ele a acompanhasse até a cozinha e Belle – a quem quase com certeza ele já teria sido apresentado – começasse a chamá-la pelo nome verdadeiro.

– Por favor – pediu Emma. – Por favor, vá embora. Eu terei problemas se não fizer isso.

Alex pensou ter visto um medo sincero nos olhos dela e se perguntou mais uma vez se ela seria maltratada naquele lugar. Como não queria criar qualquer problema para a moça, cedeu.

– Muito bem – disse ele, inclinando-se em uma breve cortesia. – Foi um prazer conhecê-la, minha cara Meg.

Emma deu as costas e correu para a entrada de serviço da mansão, sentindo o olhar ardente de Alex em suas costas por todo o caminho. Quando finalmente entrou, apressada, pela porta da cozinha, sentiu como se tivesse acabado de sair do purgatório.

– Emma! – gritaram todos em uníssono.

– Onde você estava? – perguntou Belle, as mãos nos quadris. – Estávamos morrendo de preocupação.

Emma suspirou enquanto pousava os sacos de ovos em cima da bancada.

– Belle, podemos conversar sobre isso mais tarde?

Ela lançou um olhar significativo na direção dos criados, que a encaravam abertamente, boquiabertos.

– Muito bem então – concordou Belle. – Vamos subir agora.

Emma suspirou. Sentiu-se subitamente exausta, e sua cabeça voltou a latejar. E ela não sabia o que fazer a respeito dos malditos brincos, e...

– Ah, meu Deus! – disse Belle em um gritinho agudo.

Emma, sua prima irreprimível e cheia de energia, havia desmaiado de repente.

CAPÍTULO 3

Alex ficou parado na frente da mansão Blydon, olhando para a entrada dos criados. Vira a expressão de puro pânico nos olhos de Meg antes de concordar em não acompanhá-la até a porta. Estava muito sério, preocupado com a possibilidade de ela ser punida por voltar tão tarde do mercado. Embora já tivesse encontrado o conde e a condessa de Worth em várias ocasiões, não sabia muito sobre eles. Não tinha ideia de como funcionava a casa. Alguns membros da aristocracia tratavam os criados de forma abominável. E embora Alex se recusasse a acreditar que sentia qualquer coisa além de desejo por Meg, apavorava-o pensar que ela pudesse ser demitida ou coisa pior. Alex sentiu uma vontade imensa de entrar direto na cozinha da mansão para se assegurar de que Meg estava sendo recebida como a heroína que era. Ele suspirou, ligeiramente irritado com a extensão da preocupação que sentia. Não tinha certeza se a jovem havia se recuperado por completo da queda. O que realmente queria fazer naquele momento era pegá-la nos braços, carregá-la para o quarto dela e colocá-la na cama com uma boa compressa fria na cabeça. Alex gemeu diante da visão que surgiu em sua mente. Se conseguisse colocá-la na cama, duvidava que fosse capaz de resistir a deitar ao lado dela.

– Alex! – Sophie colocou a cabeça para fora da carruagem. – Está esperando o quê?

Alex desviou os olhos da mansão.

– Nada, Soph, nada. Só estou um pouco preocupado com Meg. Acha que ela vai ficar bem? Que tipo de pessoas são o conde e a condessa de Worth?

– Ah, eles são adoráveis. Já estive com eles em várias festas.

– Eu também, pirralha, mas isso não faz deles bastiões da virtude.

Sophie suspirou e revirou os olhos.

– Se passasse mais de um minuto nas festas a que mamãe e eu o obrigamos a comparecer, você saberia que os Blydons são simplesmente maravilhosos. Eles são muito gentis, nem um pouco arrogantes, e mamãe tem um imenso carinho por lady Worth. Acho que elas tomam chá juntas ao menos de quinze em quinze dias. Creio que não precisamos nos preocupar com Meg agora que sabemos que ela trabalha aqui. Não consigo imaginar lady Worth permitindo que alguém seja maltratado em sua casa.

– Espero que esteja certa. Devemos muito a Meg. O mínimo que podemos fazer é garantir o seu bem-estar.

– Não pense que não sei disso, caro irmão. Pretendo fazer uma visita a lady Worth esta semana para contar a ela como Meg salvou Charlie. Estou certa de que ela não vai permitir que tamanha bravura fique sem recompensa.

Alex entrou na carruagem e se sentou enquanto o veículo se punha em movimento.

– É uma ótima ideia, Sophie.

– Eu faria isso hoje à noite, é claro, mas não estou nem um pouco disposta.

– Como assim, hoje à noite?

– Sinceramente, Alex, você deveria se manter mais a par das coisas. Lady Worth vai dar um grande baile hoje à noite. Estou certa de que você foi convidado… você sempre é convidado para tudo, embora não compareça. Se não começar a…

– Por favor, me poupe do sermão você-nunca-vai-conhecer-uma-boa--moça-com-quem-casar-e-produzir-um-herdeiro. Já ouvi o bastante e não estou interessado.

Sophie lançou um olhar irritado para o irmão.

– Ora, mas é a pura verdade, e você sabe muito bem que não pode ficar solteiro para sempre. Só o que você sabe fazer é farrear com seus amigos, que são tão tratantes quanto você.

Alex abriu um sorriso maroto.

– Sinceramente, Soph, não é como se me faltasse companhia feminina.

– Aaaah! – indignou-se Sophie. – Você diz essas coisas só para me aborrecer, não é? Eu sei disso. Essas mulheres dificilmente valem a pena serem mencionadas na minha presença.

– Essas mulheres, como você tão delicadamente colocou, não querem nada de mim além de alguns presentes, e esse é exatamente o motivo pelo qual escolho dividir a cama com elas… ao menos são honestas em relação aos seus desejos materialistas.

– Lá vem você de novo! Sabe que odeio saber dos seus *affairs* tórridos. Juro que sou capaz de bater em você se continuar com essa conversa, Alex.

– Pare com esse drama, Sophie. Nós dois sabemos que você adora ouvir sobre os meus supostos *affairs* tórridos. Você só é pudica e decente demais para admitir isso.

Sophie afundou no assento, admitindo a derrota, enquanto Alex erguia a sobrancelha em uma expressão arrogante. Ele estava absolutamente certo. Ela adorava ouvir sobre as aventuras do irmão – amorosas ou de qualquer tipo. Só não queria dar a ele a satisfação de admitir isso. Além do mais, como poderia manter sua cruzada para conseguir que Alex se casasse se ele soubesse como ela achava o estilo de vida dele fascinante? Mas Sophie fez uma última tentativa.

– Você sabe que vai precisar de um herdeiro, Alex.

Ele se inclinou na direção da irmã e deu um sorriso travesso.

– Imagino que serei fisicamente capaz de gerar um herdeiro daqui a dez ou mesmo quinze anos. Mas, se você quiser, ficarei feliz em passar o nome e o endereço da minha última amante. Tenho certeza de que ela poderá atestar a minha virilidade.

– Mamãe, o que é virilidade? – perguntou Charlie.

– Nada com que você precise se preocupar por muitos anos ainda – respondeu Sophie alegremente, e então abaixou o tom de voz. – Alex, eu já disse que você precisa prestar atenção no que diz perto dele. Esse menino simplesmente idolatra você. É provável que ele passe o próximo mês comentando sobre a própria virilidade com todas as empregadas da casa.

Alex riu.

– Está bem, pirralha, vou prestar mais atenção no que eu falo, mesmo que seja só para evitar que as suas criadas sejam vítimas dos desejos libidinosos de Charlie. Agora, pode ser uma boa menina e me contar sobre o baile de hoje à noite?

Sophie arqueou as sobrancelhas.

– Ora, ora, estamos subitamente interessados no cenário social da cidade, é?

– Só quero aproveitar para conferir como está Meg. Ficarei os meus quinze minutos de sempre, depois vou embora.

– Lady Worth quer apresentar a sobrinha americana à sociedade – explicou Sophie. – Ouvi dizer que vai ser um grande evento.

– Por que você não vai então?

– Não gosto de sair quando Oliver não está na cidade e... – Sophie interrompeu-se e deu um sorriso tímido e uma palmadinha na barriga – Estou esperando outro bebê.

– Não diga! Isso é maravilhoso!

Alex abriu um largo sorriso e puxou a irmã para um abraço afetuoso. Por mais radical que ele fosse em relação a casamento e filhos para si mesmo, adorava ficar com Charlie e estava empolgado com a perspectiva de ter outro sobrinho ou sobrinha.

A carruagem parou diante da casa de Sophie. Alex a beijou no rosto e deu uma palmadinha em sua mão.

– Ah, aqui estamos. Se cuide, irmãzinha. Não se canse demais.

Sophie aceitou a mão do irmão, que a ajudou a sair da carruagem.

– Pelo amor de Deus, Alex, ainda não está nem aparecendo. Certamente não preciso ficar de cama.

– É claro, meu bem, mas você deve ser cuidadosa. Andar a cavalo no parque definitivamente está fora de cogitação.

– Apesar dos seus modos libertinos, você é mesmo um tio exemplar, Alex. Basta ver como Charlie adora você – disse ela, sorrindo de satisfação.

Alex abaixou os olhos para o menino. E, realmente, Charlie estava puxando o casaco do tio, implorando que Alex entrasse e brincasse com ele. Alex desarrumou os cabelos do sobrinho.

– Outro dia, seu danado. Prometo.

– Sabe, Alex – começou Sophie –, sei que você também seria um excelente marido e pai, se ao menos se desse o trabalho de procurar a mulher certa.

Alex cruzou os braços.

– Não comece de novo, por favor. Já tivemos sermões suficientes por um dia. Além do mais, tenho que me preparar para esse maldito baile.

Com um último aceno, Alex voltou para dentro da carruagem e orientou o cocheiro a levá-lo para a sua residência de solteiro.

Sophie acenou de volta e ficou parada na porta de casa, segurando a mão de Charlie. Ao menos o irmão iria à festa naquela noite. Já era um começo. Com sorte, ele encontraria uma mulher adequada.

Quando Emma abriu novamente os olhos, estava em sua cama. A dor de cabeça havia diminuído bastante, mas havia uma nova dor no quadril igualmente ou mais desagradável. Belle estava enroscada em uma cadeira próxima, com um livro encadernado em couro nas mãos.

– Ah, olá – disse a prima, animada, ao reparar que Emma havia acordado. – Você nos deu um susto e tanto.

Belle se levantou, cruzou a curta distância até Emma e se sentou aos pés da cama. Emma ergueu o corpo de modo a ficar reclinada, para que pudesse ver Belle um pouco melhor.

– O que aconteceu?

– Você desmaiou.

– De novo?

– Como, de novo?

– Bem, não foi exatamente um desmaio da primeira vez. Foi mais como um golpe na cabeça.

– O quê?!

– Bem, não exatamente um golpe na cabeça. Eu caí e bati com a cabeça.

– Ai, meu Deus! – exclamou Belle. – Você está bem?

– Acho que sim – retrucou Emma, esfregando com cuidado o inchaço cada vez maior acima da orelha direita. – Como cheguei aqui? Até onde me lembro, estava na cozinha.

– Eu carreguei você.

– *Você* me carregou por quatro lances de escada?

– Bem, a Cozinheira ajudou.

Emma fez uma careta ao pensar na Cozinheira tendo que carregá-la no colo por quatro lances de escada.

– Ah, meu Deus. Que vergonha.

– E Mary e Susie também.

Profundamente mortificada, Emma afundou de volta na cama, como se tentasse desaparecer entre as cobertas volumosas.

– Na verdade, não foi muito difícil – continuou Belle, ignorando o óbvio desconforto da prima. – Primeiro enrolamos você em uma manta. Então, eu a segurei pelos ombros, a Cozinheira pegou seus pés, e Mary e Susie ficaram entre nós duas, uma de cada lado.

– E eu não acordei?

– Você fez alguns barulhos estranhos quando dobramos em um canto no segundo andar, mas não acordou, não, estava inconsciente, com toda a certeza.

– Barulhos estranhos?

Belle pareceu envergonhada.

– Bem, na verdade, talvez tenha tido alguma coisa a ver com o fato de termos batido com você no corrimão ao fazermos a curva.

Emma arregalou os olhos e lembrou-se do ponto dolorido no quadril esquerdo, que esfregava distraidamente.

De repente, um pensamento terrível surgiu na mente dela.

– E a sua mãe?

– Nenhuma de nós chegou a contar a ela o que aconteceu exatamente – respondeu Belle, de modo vago.

– Mas ela deve ter ouvido a agitação.

– Sim, bem, ela realmente me procurou depois que chegamos aqui em cima com você.

– E? – insistiu Emma.

– Eu disse a ela que você tinha sofrido um pequeno colapso, nada de mais.

– Um pequeno colapso?

Emma encarou a prima sem acreditar. Belle assentiu.

– Por causa da empolgação com o seu primeiro baile e tudo o mais.

– Mas isso é um absurdo! Eu nunca sofro colapsos!

– Eu sei.

– E tia Caroline sabe que eu nunca sofro colapsos!

– Eu sei. Você não é exatamente do tipo que desmaia por qualquer coisa.

– Ela não acreditou em você, não é?

– Nem por um segundo – respondeu Belle, bem-humorada. – Mas mamãe consegue ser maravilhosamente diplomática às vezes, e por isso não fez mais perguntas. Desde que você vá ao baile hoje à noite com boa saúde e de bom humor, ela não vai dizer nem uma palavra. Tenho certeza disso.

Emma se sentou na cama, para que pudesse fazer um inventário de todas as novas dores que sentia.

– Que dia maluco – comentou, com um suspiro.

Belle levantou os olhos do livro que começara a ler de novo.

– Hum? Disse alguma coisa?

– Nada interessante.

– Ah.

Belle voltou novamente a atenção para o livro.

– O que você está lendo, pelo amor de Deus?

– *Tudo está bem quando termina bem*. Shakespeare.

Emma se sentiu compelida a defender sua cultura.

— Sei quem escreveu o livro.

— Hum? Sim, é claro que você sabe – disse Belle com um sorriso distraído. – Trouxe para ler enquanto esperava você acordar.

— Santo Deus. Quanto tempo você achou que eu ficaria inconsciente?

— Na verdade, eu não tinha ideia. *Eu* nunca sofri um colapso.

— Eu não sofri um colapso – insistiu Emma entre dentes.

— Se você diz...

Emma suspirou ao ver a expressão de falsa inocência da prima.

— Imagino que você queira que eu lhe conte o que aconteceu.

— Só se você quiser – disse Belle, reabrindo o livro e retomando a leitura. – Tenho todo o tempo do mundo, você sabe. Decidi ler as obras completas de Shakespeare. Estou começando pelas peças, em seguida passarei para a poesia.

— Está falando sério?

— Com certeza. Vou seguir em ordem alfabética.

— Você tem noção de quanto tempo isso vai levar?

— É claro que tenho, mas, no ritmo em que você vai, passarei bastante tempo ao lado da sua cama.

Emma estreitou os olhos.

— O que está querendo dizer com isso?

— Quem sabe quanto tempo vai demorar até você ficar inconsciente de novo?

— Posso lhe garantir que não tenho planos para isso no futuro imediato.

Belle deu um sorriso doce.

— Imagino que não. Mas, se não me contar o que aconteceu hoje à tarde, talvez eu mesma a deixe inconsciente.

Muitas horas depois, Emma estava sentada diante da penteadeira, gemendo enquanto Meg, a camareira, tentava arrumar seus cabelos. Belle estava ao lado dela, passando por uma tortura semelhante.

— Acho que você não me contou tudo – reclamou Belle.

— Contei, sim – respondeu Emma, com um suspiro. – Eu caí depois de empurrar o menino para tirá-lo do caminho da carruagem e bati a cabeça.

— E esses brincos?

– A mãe do menino me deu. Ela pensou que eu era uma criada. Estou planejando visitá-la amanhã para devolvê-los. Quantas vezes você vai precisar ouvir essa parte?

Belle estreitou os olhos, desconfiada.

– Não sei. Ainda acho que você deixou alguma informação de fora.

– Eu salvei o garoto, recebi os brincos como recompensa, ponto final.

Emma assentiu com firmeza na direção de Belle para enfatizar o que dizia.

– Emma, você ficou fora por uma hora! Alguma coisa deve ter acontecido entre você salvar o menino e receber os brincos!

– Eu fiquei inconsciente, foi isso que aconteceu! O que você acha, que fui violada por algum homem misterioso?

Emma soltou um gemido por dentro ao se dar conta de como aquela especulação chegara perto de ser verdade. Sentia-se um pouco culpada por não contar a Belle sobre a estranha experiência que tivera com o duque de Ashbourne. Elas costumavam contar tudo uma à outra. Mas Emma se sentia estranhamente possessiva em relação ao tempo que passara com o duque e não tinha vontade de compartilhar aquela lembrança com ninguém, nem mesmo com Belle.

– Ora, acho incrível que tenha sido a condessa de Wilding quem lhe deu esses brincos – comentou Belle, com uma risadinha e um brilho divertido nos olhos azuis. – Conheço Sophie razoavelmente bem. Ela não é muito mais velha do que nós. Mamãe e a mãe dela são boas amigas, vão ficar impressionadas quando souberem o que aconteceu. Embora, talvez, seja melhor não contarmos nada. Acho que mamãe não gostaria de saber que você saiu sozinha, vestida como uma criada. Mas a situação é muito divertida. Não posso acreditar que Sophie lhe deu joias para garantir o seu futuro. Ora, com a sua fortuna, você poderia comprar e vender todos nós.

– Dificilmente – retrucou Emma, com ironia, olhando significativamente para a fileira de pérolas ao redor do pescoço da prima. – Além do mais, ela achou que eu fosse uma criada.

– Eu sei, eu sei. Ainda assim, é muito engraçado. Queria muito que Sophie viesse hoje à noite. Adoraria ver o rosto dela quando entrasse no salão de baile e visse a "criada de cozinha" com suas melhores roupas.

– Sinceramente, Belle, acho isso cruel da sua parte. A condessa ficou muito perturbada hoje à tarde. Ela quase perdeu o filho.

– *Você* está *me* chamando de cruel? Você, que adora pregar uma peça?

A mesma Emma que mandou ao pobre Ned um falso bilhete de amor de Clarissa Trent?

Emma tentou conter um sorriso travesso.

– Sinceramente, aquilo não precisava ter causado tamanho alvoroço!

– Você está totalmente certa – declarou Belle, com evidente sarcasmo. – E não teria causado tamanho alvoroço se Ned não estivesse perdidamente apaixonado pela moça.

Emma desviou os olhos, fingindo inocência.

– Ora, como eu poderia saber? Ainda não fui apresentada à sociedade, como você sabe. Não estou a par das últimas fofocas.

– Ele só mencionava o nome dela umas cem vezes por dia.

Emma soltou um muxoxo e levantou as sobrancelhas para a prima.

– Bem, acabou sendo melhor assim. Agora todos sabemos quão sem coração é essa você-sabe-o-quê da Clarissa. No fim das contas, salvei seu irmão de um destino terrível.

– Pode ser que sim – disse Belle –, mas Ned ficou muito mal quando declarou seu amor por Clarissa e ela retrucou sem rodeios que estava se guardando para um duque com toneladas de dinheiro.

– Acho que Ned ficou mais chateado por Clarissa não ser perfeita como ele imaginava do que pelo fato de o sentimento não ser recíproco. Mas chega disso. Já aprendi a lição… Chega de interferir na vida romântica de Ned. Mesmo se eu *estiver* fazendo a coisa certa. Então, me diga, por que Sophie não virá hoje à noite?

– Não tenho certeza. Provavelmente porque o marido dela está passando alguns meses nas Índias Ocidentais a negócios. Acho que ela sente falta dele. Eles se casaram por amor, sabe?

Belle deixou escapar um suspiro romântico.

– Provavelmente vai ser melhor assim… mesmo que com isso você seja privada de ver o susto que ela levaria se me visse hoje à noite. Tenho certeza de que vai ser mais fácil para todos se eu simplesmente for visitá-la amanhã de manhã.

– Acho que você tem razão, mas já aviso que vou junto. Quero muito estar presente quando Sophie pousar os olhos em você.

– Está bem, está bem, é claro que você pode ir… Ai!

Emma uivou quando Meg puxou seus cabelos com um pouco mais de força.

– Pare de reclamar, Srta. Emma – repreendeu Meg. – É preciso trabalhar duro e aguentar um pouco de dor para ficar linda.

– Meu Deus! Se eu tiver que sentir tanta dor, não preciso ficar linda. Pode deixar meus cabelos soltos. É muito mais confortável assim.

Meg pareceu aflita.

– Não posso, milady. Não é nada elegante.

– Ah, está certo, faça o que preferir, Meg. Só tente manter o nível de desconforto no mínimo.

Belle riu.

– Ah, Emma, não sei como você vai conseguir atravessar toda uma temporada social.

– Também não. Eu pareço incapaz de me lembrar como me comportar.

– Pare de balançar a cabeça! – pediu Meg. – Senão vamos ficar aqui a noite toda, e a senhorita vai perder o baile.

– Do jeito que a minha cabeça está doendo, não seria tão ruim assim – murmurou Emma.

– Disse alguma coisa? – perguntou Belle, distraída.

– Não, nada.

Emma não queria que Belle soubesse como o inchaço na cabeça dela realmente era grande. A prima com certeza contaria à mãe, e Emma sabia que a tia ficaria muito preocupada. A noite seria arruinada a menos que ela ignorasse a dor e mantivesse um sorriso no rosto durante toda a festa.

– Que tal me contar mais sobre Sophie? – pediu Emma, só para puxar assunto.

– Sophie? Ela é uma pessoa encantadora. Mas fala muito.

Emma riu.

– Eu percebi.

– Ela e o marido são profundamente devotados um ao outro. Sei que ela sente muita saudade dele.

– Ela tem parentes próximos?

Belle arqueou as sobrancelhas diante do interesse da prima.

– Só quero saber quantas pessoas mais vão descobrir sobre a minha fugidinha – apressou-se a dizer Emma.

– Tem mãe. E irmão.

– É mesmo? – Emma tentou soar casual, mas sua voz saiu ofegante e empolgada.

– Sim, acho que ele deve ter 29 anos agora. É lindo, tem cabelos pretos e cheios e os olhos mais verdes que você já viu.

Emma sentiu uma pontada de ciúme, mas se controlou rapidamente. O homem era um canalha arrogante, e ela com certeza não estava nem um pouco interessada nele. Não importava se o beijo do duque tivesse sido a coisa mais empolgante que já lhe acontecera desde que ela chegara a Londres.

– Você parece muito interessada nele, Belle – comentou Emma, com cautela.

– No duque de Ashbourne? Você só pode estar brincando. Ele é um belo patife, mas é claramente perigoso. Nunca se envolve com damas, apenas com mulheres, se é que você entende o que eu quero dizer. Na verdade, eu mal o conheço, mas... – Belle se inclinou para a frente em uma atitude conspiratória – Ouvi dizer que ele partiu corações por toda a Inglaterra. *E* no Continente.

– Ele parece bastante interessante.

– É interessante, sim. Mas nem um pouco adequado. Mamãe e papai teriam um ataque se eu me mostrasse interessada nele. O duque é um solteiro convicto, deve demorar anos para se casar. Eu apostaria minhas pérolas nisso. E quando finalmente acontecer, será com alguma mocinha estúpida que ele poderá manipular com facilidade e ignorar depois que ela produzir um herdeiro.

– Ah.

Emma se perguntou por que se sentia tão deprimida subitamente.

– Ele não deve vir hoje, eu garanto. Mas foi convidado, é claro. O duque é convidado para tudo, mas nunca aparece, a menos que a família o obrigue. Ele provavelmente tem inúmeras amantes elegantes estabelecidas por toda Londres. Além do mais, tenho certeza de que você não vai querer conhecê-lo. O homem está sempre de cara amarrada e provavelmente arrancaria a sua cabeça se você lhe dirigisse duas palavras.

– Meu Deus, esse duque está começando a parecer bastante desagradável.

– Ah, eu não o chamaria exatamente de "desagradável". Ned só tem elogios para ele. Os dois frequentam o mesmo clube. Ned diz que todos os amigos o admiram e respeitam muito. Na verdade, eles querem *ser* Ashbourne – disse Belle, dando de ombros. – Ele é absurdamente rico, sabe, e ainda mais absurdamente lindo. Acho que o mau humor dele nas festas é só porque o homem detesta a agitação social... Ele não tem paciência para fingir que gosta e olha de cara feia para qualquer um que não desperte o seu interesse. A maioria das minhas amigas tem pavor dele... mas só quando não estão tramando para tentar levá-lo ao altar.

– Ele deve ser um homem e tanto para ter tamanho poder de influência – comentou Emma.

– Ah, sim, é realmente deplorável como o duque sempre consegue que as coisas sejam feitas a seu modo. Todo mundo vive bajulando ele.

– Por quê?

– Bem, em primeiro lugar, por causa do título, afinal o homem é um duque. E, como eu mencionei, muito rico. Mas, se você o vir pessoalmente, vai entender o que eu quero dizer. Alex definitivamente exala poder. É um espécime e tanto.

– Belle! – Emma riu. – A sua mãe sofreria um colapso se a ouvisse falar assim.

– Mamãe sofre colapsos com a mesma frequência que você.

– Acho que essa frequência pode aumentar a qualquer minuto então – brincou Emma.

Mas, por dentro, ela estava suspirando de alívio com a garantia de Belle de que Alex não estaria presente. Sua cabeça ainda doía, e ela se sentia exausta. Não haveria a menor possibilidade de que *ela* ficasse suspirando pelo duque arrogante, mas, depois do acidente, Emma não estava com disposição para enfrentá-lo novamente.

CAPÍTULO 4

— Ashbourne! Que surpresa. Não acredito que estou vendo essa sua cara feia por aqui.

William Dunford, um dos amigos mais próximos de Alex desde os tempos em Oxford, atravessou o salão de baile dos Blydons e deu um tapinha carinhoso nas costas do recém-chegado.

– O que está fazendo aqui? Achei que você evitasse categoricamente este tipo de evento.

– Acredite em mim, não tenho a menor intenção de permanecer nesta pequena *soirée* por mais de dez minutos.

Alex manteve o tom leve, mas intimamente seu mau humor ameaçava assumir o comando. No instante em que entrou no salão de baile, o silêncio pairou sobre os convidados. Todos pareceram absolutamente chocados ao verem o duque de Ashbourne entrar pela porta em seu elegante traje de noite. Mães nervosas forçaram as filhas a jurarem que manteriam distância do notório libertino (ao mesmo tempo que torciam secretamente para que ele prestasse atenção nelas), e todos que não estavam de algum modo ligados a uma mulher em idade de se casar aproximaram-se na mesma hora para bajular o cavalheiro nobre e rico.

Alex suspirou. Não tinha paciência para as conversas sociais insípidas da aristocracia. Só o que queria era encontrar Meg, ter certeza de que ela estava bem e partir. Sua amante mais recente estava instalada em uma casa aconchegante e ele ansiava por longas horas na companhia dela. Uma noite com Charisse com certeza o livraria daquela estranha obsessão pela criada da cozinha dos Blydons.

Alex sentiu-se quase fraco de alívio ao ver Dunford atravessando o salão de baile em sua direção. Finalmente vislumbrava a possibilidade de uma conversa decente.

Dunford não era libertino como o amigo, mas chegava bem perto. No entanto, a maior parte da aristocracia estava disposta a perdoar sua reputação duvidosa em virtude do encanto insuperável do rapaz. Alex nunca aprendera

47

a seguir o exemplo dele. Seus amigos o viam como um camarada afável, mas admitiam que o duque de Ashbourne tinha pouca tolerância com a maior parte da sociedade. Ele raramente escondia a irritação que sentia sempre que se via forçado a conversar com alguém que achava tedioso, e lançava olhares gélidos aos que lhe causavam desprazer. Havia rumores de que mais de uma jovem dama atravessara correndo um salão depois de ser vítima de um desses olhares.

– Diga-me, Ashbourne – falou Dunford, rindo. – Por que está aqui?

– Sinceramente – murmurou Alex –, estou começando a me perguntar a mesma coisa.

Ele havia chegado ao baile já fazia uma hora e, durante esse tempo, andara por toda a mansão, surpreendendo muitos criados e criadas e interrompendo nada menos do que três casais clandestinos. Nem sinal de Meg. Desesperado, chegara mesmo a entrar no salão de baile, imaginando que talvez houvesse uma chance de Meg estar cuidando do bufê. Mas não teve sorte. A criada não se encontrava ali. Embora achasse a perspectiva de derrota profundamente amarga, Alex estava prestes a desistir da busca. Ele suspirou e se virou para encarar o amigo, feliz por dar as costas à aglomeração de convidados que o encaravam.

– Confesse, camarada – provocou Dunford.

Alex suspirou.

– É uma longa história. Duvido que possa interessá-lo.

– Bobagem. As histórias mais longas costumam ser as mais interessantes. Além do mais, se foi essa "história" a responsável por trazê-lo para o meio da alta sociedade, deve envolver uma mulher. E isso significa, é claro, que estou muitíssimo interessado.

Alex se voltou para o amigo e contou rapidamente a história de como o sobrinho dele havia sido salvo por uma corajosa criada de cozinha, omitindo a parte sobre a atração que sentira pela jovem.

– Como pode ver – concluiu –, você não precisava ter ficado tão empolgado. A minha história não tem nem romance nem luxúria. Acho que você vai precisar aceitar que o meu comportamento esta noite está acima de qualquer censura.

– Que tédio.

Alex assentiu, pesaroso.

– Realmente, e eu não suporto esta multidão. Acho que vou sufocar se mais um maldito almofadinha se aproximar para perguntar como arrumei a minha gravata.

– Sabe – falou Dunford, pensativo –, estava mesmo pensando que talvez seja hora de eu ir embora também. Por que não vamos ao White's tomar uns drinques? Um bom jogo de cartas talvez seja o melhor antídoto depois desses sessenta minutos exaustivos de turbilhão social.

Alex retribuiu o sarcasmo do amigo com um sorriso cáustico e concordou na mesma hora.

– Ótima ideia. Mal posso esperar para... – Alex estacou quando ouviu o amigo ficar sem ar. – Qual é o problema?

– Santo Deus – sussurrou Dunford. – Aquela cor...

– Pelo amor de Deus, Dunford, o que é agora?

Dunford não prestou atenção nas palavras de Alex.

– Aquela deve ser Emma Dunster. Como uma coisa tão adorável pode ter vindo daquelas Colônias esquecidas por Deus?

– Elas não são mais nossas Colônias, Dunford – murmurou Alex, lembrando-se da repreensão de Meg. – Já são independentes há várias décadas e realmente devemos nos referir a elas como Estados Unidos da América. É o mais educado a se fazer.

O estranho sermão do amigo tirou Dunford de seu devaneio. Ele se voltou para Alex com uma expressão estranha no rosto.

– Desde quando você se tornou solidário às nossas Colônias errantes?

– Desde que... ah, não importa. Quem é essa maldita mulher que deixou você paralisado de desejo?

Alex ainda não se voltara na direção do salão de baile.

– Veja com seus próprios olhos, Ashbourne. Não é uma beleza clássica, eu admito, mas ela não parece fria, se é que me entende. Esses cabelos ruivos com centelhas de fogo, olhos violeta suaves...

Uma sensação particularmente desagradável contraiu o estômago de Alex quando ele ouviu Dunford descrever a Srta. Emma Dunster. Não era possível... Não, garantiu a si mesmo, uma dama da aristocracia não iria... Alex se virou lentamente. E lá, do outro lado do salão de baile, estava a corajosa Meg. A não ser pelo fato de que ela não era mais Meg: era Emma.

Alex reagiu no mesmo instante. Cada músculo do seu corpo ficou tenso a ponto de quase doer, e ele não conseguiu decidir se estava furioso com o engodo ou simplesmente dominado pelo desejo. Ficou observando em silêncio enquanto Emma, que não se dera conta da presença dele, sorria com uma expressão cansada para um de seus pretendentes, e passava a mão na cabeça distraidamente. Maldição, o que ela estava pensando, dançando a noite toda quando provavelmente estava com um ferimento grave na cabeça? Alex ficou muito sério, tentando resistir a atravessar a pista de dança, pegá-la pelos ombros e sacudi-la até incutir à força um pouco de bom senso naquela cabeça.

Mas, Deus do céu, a garota era mesmo adorável. O corpo pequeno estava envolvido por um vestido de cetim violeta que deixava os ombros lisos à mostra e exibia uma discreta elevação dos seios. Jovens damas em sua primeira temporada social supostamente deveriam usar tons pastéis, pálidos, mas Alex ficou feliz ao ver que Emma havia desafiado as convenções e escolhido uma cor mais ousada. Combinava com a personalidade dela, e em um mar de moças insípidas, usando roupas em tons sem graça, ela era como um farol emitindo fogo e vitalidade. Emma também trazia os cabelos soltos, o que não era considerado elegante, apenas as mechas da frente presas no alto da cabeça, deixando a massa de cabelos restante descer pelas costas como uma cascata em chamas.

As cores de Emma denunciavam uma natureza ardente, e Alex se lembrava bem de como ela ficara rapidamente irritada. Mas ele também podia ver vulnerabilidade em seus olhos, e ela era tão pequenina… Emma parecia cansada, e Alex tinha certeza de que o inchaço na cabeça ainda a incomodava. Algo nela trazia à tona seu instinto protetor e o deixava furioso a possibilidade de Emma colocar a saúde em risco com toda aquela agitação.

Dunford riu ao ver a miríade de emoções passar pelo rosto do amigo.

– Posso ver que você concorda com a minha descrição…

Alex afastou os olhos de Emma e se virou para encarar o amigo.

– Não toque nela – disse lentamente. – Nem sequer pense nela.

E ficou carrancudo ao perceber que não era o único homem no salão que havia sucumbido aos encantos de Emma. Os jovens da aristocracia estavam praticamente se enfileirando para serem apresentados à moça americana. Ele fez uma anotação mental para ter uma palavrinha com alguns dos mais afoitos.

Dunford recuou, surpreso.

– Um pouco possessivo da sua parte, visto que você nem mesmo foi apresentado à moça, não acha?

– Ah, eu já fui apresentado a ela, sim – grunhiu Alex. – Só não sabia disso.

Dunford franziu o cenho, curioso, até finalmente concluir:

– Acho que você não quer mais partir imediatamente para o White's, não é?

Alex abriu um sorriso relaxado.

– A festa ficou subitamente muito interessante.

E, com isso, ele examinou todo o perímetro do salão de baile, fazendo questão de evitar os olhos de Emma. Finalmente encontrou uma alcova bem atrás dela. Uma pesada cortina carmim o ocultava da vista dos convidados, mas ele ainda podia ouvir cada detalhe das conversas de Emma. Alex se apoiou contra a parede e mal conseguia vê-la por uma fresta da cortina.

– Que diabo está fazendo aí? – perguntou Dunford, ao surgir ao lado do amigo.

– Pode tentar falar baixo? E entre logo aqui! Alguém vai ver você.

Alex puxou o amigo para dentro da alcova até estarem ambos escondidos atrás da cortina.

– Você ficou maluco – murmurou Dunford. – Nunca achei que veria o dia em que o altivo duque de Ashbourne se esconderia atrás de uma cortina para espionar uma mulher.

– Cale a boca.

Dunford riu baixinho.

Alex lhe lançou um olhar irritado antes de voltar a atenção para assuntos mais importantes.

– Ela está exatamente onde quero que esteja – comentou, satisfeito, esfregando as mãos.

– É mesmo? – perguntou Dunford, em um tom irônico. – Achei que você a queria na sua cama...

Alex voltou a encarar o amigo com irritação.

– E não me parece que você esteja nem remotamente próximo de conquistar esse objetivo – acrescentou Dunford.

Alex ergueu as sobrancelhas em uma expressão de absoluta autoconfiança.

– Anote o que eu digo, Dunford: estarei muito mais perto disso até o fim da noite.

Ele espiou de novo pela fresta da cortina e, como um leão tocaiando a presa, fixou os olhos na mulher de cabelos de fogo a menos de dois metros de distância.

Emma manteve um sorriso educado fixo no rosto enquanto era levada a outra rodada de apresentações. A tia já declarara o baile – e Emma – um sucesso retumbante. Caroline não conseguia acreditar no número de rapazes que haviam implorado a ela e ao marido que os apresentassem à sobrinha. Emma, por sua vez, havia se comportado lindamente. Era espirituosa, inteligente e, felizmente, não fizera nada ousado *demais*. Caroline sabia que Emma achava dificílimo ser correta o tempo todo.

Na verdade, ela não estava achando tão difícil se manter correta. A verdade era que estava cansada demais para fazer jus à reputação de jovem travessa, mesmo se quisesse. Tinha energia apenas para manter um fluxo agradável de conversa com as muitas pessoas que conhecera naquela noite. Mesmo com a cabeça latejando de dor, Emma se recusava a passar a impressão equivocada de que era uma jovem dama tímida e retraída diante da sociedade londrina. Já havia exemplares demais desse tipo na aristocracia, pensava ela.

– Emma querida – chamou a tia. – Quero que conheça lorde e lady Humphries.

Emma sorriu ao estender a mão para o par rechonchudo. Lorde Humphries, que parecia ser uns 35 anos mais velho que Emma, se inclinou educadamente e beijou os dedos dela.

– É um prazer imenso conhecê-los – falou Emma, deixando seu sotaque norte-americano bem aparente.

– Então é verdade! – disse lorde Humphries, triunfante. – A senhorita *é* das Colônias! O bom e velho Percy ali apostou que a senhorita era da França. "Com um sobrenome como Dunster?", falei. "Não, ela é de boa cepa inglesa, mesmo que estivesse enfiada nas Colônias." E eu estava certo. Vou até lá cobrar a minha aposta.

Antes que Emma pudesse dizer alguma coisa, ele se afastou em busca do amigo. Ela estava um tanto surpresa com toda a atenção que vinha recebendo, e mais do que um pouco confusa pelo fato de as pessoas estarem fazendo apostas a seu respeito. Ned lhe contara que os aristocratas com frequência faziam apostas para se divertirem, mas aquilo era absurdo. Aquelas pessoas não tinham nada mais interessante para fazer? Emma se voltou para lady Humphries, que fora abandonada pelo marido ali, e deu um sorrisinho.

– Como tem passado, milady?

– Muito bem, obrigada – disse a mulher, simpática, embora parecesse um pouco deslocada. – Me diga, Emma – pediu, inclinando-se para a frente em uma atitude conspiratória –, é verdade que ursos selvagens andam livremente por Boston? Pelo que sei, as Colônias estão cheias de nativos e animais selvagens.

Emma viu a tia revirar os olhos e gemer na expectativa de outro sermão da sobrinha sobre as qualidades maravilhosas dos Estados Unidos. Mas Emma apenas se inclinou para a frente, pegou as mãos da dama mais velha e disse, em um tom tão conspiratório quanto o de lady Humphries:

– Na verdade, Boston é bastante civilizada. A senhora se sentiria muito à vontade lá.

– Não! – retrucou lady Humphries, chocada.

– É verdade. Temos até modistas lá.

– É mesmo? – perguntou a mulher, os olhos arregalados de interesse.

– Sim, e também temos ateliês de chapéus – disse Emma, assentindo lentamente e arregalando os olhos. – Embora eles frequentemente acabem destruídos quando os lobos invadem a cidade.

– Lobos! Não me diga!

– Sim, e eles são muito violentos. Eu passo certas semanas do ano trancada em casa por medo deles.

Lady Humphries se abanava vigorosamente.

– Ah, meu Deus. Ah, meu Deus, tenho que contar tudo isso a Margaret. Com licença.

Ela se afastou, apressada, com um misto de horror e deleite nos olhos, e desapareceu na multidão. Emma se voltou para a tia e para a prima, que estremeciam com risadinhas contidas.

– Ah, Emma – falou Belle, ainda rindo e enxugando as lágrimas nos cantos dos olhos. – Você não devia ter feito isso.

Emma revirou os olhos e soltou um muxoxo.

– Ora – declarou. – Você precisa deixar que eu me divirta um pouco esta noite.

– É claro, querida – retrucou Caroline, balançando a cabeça. – Mas tinha mesmo que pregar essa peça? A história vai ser de conhecimento de todos no baile em menos de dez minutos.

– Ah, e daí? Ninguém com o mínimo de bom senso vai acreditar nela. E, sinceramente, não estou interessada em impressionar quem não tem bom senso.

Emma ergueu as sobrancelhas e se virou para a tia e a prima de novo, desafiando-as silenciosamente a responderem.

– O argumento é válido – admitiu Belle.

– Devo confessar que sempre achei lady Humphries um tanto estranha – comentou Caroline.

– Não quero ser mal-educada – explicou Emma. – Só acho que vou morrer de tédio se tiver que conversar com mais uma dessas tontas.

– Faremos o melhor possível para protegê-la – prometeu Caroline, com um sorriso discreto nos lábios.

– Eu sabia que sim – respondeu Emma, sorrindo satisfeita.

Logo depois, um dos amigos de Ned apareceu ao lado de Emma para chamá-la para dançar. Por trás da cortina, Alex fuzilou o rapaz com os olhos enquanto via o par deslizar pelo salão de baile.

– Estamos com ciúme, é? – perguntou Dunford.

– Não estamos com ciúme algum – retrucou Alex em um tom imperioso. – "Nós" não temos razão para ter ciúme. Pelo amor de Deus, o sujeito é só um menino – falou, referindo-se ao parceiro de dança de Emma.

– Tem razão, tem razão. E isso o torna cerca de três anos mais velho do que a Srta. Dunster.

Alex ignorou o comentário do amigo.

– Você ouviu o modo como ela se livrou de lady Humphries? – perguntou com admiração na voz. – Ela estava absolutamente certa. Até mesmo minha mãe acha a mulher uma velha fanfarrona e absurda.

Dunford assentiu lentamente, perdido em pensamentos. Ele não via o amigo agir daquele modo em relação a uma mulher desde os tempos de universidade, antes de Alex desenvolver uma profunda desconfiança pelo sexo feminino.

– E o comentário dela sobre não querer conhecer ninguém que não tenha bom senso – continuou Alex. – Vamos admitir que a jovem tem personalidade. E bom senso, também.

– Ela está voltando – avisou Dunford.

Alex na mesma hora voltou ao seu posto de observação. Emma havia terminado a dança e aproximava-se da tia.

– Se divertiu, querida? – perguntou Caroline.

– Ah, sim. John é um dançarino encantador – respondeu Emma. – E também é muito simpático. Disse que vai me ensinar esgrima. Sempre quis aprender.

Alex sentiu um nó de ciúme no estômago.

– Não sei se aprender esgrima seria uma boa ideia, mas estou feliz que tenha gostado dele – comentou Caroline. – Ele é um ótimo partido, sabe? É filho de um conde de posses consideráveis.

O nó no estômago de Alex apertou.

– Tenho certeza que sim, mas realmente não estou interessada em casamento no momento.

Alex deixou escapar um pesado suspiro de alívio. Os interesses dele também não estavam voltados naquela direção em particular.

Emma deu uma palmadinha carinhosa no braço de Caroline.

– Não se preocupe, querida tia, quando chegar o momento tenho certeza de que vou encontrar o marido perfeito. Mas ele terá que ser americano, porque não planejo desistir do Estaleiro Dunster.

– Não há muitos americanos disponíveis aqui em Londres – argumentou Caroline.

– Então terei que me contentar em aproveitar a companhia de jovens espirituosos como John.

Alex começou a se irritar de novo, e Dunford se perguntou se teria que conter o amigo para que ele não pulasse para fora da cortina, anunciando aos quatro ventos seu desejo e fazendo um papel ridículo na frente de todos.

Belle entrou na conversa com Emma e Caroline. O rosto da jovem estava ruborizado de tanto rodopiar pelo salão.

– Emma – falou, ofegante. – Você precisa vir comigo conhecer outros amigos do Ned. Tenho certeza de que vai adorá-los. E estão todos simplesmente morrendo de vontade de conhecê-la – acrescentou ela, com uma piscadela de olho.

– Você acha que eles poderiam esperar um pouquinho? Estou com um pouco de dor de cabeça – comentou Emma, em um tom leve.

Na verdade, a sensação era de que alguém batera com um bastão em sua têmpora. A dança rodopiante com John Millwood só havia aumentado o desconforto.

Emma olhou significativamente para Belle, que havia prometido não contar à condessa sobre o acidente da tarde, então se voltou para a tia.

– Tia Caroline, seria terrivelmente indelicado da minha parte se eu me retirasse para o meu quarto por dez ou quinze minutos? Minha cabeça está latejando com toda a empolgação da festa. Só preciso de uns minutinhos de silêncio para melhorar.

– É claro, querida. Se perguntarem, direi que você foi ao lavatório se refrescar.

– Obrigada – disse Emma, suspirando. – Não vou demorar, prometo.

Ela saiu rapidamente do salão de baile e subiu um lance de escada até os aposentos privados da mansão.

Alex ergueu as sobrancelhas quando ouviu o pedido de Emma e um sorriso de deleite se espalhou por seu rosto.

– Ah, não – repreendeu Dunford, interpretando corretamente a expressão do amigo. – Nem você consegue se safar com isso, Ashbourne. Isso simplesmente não se faz. Você não pode seguir uma dama da aristocracia até o quarto dela. Você nem a conhece.

– Ah, conheço, sim.

Dunford tentou outra tática.

– Se for pego, você vai arruinar a reputação da moça na noite em que ela está sendo apresentada à sociedade. E aí vai ter que se casar com ela. Não haveria outro jeito, seria a única coisa honrada a fazer.

– Ninguém vai me ver – declarou Alex, com segurança. – Se alguém perguntar por mim, diga que fui ao lavatório. Me refrescar.

E, com isso, ele saiu do esconderijo e seguiu Emma para fora do salão de baile, os passos cuidadosamente silenciosos.

O corredor fora deixado às escuras para desencorajar os bêbados e amantes de estenderem a festa para todos os cantos da casa, mas Emma achou o próprio quarto com facilidade. Ela acendeu uma vela solitária, preferindo a penumbra por causa da dor de cabeça. Com um boceJo desavergonhadamente alto, tirou os sapatos e se acomodou na cama, entre as cobertas macias. Então suspirou profundamente, esfregou as têmporas e decidiu que, na verdade, havia se divertido na sua primeira festa em Londres. Era verdade que havia conhecido um bom número de aristocratas arrogantes e pomposos, mas também tinha sido apresentada a muitos homens e mulheres inteligentes e interessantes. Se ao menos não estivesse com aquele maldito inchaço na cabeça... Emma sabia que estaria aproveitando mais a festa se estivesse se sentindo melhor. Mas estava tão cansada, tão... Fechou os olhos, gemendo baixinho enquanto se perguntava como, em nome de Deus, reuniria forças para voltar ao salão.

Alex entrou rápida e silenciosamente no quarto de Emma, abençoando mentalmente as dobradiças bem lubrificadas da porta. Parou por um momento para observar a jovem com um olhar terno. Ali, deitada, Emma parecia suave e doce, sem qualquer sinal de sua língua afiada e seu raciocínio rápido. Ostentava um sorriso delicado quando se acomodou mais fundo nas cobertas, e Alex pensou que não havia nada no mundo que desejasse mais do que tomá-la nos braços e ficar ali com ela até que pegasse no sono. Os próprios pensamentos castos o fizeram franzir a testa. Sinceramente, não conseguia se lembrar da última vez que tivera qualquer sentimento terno por uma mulher.

De repente, Emma esticou os braços, com um ronronar felino. Alex sentiu o desejo tomar conta de seu corpo e sua mente ao ver os seios dela esticarem o tecido do corpete do vestido.

Emma, ainda de olhos fechados, suspirou de satisfação.

Alex recuou para a porta.

Emma enrodilhou o corpo, pensando que a solidão era realmente uma bênção.

Alex fechou a porta atrás de si com um clique audível.

Os olhos de Emma se abriram. Com uma expressão horrorizada, ela perdeu todo o ar quando viu o homem enorme, de cabelos negros e olhos verdes, que parecia preencher todo o quarto.

– Olá, Meg.

CAPÍTULO 5

Por um segundo abençoado, Emma achou que era uma alucinação. Simplesmente não havia como aquele demônio de olhos verdes estar dentro do quarto dela. E ela *havia* batido com a cabeça com força naquela tarde. Já ouvira dizer que aquele tipo de acidente fazia coisas estranhas com a cabeça de uma pessoa.

Então o duque de Ashbourne fitou-a com um sorriso diabólico e se sentou na poltrona dela.

Foi quando Emma soube que era real. Nenhuma alucinação se comportaria de forma tão abominável. Ela sentiu um nó na garganta e uma náusea súbita e muito forte. Santo Deus, os tios e primos haviam passado o último mês ensinando-a o que era aceito e o que não era na sociedade de Londres, mas ninguém lhe dissera o que fazer se um cavalheiro – não, um libertino – entrasse em seu quarto. Emma sabia que deveria dizer alguma coisa, gritar, mas nem um som saiu de seus lábios.

Então ela se deu conta de que ainda estava com o corpo esticado na cama, em uma posição muito comprometedora. Emma levantou os olhos e percebeu rapidamente que o duque notara a mesma coisa. O olhar ardente que ele lançava parecia queimar a pele dela, que logo ficou vermelha de vergonha. Ela se sentou rapidamente na cama e segurou um travesseiro contra o peito, ansiosa para se proteger dos olhos de Alex.

– Que pena – comentou ele em um tom irônico.

Os olhos de Emma encontraram os do duque, mas ela continuou em silêncio. Não confiava na própria voz.

Ele respondeu à pergunta que viu nos olhos dela.

– Poucas mulheres têm seios tão adoráveis quanto os seus. É uma pena cobri-los.

Aquilo só fez Emma agarrar o travesseiro com mais força. Alex riu da modéstia dela.

– Além do mais – continuou ele –, não está escondendo de mim nada que já não tenha mostrado para toda Londres.

A não ser pelo fato de que "toda Londres" não está sentada no meu quarto, pensou Emma, furiosa.

– Sinceramente, Meg… ou devo dizer Emma? Não vai conseguir me convencer de que é muda. Tive uma prova do seu temperamento hoje de manhã. Com certeza deve ter alguma coisa a dizer.

Emma disse a primeira coisa que lhe veio à cabeça.

– Acho que vou vomitar.

Aquele comentário pegou Alex completamente de surpresa e ele começou a se levantar da poltrona. Emma teve que se controlar para não rir da expressão de puro pânico que viu no rosto dele.

– Deus pai – sussurrou Alex.

Ele olhou ao redor do quarto em busca de algum tipo de receptáculo. Como não achou, olhou de volta para a mulher na cama.

– Está falando sério?

– Não. Embora a sua presença *realmente* tenha abalado o meu estômago.

Alex foi pego de surpresa mais uma vez. A jovem americana havia conseguido confundi-lo completamente, sem esforço. Ele deveria castigá-la por isso, mas Emma parecia tão inocente e atraente sentada ali na cama com o travesseiro junto ao peito que ele só conseguiu rir.

– As mulheres já me disseram que provoco várias reações – falou lentamente –, mas náusea nunca foi uma delas.

Emma ignorou o comentário.

– O que está fazendo aqui, pelo amor de Deus? – perguntou ela, finalmente.

– Não é óbvio? – Os olhos verdes de Alex cintilaram quando ele se inclinou para a frente. – Vim procurar você.

– Me procurar? – perguntou Emma, a voz muito aguda, torcendo para que tivesse havido algum engano. – Mas você nem me conhece.

– Está certa – cismou Alex. – Mas conheci uma criada de cozinha hoje cedo que se parecia demais com você. Cabelos ruivos, olhos violeta. Por acaso você teria uma gêmea idêntica? – perguntou ele, sorrindo perigosamente. – Mas a garota que conheci não se parecia nada com você em temperamento. Era uma mocinha fogosa, ah, se era… Mal conseguia manter as mãos longe de mim… e me beijou nos lugares mais impronunciáveis.

– Não fiz nada disso! – bradou Emma. – Como ousa sequer sugerir uma coisa dessas!

Alex apenas ergueu uma sobrancelha diante da fúria dela.

– Então admite que esteve na minha carruagem essa tarde?

– Sabe que estive. Não tenho como negar.

– Realmente – concordou Alex, recostando-se confortavelmente na poltrona.

– Fique à vontade.

Alex não prestou atenção ao sarcasmo dela.

– Obrigado. Você é muito gentil. E, agora – exigiu ele –, eu gostaria de uma explicação completa de como você acabou usando roupas de criada e perambulando por Londres sozinha.

– O quê?! – perguntou Emma, ultrajada.

– Estou esperando a explicação – disse Alex, a voz carregada de paciência.

– Ora, mas não vai ter explicação nenhuma, seu nojento arrogante – retrucou ela em um tom ácido.

– Você é muito encantadora quando está com raiva, Emma.

– Você realmente precisa sempre dizer coisas ultrajantes?

Alex cruzou as mãos atrás da cabeça e se recostou mais na poltrona, pensando sobre a pergunta furiosa dela.

– Na verdade, sempre me orgulhei de ser ligeiramente ultrajante.

– Aposto que sim – murmurou ela.

– O que foi aquilo hoje cedo?

Emma decidiu tentar outra tática.

– Acho que você está agindo de modo mais do que ligeiramente ultrajante. Posso ser americana, mas até mesmo eu sei que isso não são modos – disse ela, suspirando enquanto avaliava o dilema em que se encontrava. – Por acaso você está determinado a me arruinar? Eu estava me esforçando tanto para deixar o meu tio e a minha tia orgulhosos de mim...

Alex sentiu uma pontada de culpa pelo próprio comportamento ao ver a expressão melancólica de Emma. Seus olhos violeta cintilavam com lágrimas não derramadas, e seus cabelos pareciam arder como fogo sob o brilho trêmulo da vela. Uma nova onda de ternura se abateu sobre ele, que precisou se esforçar para não tomá-la nos braços. Queria acalmá-la, protegê-la, não arruiná-la. Inferno, ele nem sabia direito porque subira até ali.

Mas sabia que precisava lutar contra aquela estranha ternura que sentia pela jovem americana. Ainda precisava encontrar uma dama que conseguisse ver além do título e da fortuna dele se quisesse se casar. Se ousasse sentir alguma coisa por Emma, sabia que se magoaria. E, de algum modo, sabia instintivamente que aquela jovem tinha o poder de feri-lo mais profundamente do que qualquer outra.

Por isso Alex endureceu o coração e afiou a língua.

– Tenho certeza de que a sua tia e o seu tio estão profundamente orgulhosos – disse ele, a voz carregada de sarcasmo. – Afinal, metade da aristocracia, a metade masculina, pelo menos, estava *babando* por você. Tenho certeza de que pode esperar por meia dúzia de pedidos de casamento antes do fim do mês. Você deve conseguir pescar um belo título.

Emma se encolheu, fisicamente atingida pelo ataque verbal.

– Como pode dizer coisas tão cruéis? Você nem me conhece.

– Você é mulher – respondeu Alex com simplicidade.

– E daí?

Alex percebeu que, em sua ira, Emma jogara o travesseiro para o lado. A pele dela estava ruborizada de raiva, e seu peito se movimentava a cada respiração. Ele a achou deliciosa, mas manteve o desejo sob controle.

– As mulheres – explicou Alex com paciência – passam os primeiros 18 a 21 anos de sua vida afiando suas habilidades sociais. E quando acham que estão prontas, saem para o mundo, frequentam algumas festas, piscam os olhos, sorriem lindamente e, então, conseguem um marido. Quanto mais alto o título e quanto mais dinheiro, melhor. E quase sempre o pobre camarada não faz nem ideia do que o atingiu.

Emma estava obviamente chocada, a expressão em seu rosto deixava claro que ficara horrorizada.

– Não consigo acreditar que você acabou de dizer isso.

– Está ofendida?

– Completamente.

– Não deveria estar. As coisas são assim, não há nada que eu ou você possamos fazer a respeito.

De repente, Emma sentiu sua raiva se dissolver em piedade. O que teria acontecido com aquele homem para torná-lo tão duro, tão cruel?

– Vejo que você nunca amou ninguém… – disse ela, a voz tranquila agora.

Alex levantou o olhar ao ouvir a declaração feita em tom suave, e ficou surpreso ao ver preocupação verdadeira nos olhos de Emma.

– E você por acaso já amou tanto a ponto de ser uma especialista? – retrucou ele, em um tom igualmente tranquilo.

– Não *desse jeito* – disse ela. – Mas vou amar. Algum dia sei que vou. E até lá, tenho meu pai, tio Henry, tia Caroline, Belle e Ned. Não poderia ter uma família mais maravilhosa, e amo profundamente todos eles. Não há absolutamente nada que eu não fizesse por eles.

Alex se pegou desejando estar incluído naquele grupo privilegiado.

– Sei que você tem uma família – continuou Emma, lembrando-se do encontro com a irmã dele. – Você não ama essas pessoas?

– Sim, amo.

A expressão de Alex se suavizou pela primeira vez naquela noite, e Emma não pôde deixar de perceber o amor nos olhos dele quando pensou na família. Alex riu.

– Talvez você esteja certa. Parece que há algumas poucas mulheres no mundo que são dignas de serem amadas. Infelizmente, tenho parentesco próximo com todas elas.

– Acho que você está com medo – ousou dizer Emma.

– Espero que tenha a intenção de explicar esse comentário.

– Você está com medo. É muito mais fácil se fechar para as pessoas do que amá-las. Se você mantiver o coração atrás de um muro, ninguém será capaz de se aproximar o bastante para derrubá-lo. Certo?

Emma levantou a cabeça e ficou surpresa ao encontrar o olhar atento dele. Amaldiçoando-se pela própria covardia, ela desviou os olhos.

– Você… bem… – balbuciou ela, esforçando-se para manter a coragem de que precisava para falar de modo tão atrevido. – Posso ver que você não é uma pessoa *ruim*. Está claro que se importa profundamente com a sua família, então deve ser capaz de amar. Você só tem medo de se colocar em uma posição vulnerável.

Alex ficou surpreso tanto pela gentileza do sermão quanto pelo desconforto causado pela precisão do que Emma dissera. Sentiu-se extremamente inquieto. Ela não percebia que aquelas palavras ternas tinham mais poder de atravessar a armadura dele do que qualquer espada? Sentindo-se subitamente mais desconfortável ainda, Alex decidiu mudar de assunto antes que Emma tivesse outra oportunidade de transtorná-lo.

– Ainda não me disse por que estava andando por aí com roupas de criada – falou Alex abruptamente.

Emma ficou surpresa com a súbita mudança de assunto, e a rispidez na voz dele reacendeu a sua raiva.

– Por que eu deveria explicar minhas ações a você?

– Porque insisto em que faça isso.

– O quê? Você só pode estar brincando! – falou Emma, ultrajada. – Seu arrogante, inescrupuloso, autoritário...

– Mais uma vez – interrompeu Alex em um tom tranquilo –, estou admirado com a vastidão do seu vocabulário.

– Há mais palavras oportunas de onde saíram essas – falou Emma, com os dentes cerrados.

– Não duvido disso nem por um instante.

– Por que, seu insuportável, odioso...

– Lá vamos nós de novo.

– ... PORCO!

Emma levou a mão ao rosto quando se deu conta do que acabara de dizer, e seu corpo começou a sacudir silenciosamente com o riso. Não conseguiu evitar.

Ainda sentada sobre a colcha branca macia, em uma posição nada feminina, ela puxou as pernas dobradas mais para junto do corpo e inclinou a cabeça, gargalhando. Seu corpo se sacudia descontroladamente e ela tentava conter o ataque de riso. De repente, Emma se dava conta do absurdo completo daquela situação e, embora soubesse que devia fazer alguma coisa, como fingir um desmaio, por exemplo, simplesmente não conseguia evitar achar aquilo tudo divertidíssimo.

Alex a encarou, surpreso com a reação dela. Era inconcebível que uma mulher realmente visse graça naquela situação comprometedora! Mas ele logo descobriu que o ataque de riso era contagioso. E começou a rir com vontade, observando os ombros pálidos e delicados da jovem subindo e descendo a cada risada.

Com a risada de Alex, Emma perdeu de vez o controle e explodiu em uma gargalhada alta, gostosa. Incapaz de continuar a conter o corpo que se agitava com as risadas, Emma agiu como se estivesse com Belle no quarto, e não com o duque de Ashbourne, e caiu de costas na cama, as pernas caindo pela lateral.

Alex observou tudo, fascinado. Com o corpo largado na cama, os cabelos flamejantes espalhados na coberta alva, ela parecia nem reparar nele. Perdida no momento, Emma se mostrava totalmente sem artifícios, completamente desatenta ao olhar faminto dele.

Alex a achou magnífica.

Como manteria as mãos longe daquela mulher?

– Ah, meu Deus.

Sem ar, Emma finalmente emergiu da crise de riso. Esforçando-se para recuperar o fôlego, tentou desesperadamente se conter. E levou a mão ao peito arfante enquanto recuperava o controle.

– O que você deve estar pensando de mim?

– Estou pensando... – Alex fez uma pausa enquanto atravessava o quarto em passadas rápidas e se sentava aos pés da cama – ... que você é linda.

Emma puxou as pernas de volta para cima da cama e se encostou na cabeceira. A voz suave do duque pareceu derreter os braços e as pernas dela, e a reação dele a deixou aterrorizada. Precisava se afastar o máximo possível daquele homem belo e perigoso que se esgueirara para dentro do seu quarto.

– A beleza é superficial – gracejou Emma, tentando aliviar a tensão que pairava no ar.

– Muito astuto o seu comentário – retrucou Alex, com um aceno de cabeça. – Permita que eu me corrija. Acho você esplêndida.

A alegria disparou pelo corpo de Emma como 10 mil minúsculas chamas, e seu corpo vibrou com sensações estranhas e desconhecidas. Tudo o que sabia era que a presença de Alex a afetava de maneiras que ela não entendia, e aquilo a assustava.

Alex percebeu seu olhar tímido.

– Minha cara Emma – começou a dizer.

Subitamente, ela sentiu a necessidade de se afirmar e de recuperar parte da autoconfiança que ele a levara a perder temporariamente. Emma endireitou as costas com uma coragem fingida.

– Certamente não sou sua cara Emma – disse, em um tom afetado.

– É mesmo? Então é de quem?

– Que pergunta absurda.

– De forma nenhuma – disse Alex, pegando o pé descalço dela e começando a massageá-lo. – Porque, se você ainda não pertence a ninguém, acho que posso torná-la minha.

Emma arquejou enquanto as mãos dele continuavam a massagear os músculos dos seus pés. Nunca sonhara que um toque no pé pudesse enviar sensações até seu estômago, pensou, desesperada, enquanto puxava a perna para se desvencilhar de Alex. Mas seus esforços só aumentaram a determinação dele, e as mãos bronzeadas subiram pela bainha da saia dela até chegarem à panturrilha. Emma umedeceu os lábios inconscientemente enquanto espasmos de prazer disparavam por sua perna.

– Gostoso, não é? – perguntou Alex com um sorriso.

– Não, acho que não gosto nada disso – foi a resposta estrangulada dela.

– Ah, é? – perguntou Alex, fingindo inocência. – Então terei que me esforçar mais.

As mãos dele continuaram subitamente pela perna dela até chegarem acima do joelho.

– E disso, gosta?

Diante da expressão atordoada de Emma, ele continuou.

– Não? Talvez um beijo então?

Antes que ela tivesse qualquer chance de reagir, Alex puxou-a pelos pés, o que a deixou deitada de barriga para cima. Ele se deitou ao lado dela, o corpo firme pressionando a lateral do corpo de Emma. Alex segurou o queixo dela com a mão forte, virou seu rosto e seus lábios encontraram gentilmente os dela.

– Não – sussurrou Emma sem muita firmeza.

Ela não entendia como aquele homem havia chegado ao quarto dela, e como acabara deitado em sua cama, mas, acima de tudo, não entendia por que seu corpo subitamente parecia estar prestes a entrar em combustão.

– Só um beijo – gemeu Alex contra a boca de Emma, a voz rouca de desejo. – Se disser que não depois disso, eu prometo parar. Prometo.

Emma não disse nada, apenas fechou os olhos enquanto a língua de Alex traçava o contorno de seus lábios. Aquele toque delicado acabou sendo a perdição de Emma e seu corpo reagiu sem o menor pudor. Ela passou os braços ao redor do pescoço de Alex e pressionou os lábios instintivamente contra os dele. Então gemeu baixinho e abriu os lábios, mal consciente dos próprios movimentos.

Alex tirou todo o proveito da reação dela e na mesma hora sua língua invadiu a boca convidativa, investigando.

– Meu Deus, como você é doce – murmurou, a voz ainda rouca.

Ele voltou a beijá-la, pressionando, saboreando. Emma juntou-se à carícia íntima com um ardor que nunca sonhou experimentar. Ela agarrou os cabelos cheios com uma das mãos e acariciou os músculos fortes das costas dele com a outra.

Alex gemeu; o toque dela o inflamava. Com a boca ainda colada à de

Emma, ele se posicionou em cima dela e pressionou seu corpo contra o colchão. Emma soltou um gemido apaixonado diante daquela nova intimidade e do som que Alex deixara escapar.

– Quem teria imaginado que uma coisinha pequenina como você seria tão ardente? – murmurou ele, os lábios descendo suavemente pelo pescoço pálido e macio dela.

Ela estremeceu de desejo.

– O que está fazendo comigo? – perguntou, em um sussurro.

O riso de Alex saiu do fundo da garganta, e seus lábios voltaram a capturar os dela.

– Estou fazendo amor com você, meu bem. E você está se sentindo assim...

A mão dele se aproximou do seio dela, e Emma arquejou quando sentiu o calor do toque dele atravessando o cetim do vestido e queimando a pele dela.

– Porque você me quer tanto quanto eu quero você.

– Isso não é verdade – retrucou Emma, trêmula, mas soube que estava mentindo no instante em que as palavras saíram de sua boca.

Os lábios de Alex se moveram para mordiscar o lóbulo da orelha dela.

– Ah, minha cara Emma, já transformaram você em uma senhorita inglesa pudica?

Emma podia sentir o hálito quente dele junto à orelha, mas nada poderia tê-la preparado para a onda violenta de desejo que sentiu quando a língua de Alex voltou a acariciar a dela.

– Ah – disse ela, incapaz de conter o murmúrio de prazer.

Alex apenas sorriu.

– Não tenha vergonha do que está sentindo, Emma. Nunca sinta vergonha. É completamente natural. Não há nada mau ou diabólico nisso, independentemente do que as matronas da sociedade possam dizer.

– Não me disseram que essas sensações são ruins por si sós – retrucou Emma, a voz trêmula. – Só me disseram que são ruins quando a moça não é casada.

Alex fez uma careta ao ouvir a palavra que começava com C, e seu desejo amainou ligeiramente.

– Se eu fosse você, não olharia para mim com casamento em mente – repreendeu ele gentilmente.

– Eu não estava fazendo isso! – retrucou Emma, afastando-se dele.

– Ótimo!

– Eu jamais me casaria com você.

– O que é muito conveniente para você, porque não me lembro de tê-la pedido em casamento.

Emma o encarou furiosa.

– Eu não me casaria com você nem se você fosse o último homem na face da terra! – exclamou ela, ponderando um segundo sobre o que era claramente um clichê. – Bem, talvez se você fosse o último homem na face da terra, mas *só* nesse caso!

Alex decidiu que amava aquele óbvio bom senso dela.

– Mas já que você não é o último homem na face da terra – continuou Emma –, o que é mais do que evidente se levarmos em consideração o fato de que tenho um salão de baile inteiro cheio de rapazes solteiros e bons partidos no andar de baixo...

Alex cerrou os lábios na mesma hora.

– ... acho que você deveria sair daqui agora.

– Discordo.

– Não me importo.

– Parecemos ter chegado a um impasse – comentou Alex, lentamente. – Eu me pergunto quem vai vencer...

– Não tenho a menor dúvida do resultado deste impasse – declarou Emma com coragem. – Saia do meu quarto agora!

Alex ergueu as sobrancelhas diante da ira de Emma. A indiferença dele só serviu para inflamá-la mais.

– Agora! – explodiu ela.

Alex ficou de pé e endireitou o paletó.

– Se há uma coisa que eu aprendi – comentou ele em um tom cáustico – foi que nunca se deve discutir com uma mulher gritando.

Ela ficou aborrecida na mesma hora.

– Eu não estava gritando. Eu nunca grito.

– Ah, é?

– Só ergui um pouco a voz.

– Pelo seu bem, espero que você realmente não tenha gritado – falou Alex –, porque a última coisa de que precisamos é que sua família entre aqui correndo. Especialmente agora que já estabelecemos claramente nossa falta de desejo de nos casarmos um com o outro.

– Que inferno... – disse ela, com um suspiro.

– Cuidado com o linguajar – repreendeu Alex, e logo se deu conta de que soara exatamente como a irmã.

– Ah, não me aborreça. A última coisa que preciso é de um sermão da sua parte – disse ela, ficando de pé e alisando as pregas do vestido violeta. – Pareço apresentável? – perguntou, os olhos arregalados de insegurança. – Não quero envergonhar a minha família.

– Para ser bem sincero, parece que você acabou de ser beijada. Profundamente beijada.

Emma gemeu e correu até o espelho para avaliar o dano. Alex estava certo. O rosto dela estava ruborizado e mechas de cabelo haviam escapado da presilha, emoldurando sedutoramente o seu rosto.

– Bem, pelo menos não vai ser muito difícil ajeitar o penteado. Meg passou uma eternidade tentando fazer algo na última moda, mas consegui convencê-la de que seria mais simples, mais confortável e mais bonito deixar o cabelo meio solto.

– Não me diga que você realmente tem uma criada chamada Meg.

– Sim… Bem, é difícil ser criativa quando se acaba de tomar uma pancada na cabeça.

Emma estava se esforçando para prender os cabelos com a presilha.

– Permita-me – sussurrou Alex, parando atrás dela.

Emma ficou chocada quando ele pegou a escova e começou a passar suavemente nos cabelos dela, levantando-os no alto da cabeça.

– Não vou nem perguntar onde aprendeu a arrumar cabelos.

– Provavelmente não deveria mesmo.

– Você tem muitas amantes, tenho certeza.

– *Você* andou ouvindo histórias a meu respeito – acusou ele.

– Só algumas – admitiu Emma.

– Que injusto da sua parte. Eu não sabia nem o seu nome verdadeiro.

Alex pegou a presilha da mão dela e a prendeu com firmeza no lugar.

– Bem, agora você sabe – comentou Emma, incapaz de pensar em alguma coisa mais interessante para dizer.

– Agora eu sei – respondeu Alex, mais ou menos pela mesma razão.

Os dois pararam e ficaram apenas se olhando, hesitantes. Emma finalmente rompeu o silêncio.

– É melhor você agir como se não me conhecesse. Não quero que ninguém desconfie de nada inconveniente.

– É claro. Mas fique avisada de que me certificarei de ser apresentado a você o mais rápido possível. Depois disso você vai ter trabalho para me evitar.

– Não será por falta de tentativa, tenho certeza.

As palavras ofensivas saíram antes que Emma conseguisse se conter, mas Alex apenas riu baixinho.

– Você realmente tem uma personalidade encantadora, minha cara Emma – disse ele, baixando a cabeça rapidamente para roubar um beijo dos lábios da jovem, que foi pega de surpresa. – Agora vá, volte para o baile. Vou esperar pelo menos quinze minutos antes de descer.

Emma correu para a porta, abriu e saiu para o corredor. Fez uma breve pausa e enfiou novamente a cabeça no quarto.

– Promete?

Alex deu uma risadinha.

– Prometo.

CAPÍTULO 6

Emma deixou escapar um suspiro de alívio assim que fechou a porta do quarto. Embora tivesse conhecido o duque de Ashbourne naquele dia, soube instintivamente que ele era um homem de palavra e que não provocaria um escândalo irreparável seguindo logo atrás dela de volta ao salão. Ele esperaria pelo menos quinze minutos antes de reaparecer.

Ela se moveu silenciosamente pelos corredores escuros da casa dos primos até emergir no patamar da escada que levava ao salão fortemente iluminado. Então parou por um momento para observar a cena. Tia Caroline certamente havia se superado daquela vez. A festa estava de tirar o fôlego. Flores exóticas e de cores fortes enfeitavam as mesas do bufê encostadas às paredes do salão. Centenas de velas cor de marfim também haviam sido espalhadas por todo o local. Mas a parte mais espetacular eram os convidados. Homens arrojados e mulheres elegantes rodopiavam sem esforço pela pista de dança, girando ao som da música tocada pela orquestra que Caroline contratara. As damas estavam especialmente reluzentes, joias cintilavam sem o menor pudor à luz de velas, sedas e cetins de cores fortes flutuavam no ar. Os casais pareciam se mover em harmonia ao som da música, como se coreografados, transformando o salão de baile em um caleidoscópio de luz e cor.

Enquanto sorria diante da beleza do espetáculo, Emma se deu conta de que ela mesma era o foco da atenção. De pé no topo da escada, acabara, sem querer, dando uma oportunidade para que todo o salão de baile parasse para olhá-la. E foi exatamente o que todos fizeram.

– Estou definitivamente apaixonado – declarou John Millwood, um dos amigos de Ned da universidade, com quem Emma dançara mais cedo naquela noite.

Ned deu uma gargalhada gostosa. Seus olhos eram de um azul tão brilhante quanto os da irmã, embora os cabelos fossem escuros como mogno.

– Esqueça, John. Você jamais conseguiria acompanhar o ritmo dela. Além do mais, achei que estava apaixonado pela minha irmã.

– Certo, bem, ainda estou, eu acho. O problema é que você tem muitas mulheres bonitas embaixo do seu teto. Isso não é justo.

Ned fez uma careta.

– Você não diria isso se tivesse que lidar com a quantidade de pretendentes que batem à porta o tempo todo. Achei que havia sido ruim no ano passado, quando era só a Belle, mas agora, com Emma aqui também, vai ser o inferno.

Naquele momento, mais dois amigos deles se aproximaram, apressados.

– Ned, você simplesmente precisa nos apresentar à sua prima – exclamou o jovem lorde Linfield.

O companheiro dele, Nigel Eversley, assentiu, concordando.

– Temo que vocês terão que apelar à minha mãe para isso. Desisti de tentar registrar quantas pessoas querem ser apresentadas a Emma.

– Ela é deslumbrante, simplesmente deslumbrante – declarou John, com um suspiro.

– Não sei se consigo aguentar muito mais disso – reclamou Ned, com um suspiro.

– É claro que todos nós ficaríamos satisfeitos se você simplesmente concordasse em falar bem de nós para a sua irmã – sugeriu Nigel, ansioso.

– Fiz isso no ano passado – retrucou Ned. – E não serviu de nada, caso você não se lembre.

– Você podia, então, tentar falar *muito* bem de nós – sugeriu George Linfield.

– Vocês três simplesmente precisam aceitar que a última coisa que as mulheres da minha família fazem é me dar ouvidos – comentou Ned com ironia. – Nada do que eu diga as influencia.

– Uma mulher dócil, é disso que eu preciso – resmungou George.

– Pode desistir de achar uma na minha família – falou Ned com uma risadinha.

– Meu Deus, o que aconteceu com as mulheres dóceis? Não existem mais? – continuou George em tom de lamento.

– São todas feias e tediosas – concluiu John. – Ah, Deus, lá vem ela!

E, realmente, Emma vira o primo e estava se encaminhando direto para o grupo de rapazes.

– Olá, Ned – falou com suavidade, uma beldade em cetim violeta. – Boa noite, John. Gostei muito da nossa dança mais cedo.

John abriu um sorriso radiante diante das palavras simpáticas dela. Emma virou-se então para os dois homens que ainda não conhecia e sorriu para eles, em expectativa, esperando que Ned os apresentasse.

O primo rapidamente fez as honras.

– Emma, esses são lorde George Linfield e o Sr. Nigel Eversley. Estudamos todos juntos em Oxford. George, Nigel, essa é minha prima, Srta. Emma Dunster.

Os dois homens se esbarraram na tentativa de pegar a mão dela. Emma pareceu vagamente envergonhada, ao mesmo tempo que ficava claro que estava achando graça da cena.

– Com licença, Linfield – disse Nigel com voz grave, tentando parecer mais velho do que os seus 21 anos. – Acredito que eu estava tentando beijar a mão da Srta. Dunster.

– Você *me* dê licença, Eversley, creio que eu estava pegando a mão dela.

– Deve estar enganado.

– É mesmo? Acho que é você quem está enganado.

– Você está totalmente enganado se acha que estou enganado.

– Santo Deus! – exclamou Emma. – Parece que tia Caroline está me chamando. Foi um prazer imenso conhecer vocês.

E, com isso, ela se afastou, apressada, tentando encontrar a tia.

– Ah, maravilha, Linfield. Absolutamente brilhante – falou Nigel com sarcasmo. – Olha só o que você fez.

– O que *eu* fiz? Se *você* não tivesse tropeçado nos próprios pés para tentar agarrar a mão dela...

– Se me dão licença – disse Ned, baixinho –, acho que minha mãe também está me chamando.

Ned se afastou rapidamente e seguiu Emma, torcendo para que a prima soubesse onde encontrar a tia.

⁓

Do outro lado do salão, Belle dançava com William Dunford. Tinham se conhecido no ano anterior e, depois de ele cortejá-la por algumas semanas, os dois perceberam que não combinavam romanticamente, mas acabaram se tornando amigos próximos.

– Espero que a sua prima seja pobre – comentou William, rindo, enquanto observava Linfield e Eversley tropeçando um no outro para tentar cumprimentar Emma.

– É mesmo? – perguntou Belle, achando o comentário divertido. – Por quê?

– A sua família já vai estar cercada de pretendentes caso ela seja pobre. Se a sua prima tiver dinheiro, então, todos os caçadores de fortuna da Inglaterra vão bater na sua porta.

Belle riu.

– Não me diga que está planejando fazer uma tentativa...

– Bom Deus, não – exclamou Dunford com um sorriso, os olhos castanhos se aquecendo com a lembrança da obsessão de Alex por Emma. – Não que ela não seja excepcionalmente bela, é claro.

– E também é muito inteligente – ressaltou Belle.

– Imagine só! – brincou Dunford. – Sinceramente, Belle, nunca duvidei nem por um momento de que ela fosse tão inteligente quanto você. Só acho que sua prima já vai estar bastante ocupada sem a minha participação.

– O que você quer dizer?

– Ah, nada, nada – despistou ele, examinando o salão em busca de Alex. – Nada mesmo. A propósito, já mencionei que você fica fantástica de azul?

Belle deu um sorriso irônico.

– Que pena que eu esteja usando verde então.

∽

Emma tentava encontrar a tia quando Ned a alcançou.

– Acho que você não sabe onde mamãe está – disse Ned, pegando dois copos de limonada de uma mesa próxima.

– Não faço a menor ideia – respondeu Emma. – Obrigada, estou morrendo de sede.

– Imagino que, se ficarmos parados aqui por tempo suficiente, ela nos encontrará. Acho que mamãe ainda tem cerca de duzentas pessoas que deseja lhe apresentar.

Emma riu.

– Sem dúvida.

– Preciso me desculpar pela cena ali atrás, Emma. Não pensei que os dois agiriam de forma tão ridícula.

– Não pensou que quem agiria de forma tão ridícula? – perguntou Belle, surgindo à direita de Ned, com Dunford ao seu lado.

– Lamento ter apresentado Emma a George Linfield e Nigel Eversley.

– Ah, Ned, diga que você não fez isso! A pobre Emma será atormentada por eles por meses.

– Não se preocupe, Emma – disse Ned em um tom tranquilizador. – Eles são bons camaradas depois que você os conhece melhor. Só perdem a cabeça quando estão perto de uma mulher bonita.

Emma riu com gosto.

– Nossa, Ned, acho que você acabou de me elogiar. Seria a primeira vez.

– Que besteira. Caso não se lembre, eu não conseguia parar de elogiar seu gancho de direita depois que você quebrou o nariz daquele batedor de carteiras em Boston.

Dunford deduziu que não precisava se preocupar com a possibilidade de Emma ter qualquer problema para lidar com Alex, mas começou a se perguntar se o amigo seria capaz de lidar com a americana. Ele se virou para Ned e disse:

– Blydon, acho que não fui apresentado à sua prima.

– Ah, perdão, Dunford. Passei a noite toda apresentando Emma. É difícil lembrar quem ainda não foi contemplado.

– Emma, esse é William Dunford – interveio Belle. – Um grande amigo meu. Dunford, estou certa de que você sabe que essa é minha prima, Srta. Emma Dunster.

– É claro que sim – disse Dunford, pegando a mão de Emma e levando-a graciosamente aos lábios. – É um prazer finalmente ser apresentado à senhorita. Ouvi falar *muito* a seu respeito.

– É mesmo? – perguntou Emma, intrigada.

– Mas eu mal falei dela... – protestou Belle.

Dunford deu um sorriso enigmático e foi salvo de ter que se aprofundar no assunto graças a lady Worth.

– Emma querida – chamou Caroline. – Quero que conheça lady Summerton.

Os quatro se viraram e viram Caroline vindo na direção deles com uma dama rechonchuda, usando um vestido roxo e um turbante combinando. Emma achou que ela parecia um pote de geleia de uva.

– Não olhe agora – sussurrou Belle –, mas essa é uma daquelas tontas sobre as quais a alertamos, Emma.

– Estou tão feliz em conhecê-la – disse lady Summerton, efusiva. – Você fez uma entrada e tanto na sociedade. Não acontecia nada parecido desde a apresentação de Belle no ano passado – disse a mulher atarracada, que então respirou fundo, virou-se para a tia de Emma e continuou: – E, Caroline, você deve estar tão orgulhosa. Essa é sem dúvida a festa do ano. Ora, até o duque de Ashbourne compareceu. Acho que ele não comparece a um baile como este há mais de um ano. Você deve estar felicíssima!

– Sim, sim – disse Caroline. – Ouvi dizer que ele passou por aqui, mas não o vi.

– Duvido que ele já tenha partido – disse Dunford com um sorriso malicioso. – Na verdade, estou certo de que ele tem planos para permanecer a noite toda aqui.

– Planejando me torturar, sem dúvida – murmurou Emma baixinho.

– Disse alguma coisa, minha querida? – perguntou Caroline.

– Não, não, estava só pigarreando – disse Emma, pigarreando.

– Gostaria de outro copo de limonada? – perguntou Dunford em um tom solícito, mas, pela sua expressão, Emma desconfiou que o rapaz ouvira o que ela dissera.

– Não, obrigada – disse Emma, levantando o copo que tinha na mão. – Ainda tenho um pouco.

Ela sorriu para Dunford e tomou um bom gole da bebida.

– Ora – declarou lady Summerton, como se ninguém tivesse dito nada depois de o seu último monólogo. – Estou certa de que nem mesmo Ashbourne ousaria partir sem se despedir da anfitriã, Caroline. Tenho certeza de que ele logo estará aqui. Absoluta certeza.

– Eu também – concordou Dunford.

Ele observava Emma com um brilho divertido nos olhos. Ela deu um sorrisinho, sentindo-se profundamente desconfortável.

– É claro – continuou lady Summerton – que não estou certa de que você deveria deixá-lo chegar perto de sua sobrinha, Caroline. Ashbourne tem uma reputação terrível. Se dá valor à sua, minha jovem, deve ficar longe dele – acrescentou ela para Emma.

– Certamente vou tentar – retrucou Emma, animada.

– Sabem o que eu ouvi? – perguntou lady Summerton, em um sussurro, a ninguém em particular.

– Com certeza não consigo imaginar – falou Ned.

– Ouvi dizer – lady Summerton começou a contar, fazendo uma pausa para chamar atenção e se inclinando para a frente em uma pose conspiratória – que Ashbourne, bem, vamos dizer, "disse adeus" à cantora de ópera e finalmente decidiu voltar seus olhos para as damas respeitáveis. Acho que ele está procurando uma esposa.

Emma engasgou com a limonada.

– Você está bem, querida? – perguntou Caroline. – A sua dor de cabeça ainda está incomodando?

– Não, com certeza não é a minha dor de cabeça que está me incomodando.

Lady Summerton continuou.

– Clarissa Trent está interessada nele. A mãe dela me contou. E sabe o que mais?

Apenas Caroline foi atenciosa – e educada – o bastante para murmurar:

– O quê?

– Acho que ela tem chance de conquistá-lo.

– Imagino que a moça vá ficar desapontada – previu Dunford.

– Bem, ela realmente disse que estava se guardando para um duque – comentou Belle em tom cáustico.

– Eu preferiria não falar sobre Clarissa – declarou Ned.

– Emma, você está se sentindo bem? – perguntou Caroline. – Parece um pouco pálida.

Um silêncio constrangedor recaiu sobre o pequeno grupo. Por fim, lady Summerton, que nunca apreciara pausas nas conversas, comentou:

– Bem, estou certa de que ele vai aparecer logo, Caroline. Pare de se preocupar.

Até Caroline, com seus modos impecáveis, não conseguiu evitar murmurar baixinho:

– Não sabia que eu estava preocupada.

– O que foi, querida? – perguntou lady Summerton.

– Nada, nada mesmo – disse Caroline, lançando um olhar significativo para Emma. – Estava só pigarreando.

Emma dirigiu-lhe um sorriso conspiratório.

– Talvez seja melhor pegarmos uma limonada para a senhora, tia querida.

– Realmente não acho que será necessário, sobrinha querida.

– Ora, estou certa de que ele vai aparecer logo – declarou lady Summerton.

Emma estimou que já teriam se passado pelo menos quinze minutos desde que voltara para o baile e teve que admitir, para sua infelicidade, que lady Summerton provavelmente estava certa. Ela se perguntou como, em nome de Deus, conseguiria passar por todos os trâmites de uma conversa educada com o homem que, havia pouco, quase a violara em seu quarto. A covardia finalmente foi a solução escolhida, e ela deu um sorrisinho débil.

– Na verdade, tia Caroline, estou me sentindo um pouco cansada. Talvez um pouco de ar fresco ajude.

Dunford se adiantou na mesma hora, ansioso para provocar o ciúme de Alex ao caminhar com Emma pelos jardins.

– Seria um prazer acompanhá-la até os jardins, Srta. Dunster.

– Terei dificuldade em conhecer a convidada de honra se você insistir em monopolizar o tempo dela – disse uma voz profunda.

Emma precisou se conter para não se encolher visivelmente no momento em que todos se voltaram para encarar Alex.

– Ora, Vossa Graça – disse lady Summerton, empolgada –, estávamos exatamente falando do senhor.

– É mesmo? – perguntou Alex laconicamente, fixando um olhar fulminante na mulher desagradável.

– Ah, sim, estávamos – balbuciou lady Summerton.

Emma ficou impressionada com a força da presença do homem. Sua figura alta, de ombros largos, parecia dominar o salão de baile. Na verdade, um silêncio pairou sobre os convidados que, sem exceção, viraram o pescoço para olhar o duque tão conhecido. Emma teve que admitir que com certeza valia a pena olhar para ele. Ashbourne exalava uma força primitiva que os trajes de noite mal pareciam conter. Seus cabelos negros rebeldes se recusavam a se assentar em qualquer espécie de penteado e uma mecha caía sobre sua testa. Mas, sem dúvida, eram os olhos verdes atentos que o faziam parecer tão perigoso. E naquele exato momento aqueles olhos verdes estavam fixos nela.

– Srta. Dunster, eu presumo – falou ele, em um tom suave, pegando a mão dela.

– C-como vai? – conseguiu dizer Emma.

Ela sentiu como se um relâmpago a atingisse quando ele levou sua mão aos lábios. E, embora só tivesse passado uma noite em meio à sociedade de Londres, Emma sabia que os lábios do duque haviam permanecido demasiado tempo sobre a pele clara do dorso de sua mão.

– Estou muito bem, na verdade, agora que a conheci.

Lady Summerton ficou sem fôlego. Caroline ergueu as sobrancelhas em uma expressão de choque. Dunford riu. Ned e Belle encaravam abertamente a cena, sem o menor pudor. Emma se perguntou se o rubor que dominara seu rosto seria de um carmim profundo ou apenas um leve rosado.

– Muito gentil – disse ela, por fim.

– Ora, Ashbourne, essa deve ser a primeira vez que vejo alguém se referindo a você como gentil – comentou Dunford, com ironia.

– É muito gentil, quero dizer, amável de sua parte ter vindo esta noite, Vossa Graça – falou Caroline.

– É verdade – acrescentou Belle, que não tinha nada para dizer, mas sentiu que era necessário falar alguma coisa.

– Sua irmã está bem? – perguntou Caroline. – Ficamos tristes quando ela disse que não poderia vir.

– Sophie está muito bem, obrigado. Passamos por um susto essa tarde, mas agora está tudo bem.

– Um susto? – perguntou lady Summerton, arregalando os olhos de interesse. – Como assim?

– Meu sobrinho, Charlie, quase foi atropelado por um coche. Ele teria sido morto se uma jovem criada não tivesse atravessado a rua e o empurrado para fora do caminho do veículo.

Emma sentiu o olhar de Belle fixo nela. Por isso levantou os olhos, evitando propositalmente o olhar da prima.

– Graças a Deus ele não se feriu – disse Caroline com evidente preocupação. – A criada está bem?

– Ah, sim – respondeu Alex com um sorriso. – Ela está esplêndida.

Emma decidiu que o teto era muito interessante.

– É uma valsa que estou ouvindo? – perguntou Alex em um tom inocente. – Lady Worth, me daria a permissão de dançar com sua sobrinha?

Emma intrometeu-se antes que Caroline pudesse responder.

– Acho que prometi essa dança a outro cavalheiro.

Ela estava certa de que não prometera a dança a ninguém, mas aquilo foi o melhor que conseguiu pensar naquelas circunstâncias. Ela olhou desesperada para Ned, em busca de ajuda. Mas o primo com certeza não tinha a menor vontade de antagonizar o poderoso duque, e descobriu rapidamente as maravilhas do teto que tanto haviam fascinado Emma momentos antes.

Alex fixou os olhos verdes nela.

– Tolice – disse apenas, voltando-se novamente para Caroline. – Lady Worth?

Caroline assentiu, autorizando, e Alex envolveu Emma nos braços. Quando chegaram ao centro da pista de dança, ele sorriu calorosamente para ela e disse:

– Você é quase tão linda no salão de baile quanto no quarto.

Emma enrubesceu fortemente.

– Por que você precisa dizer essas coisas? Seu objetivo é mesmo arruinar a minha reputação na noite da minha apresentação à sociedade?

Alex ergueu as sobrancelhas diante da perturbação dela.

– Não estou querendo me gabar, mas acredito que desde que eu não a arraste para fora do salão e a viole no jardim, só estou engrandecendo a sua reputação. Não faço esse tipo de coisa com frequência – explicou ele. – As pessoas vão querer saber por que estou tão interessado em você.

Emma teve que concordar com o argumento.

– Ainda assim, não precisa fazer tanta questão de me constranger.

– Desculpe – disse ele apenas.

Emma levantou os olhos diante do tom sério e ficou surpresa ao ver a sinceridade absoluta em seus olhos.

– Obrigada – disse, baixinho. – Desculpas aceitas.

Ela o encarou por algum tempo, mas sentiu-se desconfortável com a carícia íntima do olhar do duque e abaixou rapidamente a cabeça, concentrando-se na gravata dele.

– Você talvez queira sorrir para mim – sugeriu Alex. – Ou, se não conseguir fazer isso, ao menos levante os olhos. Estão todos nos observando.

Emma reconheceu que ele tinha razão e ergueu o rosto.

– Bem melhor assim. É doloroso, sabe, ter você em meus braços e não poder olhar nos seus olhos.

Emma não sabia o que dizer. Depois de um instante, Alex quebrou o silêncio.

– Pode me chamar de Alex, se quiser.

Emma recuperou um pouco da sua rapidez de raciocínio.

– Vossa Graça vai servir perfeitamente, tenho certeza.

– Mas eu preferiria que você usasse o meu primeiro nome.

– Realmente prefiro não usar.

Alex ficou feliz ao ver que Emma recuperara um pouco da língua ferina. Ela parecera muito perdida quando começaram a valsar.

– Você vai parecer terrivelmente boba me chamando de Vossa Graça enquanto eu a chamo de Emma.

– Não lhe dei permissão para usar o meu primeiro nome – disse ela.

– Sinceramente, Emma, acho que não será necessária qualquer permissão depois do que vivemos juntos há menos de uma hora.

– Precisa mesmo me lembrar disso? Gostaria que você esquecesse.

– É mesmo? Acho que está mentindo para si mesma.

– O senhor acha demais, Vossa Graça – disse Emma com uma dignidade tranquila. – Simplesmente não me conhece.

– Mas gostaria de conhecer.

O sorriso de Alex era definitivamente malicioso e Emma ficou encantada com o modo como um simples sorriso era capaz de transformar o rosto do homem.

Poucos momentos antes, Alex parecera duro e intratável, quase fazendo lady Summerton sair correndo de medo com um simples olhar. Agora, sem o cinismo habitual, ele parecia quase travesso, os olhos banhando-a com seu verde cálido.

Emma sentiu todas as suas faculdades mentais a abandonarem quando Alex a puxou mais para perto.

– Acho que está tentando me confundir de propósito.

– E estou conseguindo?

Ela o encarou por um longo instante antes de responder, muito séria:

– Sim.

Os braços de Alex apertaram mais o corpo pequeno dela.

– Meu Deus, não consigo acreditar que me disse isso aqui – falou ele, a voz subitamente rouca. – Você é sincera demais para o seu próprio bem.

Emma abaixou os olhos, sem compreender o que a levara a confessar os próprios sentimentos tão abertamente.

– Acha que sou honesta demais? – perguntou Emma em um tom suave. – Ora, mas se eu ainda nem terminei… Nos conhecemos da forma menos convencional, o que provavelmente é o motivo pelo qual somos capazes de falar um com o outro com tanta sinceridade. Acho você um homem gentil mas muito severo, e acho que você é capaz de me magoar mesmo sem ter intenção. Vou ficar em Londres por poucos meses, e gostaria que a minha estadia aqui, com minha família, fosse a mais feliz possível. Por isso estou pedindo que você, por favor, fique longe de mim.

– Acho que não consigo.

– Por favor.

Alex estava impressionado com o fato de que essas duas palavras saídas dos lábios de Emma tinham o poder de fazer com que ele se sentisse um cafajeste. Ainda assim, ele achava que, depois de ter aberto a alma para ele, Emma não merecia nada menos que a mais completa honestidade.

– Acho que você não está entendendo quanto a quero.

Emma ficou imóvel na mesma hora.

– A valsa acabou, Vossa Graça.

– De fato.

Ela se desvencilhou dos braços dele.

– Adeus, Vossa Graça.

– Até amanhã, Emma.

– Acho que não.

E, com isso, ela se afastou, movendo-se com agilidade em meio aos convidados até alcançar a tia.

Alex ficou parado, observando-a se afastar pelo salão, os cabelos reluzindo sob a luz de velas. A honestidade firme de Emma, ao mesmo tempo que o enervara, também intensificara seu desejo por ela. Ele não entendia exatamente o que sentia pela jovem, e aquela falta de controle em relação às próprias emoções o deixava muito irritado consigo mesmo. Com um passo rápido, Alex deu as costas com determinação para os almofadinhas e mães ansiosas que pareciam prestes a envolvê-lo em alguma conversa. Por sorte, rapidamente localizou Dunford, que estava parado na lateral do salão, observando-o.

– Vamos sair daqui – falou para o amigo, emburrado.

Inferno. Emma simplesmente teria que aceitar que ele não seria capaz de deixá-la em paz.

CAPÍTULO 7

– Estou tão feliz por você ter decidido me deixar acompanhá-la, Emma! – falou Belle, empolgada.

– Tenho a sensação de que vou viver para me arrepender disso – respondeu Emma.

Ela e a prima estavam sentadas na carruagem confortável dos Blydons, a caminho da casa de Sophie para devolver os brincos que a condessa colocara nas mãos de Emma na véspera.

– Tolice – disse Belle, sem se deixar abalar. – Além do mais, você pode precisar de mim. E se não souber o que dizer?

– Estou certa de que vou conseguir pensar em algo apropriado.

– E se Sophie não souber o que dizer?

– Ora, isso é bem improvável – falou Emma com ironia, baixando os olhos para os brincos de esmeralda e diamantes que carregava nas mãos enluvadas. – É uma pena – falou com uma careta.

– O quê?

– Os brincos são lindos.

A carruagem parou diante da elegante casa de Sophie. As duas moças saíram do veículo e subiram rapidamente os degraus de pedra que levavam à porta da frente. Emma bateu com determinação na porta, que segundos depois foi aberta pelo mordomo, um homem comicamente magro e de postura imperiosa. Com frequência dizem que os mordomos são muito mais perspicazes do que seus patrões, e Graves com certeza não era uma exceção. Ninguém entraria na casa do conde e da condessa de Wilding se ele não considerasse a visita adequada. Graves encarou Emma e Belle, os olhos negros muito atentos, e disse apenas:

– Sim?

Belle entregou seu cartão de visita a ele.

– Lady Wilding está recebendo visitas? – perguntou ela em um tom altivo, que fazia frente à expressão arrogante do mordomo.

– Talvez.

Emma quase riu ao ver a prima cerrar o maxilar. Belle respirou fundo.

– Poderia, por favor, dizer a ela que lady Arabella Blydon está aqui para vê-la?

Grave ergueu um pouco mais as sobrancelhas.

– A menos que minha visão esteja me pregando peças, o que nunca acontece, parece haver duas pessoas na porta.

Belle ergueu ligeiramente o queixo antes de dizer:

– Essa é minha prima, Srta. Emma Dunster.

– É claro – disse Graves em um tom complacente. – Permita-me mostrar o salão amarelo às senhoritas.

Ele levou-as até um dos salões de visitas de Sophie, os pés se movendo silenciosamente sobre o tapete Aubusson.

– Santo Deus – murmurou Belle quando o mordomo não podia mais escutá-las. – Tenho certeza de que já estive aqui pelo menos trinta vezes, e ainda sou interrogada na porta.

– Ele obviamente é devotado aos patrões. Você provavelmente deveria contratá-lo – comentou Emma, rindo.

– Está brincando? Eu provavelmente precisaria dar referências para conseguir entrar na minha própria casa.

– Belle querida!

Animada, Sophie adentrou no salão em um adorável vestido para o dia, de um verde-garrafa que destacava a cor de seus olhos. Ela pareceu não notar Emma parada em silêncio no canto quando se adiantou para dar um beijo no rosto de Belle.

– Sinto tanto por não ter podido ir à sua *fête*. Ouvi dizer que foi espetacular.

– Olá, Sophie. Foi, sim – disse Belle.

– Até o meu *irmão* compareceu – comentou Sophie, incrédula. – Um fato inédito. Agora, onde está a sua adorável prima de quem tanto tenho ouvido falar?

– Bem atrás de você.

Sophie se virou.

– Ora, encantada em… Ah, meu Deus.

Emma deu um sorriso envergonhado.

– Imagino que esteja um pouco surpresa.

Sophie abriu a boca, voltou a fechá-la, então voltou a abrir para repetir:

– Ah, meu Deus.

– Bem, talvez você esteja *muito* surpresa – corrigiu Emma.

– Ah, meu Deus.

Belle se colocou ao lado de Emma.

– Jamais imaginei que isso fosse possível – sussurrou –, mas Sophie realmente não sabe o que dizer.

– É neste momento que você se adianta e facilita as coisas – lembrou Emma à prima.

– *Eu* certamente não sei o que dizer – disse Belle, sorrindo.

Sophie se adiantou um passo.

– Mas... você... ontem...

Emma respirou fundo.

– Lamento, milady. Peguei emprestado o uniforme da minha camareira.

– Para quê?

Sophie lentamente recuperava o uso de sua ampla destreza vocal.

– Essa é realmente uma longa história.

– É? – perguntou Belle.

Emma encarou a prima com firmeza.

– Bem, não é exatamente longa, mas um pouco complicada.

– É mesmo? – perguntou Sophie, os olhos arregalados de interesse. – Então, definitivamente, me interessa ouvi-la.

– Na verdade, não é tão complicada assim – contestou Belle.

Emma conseguiu cutucar a prima, que não estava ajudando em nada, enquanto explicava rapidamente que tudo aquilo acontecera porque estavam tentando escapar da tia e dos preparativos para a festa.

– Tínhamos como opção a cozinha ou os arranjos de flores – concluiu.

– Um destino absolutamente terrível – concordou Sophie. – No entanto, não consigo imaginar o que Caroline disse sobre essa aventura.

– A questão é que eu também não posso imaginar...

Emma lançou um olhar significativo para a dona da casa. Ela e Belle encaravam Sophie com sorrisos nervosos idênticos.

– Ahhhhh – sussurrou Sophie, assentindo lentamente. – Entendo. Ora, podem ter certeza de que não direi nada. É o mínimo que posso fazer depois de você ter salvado a vida de Charlie. Como eu disse, estarei em dívida com você para sempre.

Emma na mesma hora estendeu os deslumbrantes brincos de esmeralda e diamantes de Sophie.

– Então, considerando as minhas reais circunstâncias, eu jamais poderia ficar com seus brincos, milady. Por favor, aceite-os de volta. Eles combinam com os seus olhos verdes.

Os olhos de Sophie ficaram marejados.

– Mas eu gostaria tanto que você ficasse com eles. São uma ninharia se comparados à vida do meu filho.

– Acho que Emma se sentiria desconfortável – disse Belle, com delicadeza.

Sophie olhou de uma prima para a outra até seu olhar parar em Emma.

– Mas quero lhe dar alguma coisa em agradecimento.

– A sua amizade é mais do que suficiente.

A voz de Emma saiu baixa e profunda de emoção, porque ela sabia que Sophie se provaria uma amiga sincera e leal, apesar do irmão enervante.

Sophie pegou as duas mãos dela.

– *Isso* você sempre terá.

Então, como se aquilo já não fosse o bastante, ela soltou subitamente as mãos de Emma e puxou a jovem para um abraço caloroso.

– Ah! Onde estão os meus bons modos, meu Deus – exclamou subitamente. – Por favor, sentem-se – disse, indicando os sofás em tons de dourado. Emma e Belle sorriram enquanto se acomodavam. – Agora, vamos ao que é realmente importante: as fofocas. Quero saber tudo sobre a noite passada.

– Foi maravilhosa – exclamou Belle. – Se mamãe queria mostrar para toda a aristocracia que tem apreço por Emma como se fosse uma filha, ela com certeza teve sucesso. Emma foi apresentada a absolutamente todo mundo.

– Que empolgante deve ter sido para você – comentou Sophie.

Emma assentiu, concordando.

– Mas também foi bem cansativo – acrescentou Sophie, solidária.

– Ah, isso foi – disse Emma.

– E estavam todos lá, simplesmente todo mundo – continuou Belle. – A não ser você, é claro. Como sabe, até seu irmão compareceu. Todos ficaram incrivelmente surpresos. As pessoas não conseguiam parar de falar a respeito.

– Sim, eu também fiquei um pouco surpresa...

Subitamente, Sophie lembrou-se de que o irmão estivera ao seu lado na véspera e, virando a cabeça para encarar Emma, exclamou:

– Ah, meu Deus! O que você disse? O que ele disse?

– Na verdade, acho que eu disse alguma coisa parecida com "Como vai?".

– *Depois* que ele beijou a mão dela pelo dobro do tempo apropriado –

acrescentou Belle, empolgada. – Aliás, quando as pessoas pararam de comentar sobre como estavam chocadas por ele ter aparecido, não pararam mais de falar sobre como ele parecia estar interessado em Emma.

– Sinceramente, Belle – disse Emma, objetiva. – Acho que ele estava só debochando de mim. O duque pareceu um pouco aborrecido por ter sido surpreendido com a minha verdadeira identidade. Imagino que ele goste de se sentir no comando de todas as situações.

– Disso você pode ter certeza – murmurou Sophie. – Imagine ser irmã dele.

Emma achou *aquela* perspectiva bastante desconcertante.

– E, de qualquer modo, ele não estava prestando tanta atenção assim em mim. Não acho que tenha feito qualquer coisa inconveniente.

Belle bufou de um jeito bastante impróprio para uma jovem dama.

– Sinceramente, Emma, seu rosto estava da cor dos seus cabelos quando vocês dançaram. Ou você estava profundamente constrangida ou profundamente irritada.

Emma deu de ombros e preferiu deixar que Sophie e Belle tirassem as próprias conclusões.

– Tenho certeza de que está tudo resolvido. Me perdoe por dizer isso, Sophie, mas se o seu irmão de algum modo faz jus à reputação que tem… e que me foi descrita nos menores detalhes… não imagino que eu vá esbarrar nele em muitos outros eventos.

– É uma pena – disse Sophie, baixinho, com um brilho de casamenteira cintilando nos olhos.

– Como?

– Ah, nada, nada. Aceitam chá? – perguntou Sophie rapidamente, e tocou a campainha para chamar uma criada.

Há anos ela insistia para que o irmão se aquietasse, e via em Emma Dunster sua maior probabilidade de sucesso. Emma era muito atraente, inteligente e uma pessoa genuinamente boa. E, o mais importante para alguém que estava prestes a conviver com Alexander Ridgely, duque de Ashbourne, era muito, muito corajosa. Sophie chegou à conclusão de que não poderia ter sonhado com uma cunhada melhor. A língua afiada de Emma também lhe seria de grande ajuda. Alex precisava de uma mulher que não medisse palavras toda vez que ele começasse a agir daquele jeito dominador – o que, Sophie precisava admitir, acontecia na maior parte do tempo.

– Por favor, me contem mais sobre o baile – pediu Sophie.

Estava ansiosa por prolongar a visita, agora que decidira que ela e Emma logo teriam laços de família. Um criado chegou com uma bandeja com chá e biscoitos e Sophie se apressou em servir.

– Eu fui encurralada por lady Summerton – falou Emma, rindo.

Belle se juntou a ela.

– Lady Summerton é a única criatura que eu conheço que consegue encurralar cinco pessoas de uma vez.

– Que mulher tola – comentou Sophie. – Acho que ela tem boa intenção, mas é tagarela demais.

Tanto Emma quanto Belle lançaram a Sophie olhares zombeteiros de acusação.

– Ah, eu sei que falo quase tanto quanto ela, mas ao menos costumo ser *interessante*!

E, com isso, as três mulheres tiveram um ataque de riso.

Quando as gargalhadas começaram a ceder, a reunião agradável foi interrompida por uma voz masculina muito alta e furiosa.

– Pelo amor de Deus, Graves, juro que vou pendurar você no gancho para casacos se não me deixar passar.

– Ah, meu Deus – murmurou Sophie. – Eu sei que deveria repreender Graves, mas simplesmente não tenho coragem. Ele gosta tanto de interrogar as pessoas…

– Não, eu não vou entregar o meu cartão de visita a um mordomo que já o recebeu pelo menos quinhentas vezes!

Emma achou que isso não seria possível, mas a voz de Alex realmente ficou mais alta.

Sophie pareceu um pouco envergonhada.

– Eu sei que deveria ir até lá, mas me dá tanto prazer ver Alex irritado.

Emma foi rápida em concordar.

– Graves, se você dá valor à sua vida, vai sair imediatamente do meu caminho! – disse Alex, com uma voz agora perigosamente baixa.

Emma, Belle e Sophie se encolheram ao ver Graves praticamente voar até a porta do salão amarelo, na ânsia de escapar da ira de Alex. Quando o duque entrou no salão, ficou olhando por cima do ombro para o mordomo que desaparecia rapidamente, e nem percebeu que Sophie tinha visitas.

– Pelo amor de Deus, Sophie, eu sou seu irmão. Não acha que poderia recolher esse seu cão de guarda?

– Ele ficou um pouco superprotetor agora que Oliver está viajando.

– Eu percebi.

E então Alex finalmente se virou e viu que havia mais duas mulheres no salão. Também reparou que as três pareciam totalmente à vontade entre si. Quando seu olhar pousou em Emma, ela levou a xícara aos lábios e tomou um gole.

– Ora, ora – falou ele lentamente. – Vejo que as senhoritas já são as melhores amigas então?

As três mulheres lhe lançaram olhares irritados. Alex pareceu um pouco desapontado com a reação desfavorável das damas à sua presença.

– Não seja tedioso, Alex – disse Sophie, sem rodeios. – Estou recebendo visitas. Se vai ser ofensivo, é melhor voltar mais tarde.

– Que recepção calorosa… – resmungou ele enquanto se deixava cair de forma nada elegante em uma cadeira diante de Emma e Belle.

– Passei para devolver os brincos da sua irmã, Vossa Graça – explicou Emma.

– Achei que havia lhe dito para parar com essa história de me chamar de "Vossa Graça", Emma.

Tanto Belle quanto Sophie ergueram as sobrancelhas ao ouvi-lo usando ousadamente o primeiro nome de Emma.

– Ah, muito bem – retorquiu Emma. – Não vou chamá-lo de nada então.

Sophie viu o irmão cerrar o maxilar, como fazia sempre que estava irritado, e controlou com esforço o que teria sido uma estrondosa gargalhada.

– Chá, Alex? – perguntou ela, com doçura.

– Não tomo chá – respondeu ele, irritado.

– Ah, é claro. Esqueci que homens como você não bebem algo tolo como chá.

– Eu adoraria outra xícara – disse Emma com um sorriso.

– Também aceito um pouco mais – acrescentou Belle.

Alex se perguntou quando as mulheres do mundo haviam se unido contra ele?

– Acho que vamos ter que pedir outro bule – decidiu Sophie. – Aceitaria café, Alex?

– Prefiro uísque.

– Não acha um pouco cedo para isso?

Alex olhou da irmã para Emma e para Belle. As três o encararam com expressões de falsa serenidade.

– Na verdade – comentou ele –, acho que nunca houve uma hora melhor para um copo de uísque.

– Como desejar.

Alex se levantou e atravessou o salão até o armário onde a irmã guardava as bebidas. Pegou a garrafa e se serviu de um copo grande.

– Sophie, vim até aqui informá-la da identidade da nossa misteriosa "Meg", mas vejo que ela se adiantou a mim – disse ele, fixando os olhos em Emma. – Eu me pergunto o que sua prima pensa das suas travessuras.

– A prima dela foi parte das travessuras – revelou Belle.

Alex se virou para encarar Belle com seu olhar mais carrancudo. Emma aproveitou que ele estava distraído para examiná-lo disfarçadamente. Inclinado contra a parede do salão de visitas delicadamente decorado de Sophie, girando o uísque no copo, o duque parecia grande demais e insuportavelmente másculo. As roupas muito bem feitas mal continham a força primitiva do homem. Como, ponderou Emma, um homem era capaz de provocar nela, ao mesmo tempo, desejo e antagonismo? Ao menos ela presumia que fosse desejo. Com certeza nunca sentira nada parecido com aquela agitação esquisita na barriga e o coração nunca batera forte daquele jeito. Mas, por mais que a mera presença do duque fizesse seu corpo traiçoeiro se agitar com uma ânsia que a confundia, a insolência e a atitude dominadora de Alex a enfureciam, e ela adoraria dizer exatamente o que pensava dele.

Infelizmente, naquele exato momento, o que ela pensava era que ele era absurdamente lindo. Emma fez uma careta e resolveu que era melhor manter os olhos em Sophie e Belle. A prima, que estava fazendo o possível para ignorar o olhar irritado de Alex, se virou para Sophie e perguntou:

– Planeja se esconder da aristocracia pelo tempo que durar a viagem do seu marido às Índias Ocidentais ou vamos vê-la hoje à noite, no baile dos Soutburys?

– Eu tinha pensado em me recolher ao campo, mas acho que mudei de ideia. A vida na cidade subitamente promete ser muito interessante nesta temporada. Embora eu imagine que não vá poder sair por mais alguns meses.

Sophie abriu um sorriso tímido.

– Ah, Sophie! Você está...

Belle pareceu incapaz de pronunciar a palavra "grávida" na presença de um homem. Sophie assentiu vigorosamente, o rosto radiante de alegria.

– Estou tão feliz por você! – continuou Belle. – Mas deve ser difícil, com seu marido longe.

– Sim, Oliver ainda nem sabe que vai ser pai de novo. Escrevi uma carta para ele assim que soube, mas duvido que ele já tenha recebido.

– Se você se sentir solitária aqui, precisa me prometer que irá com Charlie para a nossa casa. Temos muito espaço, e deve ser horrível ficar totalmente só estando grávida.

– No caso de ter se esquecido, lady Arabella, Sophie tem parentes que se importam com ela – declarou Alex em um tom imperioso. – Se ela for morar com alguém, será comigo.

Belle engoliu em seco.

– Talvez ela deseje companhia feminina – retrucou ela com bravura.

– Estou certa de que Sua Graça pode garantir bastante companhia feminina – murmurou Emma.

E então ficou mortificada ao perceber que seu pensamento desagradável havia sido dito em voz alta.

Alex ficou imensamente satisfeito diante do óbvio ciúme dela, mas ainda assim respondeu com irritação:

– Poderia explicar melhor seu comentário, Emma?

– Hum, na verdade, acho que prefiro não fazer isso – falou ela, em um tom débil.

Alex teve pena do constrangimento e da angústia que viu no rosto dela e decidiu deixar o assunto de lado.

– Se Sophie desejar companhia feminina – disse ele –, ela pode ir morar com a nossa mãe.

Sophie estava encantada com o comentário ciumento de Emma, já imaginando a cor do vestido que usaria no casamento dos dois. No entanto, não queria fazer a jovem se sentir desconfortável, por isso falou com alegria:

– Uma visita a mamãe pode ser exatamente o que preciso para me animar durante os próximos meses. Imagino que iremos para o campo. O ar puro vai me fazer um bem enorme, e Charlie adora o campo. Ele se torna um bárbaro assim que o tiramos da cidade, juro. Passa o tempo todo subindo em árvores, me deixando apavorada, mas Alex diz que devo ter cuidado para não ser superprotetora. No entanto...

– Sophie – disse Alex em um tom indulgente –, você está tagarelando.

Ela suspirou.

– Estou.

– Mas – comentou Emma, espirituosa – é mesmo muito interessante. Eu também gosto de árvores.

As três mulheres riram da referência ao comentário que Sophie fizera mais cedo sobre lady Summerton, e Alex resmungou que estava sendo deixado de fora da piada.

– Ah, Emma – disse Sophie, suspirando e sorrindo enquanto recuperava lentamente a compostura. – Não fui nem um pouco interessante, mas foi gentil da sua parte mentir para me agradar.

– Posso garantir que não foi esforço algum.

– Talvez também não seja penoso para você nos contar um pouco a seu respeito, Emma – intrometeu-se Alex.

– Meu Deus, acho que vou morrer de tédio. Eu já sei tudo sobre ela – falou Belle em um tom atrevido.

Emma se perguntou quando a prima teria se tornado tão ousada.

– Eu não gostaria de entediar minha prima.

– Tenho certeza de que ela não vai se importar – insistiu Alex.

– É claro que não – retrucou Belle em um tom afável. – Vou conversar com Sophie. Você queria mesmo me mostrar o seu cravo, não é, Sophie?

– Queria? Ah, sim, é claro que queria! Venha comigo, está no salão azul, no andar de cima.

Sophie se levantou rapidamente e foi na direção da porta, com Belle em seu encalço.

– Vocês dois tratem de entreter um ao outro, certo?

Emma não estava furiosa a ponto de desejar que um olhar pudesse matar, mas se pegou torcendo para que pudesse causar uma dor breve, porém intensa.

– Ficaremos bem – disse Alex, parecendo definitivamente radiante.

– Fez muito bem – sussurrou Sophie para Belle.

– Também acho – confirmou Belle.

– Vamos, querida – falou Sophie, alto. – Mal posso esperar que você o veja.

Com isso, as duas saíram do salão e subiram a escada.

– Você precisa me lembrar de agradecer à sua prima – falou Alex.

– E você deve me lembrar de enforcá-la.

– Sinceramente, meu bem, é assim tão difícil ficar sozinha em um cômodo comigo? Você não se importou ontem à noite.

Alex atravessou o salão de visitas e se acomodou ao lado de Emma no sofá. Ela suspirou, exasperada. Existiria alguma situação em que aquele homem não se sentisse completamente à vontade? Porque ali estava ela, ardendo por dentro, enquanto ele sorria como se não tivesse uma única preocupação no mundo. Coisas estranhas aconteciam com o corpo dela quando o duque estava por perto. Era hora de fazer com que ele se afastasse.

– Hum – começou Emma, hesitante, sentindo todos os seus pensamentos decididos saírem voando pela janela. – Não tenho a intenção de soar pudica...

– Então não soe.

– Mas realmente acho que não deveria estar sentado tão perto de mim.

– Ah, Emma... – suspirou Alex. – Encheram mesmo a sua cabeça de regras e normas, não foi?

Ele segurou um cacho de cabelos dela entre os dedos, incapaz de resistir à beleza de fogo.

– Por favor, pare, Vossa Graça. Belle e Sophie podem voltar a qualquer momento.

– Aquelas duas conspiradoras obviamente pretendiam nos deixar a sós. E estou certo de que nos deixarão saber quando estiverem voltando. Confie em mim, quando estiverem descendo as escadas vamos ouvir acessos de tosse como nunca antes. Eu nem me espantaria se dessem um grito ou dois.

Emma sentiu que ardia de raiva.

– Odeio ser manipulada.

– Ora, eu também. Mas vou abrir uma exceção quando a manipulação me deixar sozinho com você.

Emma o encarou com firmeza.

– Você é sempre assim tão contido? Nada o perturba? Nada nunca o deixa com vontade de gritar?

Alex riu com vontade.

– Meu bem, se eu lhe dissesse o que me deixa com vontade de gritar, você sairia correndo deste salão de volta para as Colônias.

Emma enrubesceu profundamente. Mesmo uma jovem inocente como ela era capaz de entender o que ele queria dizer.

– Por que você sempre distorce as minhas palavras? É um teste para a minha paciência.

Emma cruzou os braços e girou o torso, para não ter que ficar de frente para ele.

– Por favor, meu bem. Não se transforme em uma pessoa sarcástica. Seja honesta consigo mesma. Você detesta tanto assim conversar comigo?

– Não, não exatamente.

– Detesta tanto estar comigo?

– Não... não é bem isso.

– Então qual é o nosso problema?

– Bem – começou Emma lentamente, virando-se para encará-lo –, não tenho certeza.

– Ótimo! – declarou Alex satisfeito, esticando o braço no encosto do sofá, atrás dela. – Isso resolve a questão. Não temos problema algum.

– Esse é *exatamente* o problema! – concluiu Emma abruptamente.

Alex ergueu uma sobrancelha, sem entender.

Emma não se deixou deter.

– *Você* decidiu que não temos problemas, portanto *voilà*! Não temos problemas. E se *eu* achar que temos?

– Mas você acabou de dizer que não temos problema algum...

– Não disse nada disso. Eu falei que não tinha certeza de qual era o problema. E agora eu sei. E isso resolve a questão. Temos um problema.

Emma enfatizou a declaração se levantando do sofá para se sentar em uma cadeira próxima.

– E que problema seria esse?

Emma cruzou os braços.

– Você é autoritário demais.

– Ah, é mesmo?

– É mesmo.

– Ora, isso ocorre porque *você* precisa ser tratada dessa forma. Veja o que acontece quando é deixada por conta própria... eu encontro você inconsciente, na rua.

– Não acredito que você tem a coragem de me dizer uma coisa dessas! – retrucou Emma, furiosa, levantando-se para andar de um lado para o outro no salão. – Eu estava inconsciente na rua porque tinha salvado a vida do seu sobrinho! Preferia que eu o tivesse deixado ser pisoteado pelos cavalos?

– Esqueça isso – murmurou Alex, incapaz de acreditar na própria estupidez. – Foi um exemplo ruim.

– E, outra coisa... não preciso ser tratada com autoritarismo – afirmou Emma em um tom enfático, permitindo-se ficar irada. – Sou perfeitamente capaz de cuidar de mim mesma. O que você precisa é de um bom chute para lembrá-lo de que não é Deus!

– Emma?

– Ah, cale a boca. Não quero mais falar com você. Provavelmente só vai rir e soltar alguma piadinha sexual. Sinceramente, não preciso de mais motivo para me irritar.

– Emma...

– O que foi?! – perguntou ela, irritada, virando-se para encará-lo.

– Eu só ia comentar que acho que nunca tive uma discussão tão veemente com uma mulher que conheci 24 horas antes – disse Alex, pensativo e curioso com a profundidade das reações emocionais que tinham um com o outro. – Na verdade, acho que nunca tive uma discussão desse tipo com uma mulher e ponto.

Emma desviou os olhos.

– Está tentando me insultar?

– Não – disse Alex lentamente, como se tentasse resolver um problema em sua mente enquanto falava. – Não, não estou. Na verdade, acho que acabei de elogiá-la.

Emma olhou novamente pare ele, sua expressão refletindo a confusão que sentia. Alex ainda estava esfregando o queixo e estreitando os olhos. Longos segundos se passaram, e Emma conseguiu ver diversas emoções atravessando o rosto dele. Alex ameaçou falar várias vezes, mas logo se interrompia, como se uma nova solução tivesse surgido em sua mente.

– Sabe o que eu acho que isso significa? – disse ele finalmente, as palavras saindo lentas e bem pensadas. – Acho que significa que seremos amigos.

– O quê?

– Na verdade, é uma ideia nova. Ser amigo de uma mulher.

– Não sobrecarregue demais a sua mente.

– Não, estou falando sério. Pense a respeito por um minuto, Emma. Nós discutimos sem parar, mas, para ser sincero, eu me diverti mais nas últimas 24 horas do que em anos.

Emma ficou encarando-o, incapaz de pensar em uma resposta para uma declaração daquelas. Alex continuou:

– Acho que gosto de você, Srta. Emma Dunster. É claro que também *desejo* você, acho que isso é óbvio para você. Deus sabe que é dolorosamente óbvio para mim. Mas realmente gosto da senhorita. Você é um bom ovo.

– *Um bom ovo?* – A voz dela saiu estrangulada.

– E acho que, se pensar a respeito, vai se dar conta de que também gosta de mim. Quando foi a última vez que se divertiu tanto?

Emma abriu a boca, mas não tinha uma resposta. Alex deu um sorriso presunçoso.

– Você gosta de mim. Sei que gosta.

Emma finalmente riu, incapaz de acreditar na audácia dele, e ainda assim admirando-o por isso.

– Sim, acho que gosto.

O sorriso que Alex abriu era radiante.

– Bem, então, acho que somos amigos.

– Acho que sim.

Emma não estava certa de como haviam chegado àquela trégua, mas decidiu não questionar. Mesmo indo contra o seu bom senso, ela sabia que Alex estava certo: ela gostava dele. Ele de fato era um homem absolutamente atrevido e mais do que um pouco dominador, mas ela não conseguia evitar gostar da companhia dele, ainda que os dois passassem metade do tempo gritando um com o outro.

Bem naquele momento, ouviram Belle e Sophie descendo a escada em direção ao salão onde estavam. Belle começou a tossir incontrolavelmente, e Sophie disse em voz alta:

– Ah, meu Deus!

Emma levou a mão ao rosto e começou a rir. Alex apenas balançou a cabeça, com um sorriso irônico.

– É, meu bem – disse Alex. – Imagino que a minha irmã tenha acabado de lembrar que não tem um cravo.

CAPÍTULO 8

Ao longo das semanas seguintes, a vida de Emma entrou em uma espécie de rotina – ainda que empolgante e divertida. Do dia para a noite, ela se tornara um dos membros mais disputados da sociedade londrina. Ficou rapidamente decidido (por quem quer que fosse que decidisse esse tipo de coisa) que, por mais que os cabelos ruivos de Emma fossem lamentáveis, o resto com certeza não era. Assim, ela foi elevada à categoria de beldade, apesar da cor do cabelo. Algumas matronas mais conservadoras a consideravam um tanto ousada demais (ainda mais com "aqueles cabelos ruivos"), mas a maior parte da aristocracia decidiu que gostava de conversar com uma mulher capaz de falar sobre outros assuntos além de fitas e anáguas. Dessa forma, Emma e Belle (que conquistara uma reputação semelhante no ano anterior, embora na versão loira) iam de festa em festa, se divertindo muito e aproveitando a imensa popularidade da qual gozavam. Para Emma, aquele foi um delicioso período de interlúdio em uma vida que, com certeza, a levaria de volta ao pai em Boston, onde ela, como filha única, acabaria desafiando os padrões correntes da indústria e assumiria o estaleiro.

A única complicação, é claro, era o duque de Ashbourne, que emergira de seu exílio autoimposto e assumira com determinação seu lugar na sociedade. Ninguém tinha qualquer dúvida do motivo do súbito reaparecimento dele.

– Ele está definitivamente cercando Emma – resmungou Caroline, certa vez.

Ao que a suposta "presa" respondeu com astúcia:

– Não sei se ele está realmente interessado em mim ou se tem apenas prazer em me emboscar.

É claro que aquela declaração era apenas uma meia-verdade. Nas semanas anteriores, Emma tinha visto Alex quase todos os dias, e a amizade entre eles acabara se fortalecendo bastante. Emma estava certa de que Alex gostava sinceramente dela como pessoa, não apenas como uma espécie de troféu a ser conquistado. No entanto, aquela amizade com frequência era comprometida pela tensão sexual e, bem, Alex realmente parecia gostar de emboscar Emma.

Ele era rápido como um leão e tinha prazer em surpreendê-la. Certa vez, Emma tinha ido a uma apresentação musical a que Alex dissera que não pretendia comparecer. Ela estava parada distraidamente perto de uma janela aberta quando sentiu uma mão quente agarrar a dela. Emma tentou se desvencilhar, mas não conseguiu, e logo ouviu uma voz conhecida sussurrar:

– Sem escândalo.

– Alex?

Emma olhou ao redor. Com certeza alguém havia percebido uma mão se esgueirando pela janela. Mas não. O resto dos presentes estava envolvido em seus próprios flertes e não reparou na expressão vibrante de Emma.

– O que você está fazendo aqui? – sussurrou ela, com urgência, mantendo um sorriso agradável fixo no rosto.

– Vamos até o jardim – ordenou ele.

– Enlouqueceu?

– Talvez. Me encontre lá.

Emma se amaldiçoou umas cinquenta vezes por ser tão tola, inventou uma história sobre um rasgo no vestido e saiu do salão. Alex estava esperando por ela no jardim, escondido entre as árvores.

– O que você está fazendo aqui? – repetiu ela assim que o viu.

Alex agarrou de novo a mão dela e puxou-a mais para dentro das sombras do jardim.

– Achei que você devia estar com saudade – respondeu ele, animado.

– Com certeza não estava!

Emma tentou puxar o braço, mas ele não a soltou.

– Ora, é claro que estava. Não tem problema admitir.

Emma resmungou e murmurou alguma coisa baixinho sobre aristocratas arrogantes, mas bastou uma olhada no sorriso travesso de Alex para que se visse forçada a admitir que estava, *sim*, com saudade dele.

– E você? Sentiu a minha falta? – devolveu ela.

– O que você acha?

Emma se sentiu ousada.

– Acho que sim.

Alex, então, fixou os olhos na boca de Emma com ardor e intensidade tamanhos que ela teve certeza de que ele iria beijá-la. Emma sentiu a boca seca, entreabriu os lábios e viu o corpo oscilar na direção dele. Mas Alex apenas soltou a mão dela abruptamente, deu um largo sorriso e murmurou:

– Até amanhã, meu bem.

E, em um piscar de olhos, desapareceu.

Eram momentos como esse que embaralhavam os sentimentos de Emma, deixando-a confusa. Não importava quantas noites ela ficasse acordada pensando nele, parecia não conseguir organizar os pensamentos em relação a Alex.

Por um lado, a atitude dominadora dele a irritava profundamente. Alex estava sempre tentando mandar nela, embora, pensou Emma, presunçosa, estivesse descobrindo que aquela não era uma tarefa fácil. Por outro lado, ele estava provando ser bastante conveniente, já que a sua mera presença era capaz de espantar a maioria dos pretendentes mais persistentes dela; uma sorte, já que Emma não queria pretendente algum. Ela era sempre requisitada nas festas, mas conseguia se desvencilhar habilmente de qualquer pedido constrangedor de casamento.

Para complicar ainda mais as coisas, Emma estava descobrindo que Alex era uma companhia realmente divertida. Ele desafiava constantemente o intelecto dela e, embora lhe dissesse as coisas mais absurdas, Emma nunca se cansava de sua presença. No entanto, ela jurou para si mesma que Alex jamais ouviria um elogio desses saindo dos lábios dela; o ego dele certamente não precisava daquele agrado. Mas o que mais confundia Emma era a reação física. A mera visão dele tinha o poder de deixar o corpo dela vibrando de expectativa. Emma não sabia exatamente expectativa de quê, embora imaginasse que Alex soubesse. Certa vez, quando estava confidenciando aquelas sensações a Belle (que já estava em *Hamlet*, no seu grande desafio de ler toda a obra de Shakespeare), Emma disse que a única forma de descrever sua reação a Alex era como se experimentasse uma sensação de "realidade ampliada".

– Sei que é piegas e banal – comentara Emma –, mas parece que fico mais consciente de tudo quando ele está por perto. O perfume das flores fica mais forte. A limonada fica mais doce. O champanhe, mais potente. E é tão difícil não olhar para ele, não acha? São aqueles olhos verdes... Alex deveria ter nascido gato. Minha respiração fica curta, eu sinto a pele *vibrar*.

Belle foi direta:

– Acho que você está apaixonada.

– De forma nenhuma! – protestou Emma, ultrajada.

– É melhor aceitar logo – aconselhou Belle, sempre prática. – Nesta época em que vivemos, é raro encontrar alguém que se ama, e ainda mais raro ter dinheiro suficiente para poder fazer alguma coisa a respeito. A maior parte das pessoas precisa se casar levando a família em consideração.

– Não seja boba, Belle. Eu com certeza não quero me casar com esse homem. Seria um inferno viver com ele. Consegue imaginar? Alex é insuportável, arrogante, dominador...

– E faz você vibrar.

– A questão é – disse Emma, ignorando a prima – que eu não quero me casar com um inglês. E ele não quer se casar de forma alguma.

No entanto, a falta de interesse do duque de Ashbourne em passar à condição de homem casado não o impedia nem um pouco de flertar abertamente com Emma em todas as ocasiões possíveis. Para ser justa, Emma precisava admitir que ela também tinha a sua participação no flerte, embora reconhecidamente não fosse tão habilidosa quanto ele. Estava se tornando motivo de grande diversão para a alta sociedade observar Alex e Emma se enfrentando, e já haviam começado a surgir apostas nos melhores clubes de cavalheiros de Londres sobre quando os dois finalmente se casariam.

Mas se algum dos jovens lordes que fizeram tal aposta tivesse se dado o trabalho de perguntar a Emma a respeito da situação, ela o teria informado com toda a tranquilidade de que os sinos de casamento certamente não dobrariam em um futuro próximo. Antes de mais nada, ela não queria se casar. Em segundo lugar, Alex não queria se casar. E a confirmação vinha do fato de Alex não haver tentado beijá-la nem sequer uma vez desde aquela primeira noite, quando lhe roubara um beijo no quarto. *Aquilo* era o que mais confundia Emma. Ela desconfiava que era tudo parte de um grande plano, já que estava certa de que Alex ainda a desejava. De vez em quando ela o pegava observando-a com um brilho ardente nos olhos que a fazia tremer. Naqueles momentos, o olhar dele parecia queimá-la, deixando-a zonza e ofegante. Então, depois de um instante, ele desviava rapidamente o olhar e quando Emma voltava a ver o seu rosto a fachada fria e imperturbável estava de volta ao lugar.

A relação dos dois – por vezes amigável, por vezes tensa – prosseguiu tranquilamente até a noite do baile dos Lindworthys.

Emma jamais teria suspeitado que aquela noite pudesse vir a ser, de algum modo, diferente de qualquer outra. Mas estava particularmente empolgada para comparecer àquele baile, porque Ned acabara de voltar de uma viagem a passeio de um mês a Amsterdã, com os amigos da universidade, e ela estava com saudade do primo. A residência dos Blydons estava em uma agitação só enquanto todos se preparavam para a noite.

– Emma Dunster! Você pegou os meus brincos de pérola?

Belle apareceu subitamente na porta do quarto de Emma, resplandecente em um vestido de seda azul-gelo decotado.

Emma, que estava sentada diante da penteadeira tentando arrumar os cabelos, ignorou a pergunta enquanto esticava a mão para pegar um frasco de cristal de perfume.

– Seu pai vai matar você quando a vir nesse vestido.

Belle puxou o corpete do vestido mais para cima.

– Não é pior do que o seu.

– Sim, mas note que estou usando um xale – disse Emma, abrindo um sorriso jovial.

– Que você sem dúvida vai tirar assim que chegar à casa dos Lindworthys, certo?

– Sem dúvida.

Emma aplicou algumas gotas de perfume na lateral do pescoço.

– Mas eu não tenho um xale que combine com este vestido. Você tem?

– Só este que eu estou usando.

Emma indicou com um gesto o xale marfim que estava ao redor de seus ombros nus. O tecido pálido cintilava contra o verde-escuro do vestido de seda que ela escolhera para a noite.

– Inferno… – praguejou Belle, um tanto alto demais.

– Eu ouvi! – disse a mãe dela, do quarto que ficava no fim do corredor.

Belle gemeu.

– Juro que ela deve ter seis pares de ouvidos, com essa audição tão boa.

– Também ouvi isso!

Emma riu.

– Se fosse você, eu ficaria quieta.

Belle fez uma careta.

– Quanto aos brincos…

– Não sei por que você acha que eu pegaria os seus quando tenho um lindo par. Você provavelmente guardou no lugar errado e esqueceu.

Belle soltou um suspiro dramático.

– Ora, não sei onde…

– Ah, aqui estão vocês! – chamou Ned, enfiando a cabeça dentro do quarto de Emma. – Espetaculares, como sempre – disse ele, examinando a irmã mais detidamente. – Belle, tem certeza de que deveria sair com esse vestido? Se eu esticar só um pouco o pescoço – e assim ele fez para demonstrar –, consigo ver até o seu umbigo.

Belle ficou boquiaberta, horrorizada.

– Não consegue, não! – retrucou com a voz aguda, e deu um soquinho no braço do irmão.

– Ora, talvez não até o umbigo, mas quase – disse Ned, com um sorriso. – Além do mais, nosso pai jamais vai deixar você sair de casa vestida assim.

– Metade das mulheres da alta sociedade está usando vestidos assim. É um estilo perfeitamente aceitável.

– Talvez para você e para mim – retrucou Ned –, mas não para mamãe e papai.

Belle levou as mãos à cintura.

– Você veio até aqui por algum motivo ou só com a esperança de me torturar?

– Na verdade, estava querendo saber se você tem certeza que Clarissa Trent não vai ao baile hoje.

– Seria bem feito para você se ela aparecesse, irmão miserável – falou Belle, irritada. – Mas pode ficar tranquilo, estou certa de que Clarissa foi passar uma longa temporada no campo.

– Emma?

Ned queria ter absoluta certeza de que a moça cruel que zombara dele no início da temporada social não estaria presente para magoá-lo de novo.

– Até onde sei, ela deixou Londres – respondeu Emma.

Examinava a própria imagem no espelho e tentava decidir se gostava do penteado que Meg criara para ela.

– Provavelmente foi lamber as feridas – palpitou Belle, acomodando-se na cama de Emma.

– Do que você está falando? – perguntou Ned, entrando no quarto e se encarapitando ao lado da irmã.

– Temo que Clarissa tenha ficado um pouco aborrecida quando percebeu que Ashbourne estava determinado a cercar Emma – disse Belle com um risinho debochado. – Clarissa ficou se jogando em cima dele sem o menor pudor, e devo dizer que, a princípio, Sua Graça foi muito educado com ela.

Anormalmente educado para os padrões dele, se quer saber a minha opinião. Acho que ele estava tentando impressionar Emma com suas boas maneiras.

– Duvido – comentou Emma com ironia.

– Ora, o que aconteceu? – perguntou Ned, impaciente.

– *Essa* é a parte boa – disse Belle, inclinando-se para a frente e abrindo um sorriso cintilante. – Cerca de uma semana atrás ela realmente *colou* nele, e, pode acreditar em mim, o vestido de Clarissa era bem mais decotado do que o meu.

– E? – insistiu Ned.

– E Ashbourne simplesmente a encarou com um de seus famosos olhares gélidos e disse...

Emma a interrompeu e abaixou a voz em uma imitação de Alex:

– "Srta. Trent, estou conseguindo ver o seu umbigo."

Ned ficou boquiaberto.

– Ele não disse isso!

– Não, mas gostaria que tivesse dito.

Emma deu uma gargalhada e Belle explodiu em risadinhas.

– Mas o que ele realmente disse? – perguntou Ned.

– Acho que foi: "Srta. Trent, faça a gentileza de se afastar da minha pessoa." Ned estava encantado.

– E aí? O que aconteceu?

– Por um momento, achei que Clarissa iria desmaiar – falou Belle, animada. – Pelo menos uma dezena de pessoas ouviu o comentário do duque, e ela vinha dizendo a todos que estava determinada a agarrá-lo. O que é um absurdo, é claro, porque é óbvio para todos que Ashbourne só tem olhos para Emma. Enfim, depois de lançar seu olhar mais assassino a todos ao redor, ela saiu correndo do salão de baile e nunca mais ninguém a viu. Meu palpite é que ela vai passar mais ou menos um mês recolhida antes de voltar para tentar cravar as garras no duque de Stanton.

– Mas o homem tem bem mais de 60 anos! – exclamou Ned.

– E já ficou viúvo três vezes – acrescentou Emma.

– Você sabe como são mulheres do tipo de Clarissa – falou Belle com um suspiro. – Ela enfiou na cabeça que quer um duque. Ashbourne obviamente estava em primeiro lugar na lista, já que ainda é jovem, mas duvido que ela seja tão exigente. Ela quer um título, e quer agora. Pode anotar o que eu digo: se Clarissa não conseguir um duque, vai começar a investir em marqueses e condes. É *nesse* momento que você vai precisar tomar cuidado, Ned.

102

– Mas sou só um visconde.

– Não seja tolo. Você será conde algum dia, e Clarissa sabe disso.

– Ora, pode estar certa de que a evitarei com perseverança, agora que sei como ela realmente é.

– Sabe, Ned, acho que você me deve um favor – declarou Emma. – Você provavelmente ainda estaria babando por ela se eu não tivesse mandado aquele falso bilhete de amor.

Ned fez uma careta diante da ideia de estar em dívida com Emma.

– Por mais que eu deteste admitir, você provavelmente está certa. Mas não se atreva a voltar a interferir na minha vida, entendeu?

– Ah, eu jamais sonharia com isso – garantiu Emma em um tom inocente.

Tanto Ned quanto Belle a encararam com desconfiança.

– Deve estar quase na hora de irmos – disse Emma, se levantando.

Como se seguindo a deixa, Caroline entrou no quarto. Ela usava um lindo vestido azul-escuro que destacava os impressionantes olhos azuis que passara aos dois filhos. Seus cabelos castanhos estavam presos no alto da cabeça, e Caroline com certeza não parecia ter idade para ser mãe de dois adultos.

– Realmente está na hora – anunciou ela, e com um rápido movimento de cabeça examinou o quarto todo até seus olhos pararem na filha. – Arabella Blydon! – exclamou, horrorizada. – O que você está vestindo, pelo amor de Deus? Não me lembro de ter lhe dado permissão para usar um vestido tão decotado.

– Não gostou? – perguntou Belle, a voz hesitante. – Acho que me favorece bastante.

– *Eu* disse a Belle que era possível ver até o umbigo dela – falou Ned com a voz arrastada.

– Edward! – disse Caroline com severidade.

Emma bateu no ombro do primo com a bolsinha, e lhe lançou um olhar de alerta. Caroline olhou de relance para os dois antes de continuar o sermão dirigido à filha.

– Não sei o que você estava pensando. Esse vestido vai colocar ideias erradas na cabeça dos homens.

– Mamãe, todas estão usando vestidos como este, agora.

– "Todas" não inclui a minha filha. Onde você arrumou isso?

– Eu e Emma o compramos na loja de madame Lambert.

Caroline se voltou para encarar a sobrinha.

– Emma, você deveria ter sido mais prudente.

– Na verdade – falou Emma com sinceridade –, acho que Belle está linda.

Caroline arregalou os olhos e se voltou rapidamente para a filha.

– Você pode usar esse vestido quando se casar – anunciou.

– Mamãe! – protestou Belle.

– Muito bem! – bufou Caroline. – Vamos perguntar ao seu pai. Henry!

Os três membros da geração mais jovem gemeram.

– Agora estou encrencada... – resmungou Belle.

– Sim, querida?

Henry Blydon, o conde de Worth, entrou lentamente no quarto. Seus cabelos castanhos tinham várias mechas prateadas, mas ele ainda conservava o ar de elegância e afabilidade que conquistara o coração de Caroline um quarto de século antes. Blydon sorriu com carinho para a esposa, que indicou a filha com um olhar.

– Belle – disse ele com tranquilidade –, você está nua.

– Ah, está bem! Vou trocar de vestido!

E Belle saiu irritada do quarto.

– Ora, não foi difícil, não é mesmo? – disse ele, sorrindo para a esposa. – Estou esperando vocês no andar de baixo.

Caroline revirou os olhos e seguiu o marido.

– Posso acompanhá-la, cara Emma? – perguntou Ned, rindo e oferecendo o braço à prima.

– Mas é claro, caríssimo Edward.

Os dois desceram a escada atrás do casal mais velho. Belle provou ser muito rápida para trocar de roupa e, em quinze minutos, a família estava a caminho da mansão dos Lindworthys.

Quando chegaram, Belle, que agora usava um vestido de seda cor-de-rosa, puxou Emma de lado.

– É melhor você se manter bem, bem longe de papai e mamãe quando tirar o xale – aconselhou.

– Sei muito bem disso.

Emma esperou que Henry e Caroline fossem engolidos pela multidão antes de se voltar para Ned e dizer, com um autoritarismo zombeteiro:

– Pode tirar o meu xale agora, Edward.

Ele respondeu com gentileza exagerada:

– Ah, mas você sabe que anseio por ser seu servo.

Ned tirou o xale de Emma com destreza e entregou-o a um dos criados dos Lindworthys.

– Emma – perguntou ele com cautela –, você tem noção de que o seu vestido é tão decotado quanto o que Belle estava usando, não é?

– É claro. Nós os compramos juntas. Você consegue ver até o *meu* umbigo? – perguntou ela com ousadia.

– Tenho medo de tentar. Ashbourne poderia surgir das sombras e torcer o meu pescoço.

– Não seja bobo. Ah, veja! Lá está John Millwood. Vamos cumprimentá-lo.

Emma, Ned e Belle abriram caminho até onde estava John e logo se perderam na multidão.

Alex chegou logo depois e, como sempre, se amaldiçoou mentalmente por mais uma vez se submeter à tortura que era ir a um grande baile em Londres. Aquele tipo de evento só era tolerável por ele saber que encontraria Emma e que, com sorte, conseguiria se afastar com ela e desfrutar da sua companhia sem uma centena de espectadores ao redor.

Infelizmente, Emma estava *sempre* cercada de admiradores, e aquilo ia se tornando profundamente irritante. Todo dia Alex jurava para si mesmo que desistiria daquele hábito absurdo de ficar andando atrás dela, e todo dia se via ansiando por vê-la – e sentir seu cheiro, e tocá-la. Assim, acabava vestindo os trajes de noite pretos e saía para participar da interminável ronda de festas.

A parte mais difícil era a decisão tola que tomara de não tentar sequer beijá-la. Como via Emma quase todas as noites nos últimos dois meses, estava se tornando extremamente difícil manter as mãos longe dela. E quando achava que já havia memorizado cada curva dos lábios de Emma, ela o surpreendia com um novo tipo de sorriso, e ele se via imediatamente dominado pelo desejo de agarrá-la e beijá-la enlouquecidamente. Alex acordava no meio da noite sabendo que estivera sonhando com Emma, com o corpo rígido e quente de desejo.

E nenhuma outra mulher conseguia satisfazer aquele desejo. Já havia algum tempo que Alex parara de visitar sua amante, e ela o informara educadamente de que havia encontrado outro admirador que a mantivesse. Tudo o que ele fez foi suspirar de alívio, feliz por se ver livre da despesa.

A princípio, Alex resolvera manter distância física de Emma porque queria dar a ela tempo para aprender a confiar nele. Quando os dois finalmente fizessem amor – e ele estava certo de que fariam, só se perguntava se Emma tinha noção da inevitabilidade daquele fato –, queria que fosse perfeito. Queria que ela se entregasse a ele porque o desejava, e apenas a ele. Queria que ela se entregasse por também acordar no meio da noite encharcada de desejo.

Alex só torcia para que isso acontecesse logo, porque se sentia enlouquecendo aos poucos.

– Ashbourne!

Ele se virou e viu Dunford atravessando a multidão e vindo em sua direção.

– Olá, Dunford, é um prazer revê-lo. Por acaso viu Emma?

– Nossa, *realmente* nos tornamos um pouco monotemáticos ultimamente, não acha?

Alex deu um sorriso envergonhado que não lhe era característico.

– Desculpe.

– Sem problema.

Dunford afastou com um gesto de mão o pedido de desculpas do amigo.

– Mas você sabe onde ela está?

– Pelo amor de Deus, Ashbourne, quando você vai se casar com a moça e acabar com esse sofrimento? Faça dela sua duquesa de uma vez e poderá vê-la 24 horas por dia.

– Sinceramente, Dunford, não chega a tanto – disse Alex, afastando a ideia de casamento com um movimento rápido de cabeça. – Você sabe como me sinto em relação ao assunto.

Dunford ergueu as sobrancelhas.

– Você sabe que terá que se casar em algum momento, se quiser ter um herdeiro. Seu pai se reviraria no túmulo se o título saísse da família.

Alex se encolheu diante da ideia.

– Ora, ao menos tenho Charlie. Ele pode não ser um Ridgely, mas certamente é tão próximo do meu pai em laços de parentesco quanto qualquer filho que eu pudesse ter.

– Emma também vai ter que se casar em algum momento. E talvez não seja com você.

Alex ficou surpreso com a onda ardente de ciúme que percorreu seu corpo ao pensar em Emma nos braços de outro homem. Mas, determinado a manter a fachada impassível, disse apenas:

– Saberei lidar com isso se acontecer.

Dunford apenas balançou a cabeça, convencido de que o amigo negava o óbvio. Se Alex não estava apaixonado por Emma, certamente estava obcecado por ela, e aquilo já era uma desculpa melhor para um casamento do que o que normalmente se encontrava na aristocracia.

– Por acaso vi Emma, sim, alguns minutos atrás – disse ele, por fim. – Ela estava cercada de homens.

Alex grunhiu.

– Pelo amor de Deus, homem, ela está sempre cercada de homens. Acostume-se – disse Dunford, rindo. – Deveria agradecer por a maioria deles ter pavor de você. Pelo menos metade dos sujeitos que costumam cercar Emma se afasta à mera menção do seu nome.

– Bem, *isso* é uma bênção.

– Se bem me lembro, ela estava por ali – disse Dunford, apontando para o outro extremo do salão. – Perto da mesa de limonada.

Alex assentiu brevemente para o amigo e sorriu.

– Foi, como sempre, um prazer, Dunford.

Ele deu as costas e começou a abrir caminho entre a multidão. Enquanto seguia na direção da área onde esperava que Emma estivesse, foi várias vezes emboscado por homens e mulheres ansiosos por uma audiência com o influente duque de Ashbourne. Alex lançou a alguns deles seu famoso olhar gélido, assentiu para outros, trocou algumas palavras com um casal e meramente grunhiu para os menos afortunados que o alcançaram quando ele finalmente chegava ao seu destino.

Ele não estava de bom humor.

E foi então, é claro, que finalmente avistou Emma. Seus cabelos flamejantes sempre tornavam fácil encontrá-la. Dito e feito: ela e Belle estavam cercadas por um bando de rapazes cujo único problema na vida parecia ser decidir a qual das primas deveriam declarar amor eterno.

A visão dos admiradores de Emma não melhorou em nada o humor de Alex.

Ele se aproximou um pouco mais. Ela estava deslumbrante, mas isso Alex já esperava. Emma sempre parecia deslumbrante para ele. Seus cabelos estavam presos no alto da cabeça, com algumas mechas soltas emoldurando o rosto delicado. Os olhos violeta cintilavam sob a luz de velas. Ela jogou a cabeça para trás e riu de alguma piada, dando a Alex uma visão desobstruída do pescoço longo e pálido, dos ombros macios e da insinuação dos...

Alex franziu a testa. Ele definitivamente podia ver um pouco mais do que uma mera insinuação dos seios. Não que o vestido fosse indecente, é claro. Emma tinha bom gosto suficiente para não se vestir de forma vulgar. Mas... maldição... se ele conseguia ver a curvatura dos seios dela, isso significava que todos os outros homens naquele salão de baile também conseguiam.

O humor de Alex, que já não estava bom, se deteriorou rapidamente. Ele abriu caminho entre a aglomeração ao redor de Emma e Belle.

– Olá, Emma – disse, irritado.

– Alex! – exclamou ela, os olhos cintilando com um entusiasmo sincero. Alex se aproximou dela, ignorando todos ao redor.

– Acredito que você tenha reservado esta dança para mim – declarou, pegando-a pela mão e levando-a quase à força para a pista de dança.

– Sinceramente, Alex, você precisa parar de ser tão autoritário – repreendeu ela, bem-humorada.

– Ah, uma valsa – comentou ele quando a orquestra começou a tocar. – Que sorte.

Então arrebatou-a nos braços e eles começaram a girar lentamente pelo salão.

Emma se perguntou brevemente por que Alex estava com um humor tão estranho, mas afastou a preocupação, preferindo desfrutar o calor delicioso que só conseguia encontrar nos braços dele. Uma das mãos de Alex estava apoiada de leve no quadril dela, mas o calor da pele dele fazia com que Emma sentisse que estava sendo marcada a ferro. A outra mão segurava a dela, e Emma tinha certeza de que milhares de pequenos raios estavam sendo disparados por seu braço e indo direto ao coração. Ela fechou os olhos e deixou escapar um som baixo e ronronante do fundo da garganta. Sentia-se absolutamente satisfeita.

Alex ouviu o som murmurado e abaixou os olhos para ela. Emma estava de olhos fechados, com o rosto ligeiramente erguido na direção do dele. Ela parecia ter acabado de fazer amor. O corpo de Alex reagiu de imediato: todos os músculos se contraíram e ele sentiu seu membro enrijecendo dolorosamente. E grunhiu.

– Disse alguma coisa? – perguntou Emma, abrindo os olhos.

– Nada que eu possa lhe falar no meio de um salão de baile lotado – resmungou Alex, começando a guiá-la na direção das portas francesas que levavam ao jardim dos Lindworthys.

– Ah, que intrigante.

– Gostaria que você soubesse exatamente quanto – murmurou Alex.

– O que disse?

Em meio ao burburinho da multidão no salão de baile, Emma não conseguira compreender o que ele dissera.

– Nada – falou Alex em um tom mais alto, mas a palavra saiu mais ríspida do que ele pretendera.

– O que há de errado com você esta noite? Está definitivamente ranzinza.

Antes que Alex pudesse responder, a orquestra terminou a valsa e ele e Emma se inclinaram em uma cortesia um para o outro, um ato mecânico. Quando encerraram as amenidades sociais, Emma repetiu a pergunta, dessa vez em um tom mais determinado:

– Alex! Pelo amor de Deus, qual é o problema com você?

– Quer mesmo saber qual é o problema? – perguntou Alex bruscamente. – Quer?

Emma assentiu, hesitante, em dúvida se estava fazendo o que seria mais recomendável.

– Pelo amor de Deus, Emma, todos os homens neste salão estão devorando você com os olhos – disse ele, irritado, e puxou-a na direção das portas francesas.

– Sinceramente, Alex, você me diz isso todas as noites.

– Hoje estou falando sério – sussurrou. – Você está praticamente se derramando de dentro desse vestido.

– Alex, você está fazendo uma cena – retrucou Emma, agora também irritada.

Ele parou de arrastá-la, mas continuou a sair com ela para o jardim, agora em um passo mais respeitável.

– Não entendo por que está tão furioso. Pelo menos metade das mulheres com menos de 30 anos está usando vestidos muito mais reveladores do que o meu.

– Não me importo com as outras mulheres! Inferno. Não quero você ostentando seus encantos para que o mundo todo veja.

– Ostentando meus encantos? Você está me fazendo parecer vulgar. *Não* me insulte – alertou Emma, a voz tensa.

– Não me provoque, Emma. Você vem me manipulando há quase dois meses e estou chegando ao meu limite.

Ele puxou-a para trás de uma sebe alta que os protegia da vista do salão de baile.

– Não tente colocar a culpa dessa situação em mim. Você é que está sendo exageradamente sensível em relação ao estilo do meu vestido!

De repente, Alex estendeu a mão e segurou-a pelos braços, puxando-a mais para perto.

– Maldição, Emma, você é minha. Já passou da hora de você entender isso.

Ela o encarou, perplexa. Embora as atitudes dele durante as semanas anteriores sem dúvida provassem sua natureza possessiva, aquela era a primeira vez que Alex realmente verbalizava isso. Seus olhos verdes ardiam de fúria e desejo, mas havia mais alguma coisa ali. Desespero.

Emma subitamente se sentiu desconfortável.

– Alex, acho que você não sabe o que está dizendo.

– Ah, Deus, gostaria de não saber!

E, em um movimento súbito, ele puxou-a para junto do corpo, as mãos fortes se enfiando nos cabelos dela.

Emma ficou sem ar com a intensidade da força que sentiu emanando dele. Alex segurou-a daquele jeito por um longo momento, o nariz de um colado ao do outro. Ele respirava de modo irregular, como se estivesse perdido em meio a uma batalha interna.

– Ah, Emma – disse finalmente, com a voz rouca –, se ao menos você soubesse o que causa em mim.

E, com isso, ele abaixou lentamente a boca para capturar a dela.

O primeiro contato foi insuportavelmente doce, e Emma pôde sentir o corpo de Alex estremecer enquanto ele se esforçava para conter a própria paixão. Os lábios dele roçaram suavemente os de Emma e ele esperou por uma reação. Emma não conseguiu se conter e passou os braços ao redor do pescoço dele. Aquele foi todo o encorajamento de que Alex precisava, e então ele desceu as mãos pelas costas dela, pressionando-a com mais força ainda contra si.

– Esperei tanto tempo para abraçar você assim – murmurou ele contra a boca de Emma.

Ela estava perdida em um mar de paixão recém-descoberto.

– A-acho que gosto disto – comentou ela timidamente, enfiando os dedos pelos cabelos negros e cheios dele.

O grunhido baixo que Alex deixou escapar era a expressão da mais pura satisfação masculina.

– Eu sabia que seria perfeito. Sabia que você retribuiria com a mesma paixão – disse ele enquanto beijava o queixo dela, a trilha de beijos descendo pelo pescoço.

Emma jogou a cabeça para trás, sem entender direito aquelas novas sensações, mas também não querendo detê-lo, como sabia que deveria fazer.

– Ah, Alex – disse ela em um gemido, abraçando-o com mais força.

Alex rapidamente tirou vantagem do som baixo que escapou dos lábios dela e capturou mais uma vez a boca aberta, deixando a língua avançar para acariciá-la mais fundo. O toque muito íntimo provocou tamanho prazer que Emma ficou surpresa por ainda conseguir ficar de pé. Ela simplesmente não achara que fosse possível sentir algo com tamanha intensidade. Nem mesmo o primeiro beijo que haviam trocado ilicitamente no quarto dela era comparável. O primeiro beijo havia sido excitante porque ela não conhecia Alex na época. Mas agora conhecia, e bem. E saber que era ele quem a abraçava daquela forma tornou a intimidade entre os dois ainda mais espetacular. Tudo o que Emma sabia era que queria ficar ainda mais colada a ele, muito mais. Queria tocá-lo do modo como ele a estava tocando. Hesitante, ela roçou a língua contra o céu da boca dele. Para seu deleite, a reação de Alex foi imediata. Ele disse o nome dela em um gemido rouco e puxou-a rapidamente para si, de modo a deixá-la intimamente imprensada contra a ereção dele.

Emma ficou surpresa diante da evidência do desejo de Alex, e essa constatação penetrou na névoa de desejo que a envolvia. Ela se deu conta de repente de que estava se encaminhando muito rápido para uma situação com a qual provavelmente não conseguiria lidar.

– Alex? – chamou baixinho.

Ele interpretou o chamado dela como outro gemido de desejo.

– Ah, sim, Emma, sim... – respondeu.

Os lábios dele alcançaram o lóbulo da orelha dela e começaram a sugar lentamente enquanto sua mão cobria o seio de Emma. Tudo o que ele estava fazendo era absurdamente perfeito e Emma precisou reunir forças para repetir o nome dele, agora com um pouco mais de empenho.

– O que foi, meu bem? – perguntou Alex, segurando o rosto dela entre as mãos enquanto se preparava para se deliciar mais uma vez com seus lábios.

– Acho que é hora de parar... – falou ela, trêmula.

Alex estava em agonia. Ele sabia que Emma estava certa, porém seu corpo latejava, exigia alívio. Mas a verdade era que ele não poderia fazer amor com ela no meio do jardim dos Lindworthys. Alex soltou Emma lentamente e virou de costas, com as mãos nos quadris, enquanto se esforçava para recuperar o autocontrole.

– Alex? Você está com raiva de mim?

Ele não se moveu.

– Não – disse lentamente, a respiração ainda pesada. – Estou com raiva de mim.

Emma tocou seu ombro em um gesto de consolo.

– Não se culpe. Foi tanto culpa sua como minha. Eu poderia ter parado antes.

Alex se virou para encará-la.

– Poderia? – perguntou ele, com um sorriso irônico que não alcançava os olhos. Ele respirou fundo de novo. – Bem, Emma, você se dá conta de que isso muda as coisas?

Ela assentiu, pensando que aquelas palavras eram um eufemismo. No entanto, se perguntava exatamente *como* as coisas iam mudar.

– Talvez você deva se esgueirar até o lavatório antes de voltar ao salão de baile. Seu cabelo está todo bagunçado – aconselhou Alex, com medo de perder o controle novamente caso se permitisse falar de qualquer outro assunto que não fosse banal. – Já estive aqui antes. Se der a volta por aquele canto, há uma entrada lateral que leva ao corredor principal. De lá, você deve conseguir encontrar o lavatório sem problema.

Em um reflexo, Emma levou a mão à cabeça e tentou minimizar rapidamente o dano.

– Muito bem. Se você voltar agora, vou arrumar os cabelos e não aparecerei até terem se passado mais quinze minutos – disse ela com a voz ofegante e alterada. – Isso deve evitar as fofocas.

– Parece que estamos criando o hábito de orquestrar retornos separados a salões de baile.

Emma deu um sorrisinho tímido para ele antes de se virar e sair correndo.

CAPÍTULO 9

Emma se esgueirou pela lateral da casa dos Lindworthys, o tempo todo resmungando termos nada graciosos.

– De todas as coisas estúpidas que eu poderia fazer... Deixar que ele me arrastasse do baile para um jardim deserto... Eu deveria ter imaginado que aconteceria algo assim.

Ela parou um pouco e admitiu para si mesma, muito a contragosto, que tinha gostado imensamente do beijo de Alex.

– Tudo bem, eu gostei – resmungou. – E agora? Aqui estou eu, me esgueirando ao redor da casa como uma ladra, torcendo para encontrar uma porta lateral que pode nem existir. Meus sapatos estão ficando molhados, a barra do meu vestido deve ter se rasgado naquela roseira e, para completar, ele não tem a menor intenção de se casar comigo.

Emma estacou. Deus do céu, o que acabara de dizer? Ainda bem que estava falando sozinha. Ela estremeceu e fez uma careta.

– Tire essa ideia da cabeça, Emma Elizabeth Dunster – ordenou a si mesma enquanto dobrava a lateral da mansão e chegava aos fundos.

Ela não queria realmente se casar com Alex, queria? Era impossível. Sempre tivera a intenção de voltar para Boston e assumir os negócios da família. Quando se casasse, seria com um bom compatriota americano, disposto a administrar a empresa com ela.

E se nunca encontrasse esse bom compatriota americano? E realmente valia a pena tentar encontrá-lo quando tinha um inglês fantástico bem ali, naquele momento?

Emma suspirou ao se lembrar de Alex, e os poucos momentos que passaram a sós invadiram seus pensamentos. Era hora de ser razoável, decidiu. Realmente havia alguma boa razão para sequer considerar a ideia de se casar com Alexander Edward Ridgely, o todo-poderoso duque de Ashbourne?

Bem, para começar, o beijo dele era fenomenal.

Além dessa!

Muito bem então. Alex nunca era condescendente com ela. Muitos homens da aristocracia falavam com as mulheres como se fossem uma subespécie cujo cérebro ainda não havia se desenvolvido plenamente. Mas Alex sempre a tratava como se ela fosse tão inteligente quanto ele.

E era mesmo, ressaltou Emma silenciosamente, com um aceno de cabeça.

Além do mais, ela se sentia muito à vontade na presença dele. Quando estavam juntos, Emma nunca agia como se tivesse que esconder sua personalidade sob um véu de artifícios e ilusão. Alex parecia gostar dela exatamente do jeito que ela era.

E mais: ele tinha um senso de humor delicioso, muito parecido com o dela. Sem dúvida ele adorava implicar com ela, mas nunca era maldoso e aceitava uma brincadeira com o mesmo prazer com que fazia uma. A vida com Alex certamente não seria tediosa, disso Emma tinha certeza.

E, é claro, o homem beijava maravilhosamente bem.

Ela gemeu quando praticamente caiu pela porta lateral. Teria que pensar um pouco mais sobre o assunto.

Enquanto isso, Alex retornara discretamente ao salão de baile pelas portas francesas e se esforçava ao máximo para ser simpático com um bando de pessoas pelas quais normalmente não nutria grande interesse. Estava, no entanto, ansioso para parecer frio e calmo, caso alguém tivesse reparado na breve saída com Emma para o jardim.

Alex acabara de contar a lorde Acton, um amigo do White's, sobre um garanhão que havia comprado recentemente, quando viu Sophie e a mãe deles do outro lado do salão de baile.

– Com licença – falou com gentileza. – Vejo que minha mãe e minha irmã chegaram. Preciso cumprimentá-las.

Alex se despediu do amigo com uma breve mesura e abriu caminho entre os convidados em direção à família.

Eugenia Ridgely, duquesa viúva de Ashbourne, não era uma figura imponente. Na verdade, não conseguiria ser mesmo se tentasse. Seus olhos verdes cintilavam calidamente e os lábios pareciam sempre curvados em um sorriso vibrante. A disposição agradável era acompanhada por um senso de humor irônico que fizera dela um dos membros mais queridos da aristocracia por anos. Eugenia era filha de um conde e fora elevada à categoria de duquesa ao se casar com o pai de Alex e Sophie, mas nunca havia demonstrado qualquer traço do esnobismo tão comum na alta sociedade. Os olhos dela brilharam ao ver o filho atravessando o salão em sua direção.

– Olá, mamãe – disse Alex com carinho, e se inclinou para dar um beijo no rosto dela.

– Ah, Alex – falou Eugenia em um tom irônico, erguendo o rosto para receber o beijo do filho –, que prazer comparecer a um evento e encontrar você.

Era fácil ver de quem Alex havia herdado a língua cáustica.

– É sempre um prazer, mamãe.

– Sei disso, meu bem. Agora me diga: onde está aquela moça encantadora que arrancou você de seu esconderijo?

Ela esticou o pescoço em busca dos conhecidos cabelos ruivos de Emma.

– Na verdade, não a vejo desde que dancei com ela, cerca de meia hora atrás.

– *Eu* a vi saindo para o jardim – comentou Sophie em um tom bastante significativo.

Alex devolveu a ela um olhar fulminante.

– Achei que você estivesse planejando se afastar da sociedade.

Sophie abriu um largo sorriso e passou as mãos pelo abdômen ainda liso.

– Já completei quatro meses, mas ainda não está aparecendo. Não é uma sorte?

– Para você, talvez. Quanto a mim, estou prendendo a respiração de ansiedade para ver você redonda como um novilho.

– Seu monstro! – disse Sophie, pisando no pé do irmão.

Alex deu um sorriso travesso.

– Ah, minha doce irmã bovina.

– Ora, é uma pena que Emma não esteja aqui – disse Eugenia, fazendo questão de ignorar a briguinha dos dois. – Gosto muito da companhia dela. Quando você disse que iria pedi-la em casamento, Alex?

– Não disse.

– Hum, eu poderia jurar que ouvi você mencionar alguma coisa a respeito.

– Deve ter sido o meu gêmeo mau – retrucou Alex, sem se deixar abalar.

Eugenia preferiu ignorar o sarcasmo dele.

– Sinceramente, querido, você se mostrará um tolo se a deixar escapar.

– A senhora já mencionou isso.

– Ainda sou sua mãe, você sabe.

– Acredite em mim, eu sei.

– Você deveria me ouvir. Sei o que é melhor para você.

Alex deu um sorrisinho torto.

– Eu acho que a senhora *acha* que sabe o que é melhor para mim.

Eugenia o encarou com severidade.

– Que homem difícil.

Sophie, que estava calada de um modo que não lhe era comum, subitamente se manifestou.

– Acho melhor deixá-lo em paz, mamãe.

– Obrigado – falou Alex, agradecido.

– Afinal, acho que, mesmo se ele a pedisse em casamento, Emma não aceitaria.

Alex se irritou. É claro que Emma teria... Ele deu um sorriso exageradamente doce para a irmã.

– Você está tentando me irritar.

– Sim, acho que estou. Supostamente, é isso que as irmãs fazem.

– Não está funcionando.

– É mesmo? Acho que funcionou lindamente. Você cerrou o maxilar de forma magnífica quando eu disse que ela não quer você.

– Ah, como eu adoro a minha família – declarou Alex com um suspiro.

– Anime-se, querido – disse a duquesa, sorrindo. – Somos melhores do que a maioria, sabe? Acredite em mim.

– Eu acredito – disse ele, e se inclinou para dar outro beijo carinhoso no rosto da mãe.

– Ah, veja! – exclamou Eugenia subitamente, indicando a pista de dança. – Lá está o seu amigo, Dunford, dançando com Belle Blydon. Talvez você deva pedir a ela a próxima dança. Belle é um amor de moça, eu não gostaria de vê-la aborrecida por não ter um par para a próxima dança.

Alex olhou para a mãe com desconfiança.

– Raramente faltam admiradores para lady Arabella.

– Sim, bem, quer dizer, sempre há uma primeira vez, e eu detestaria vê-la magoada.

– Está tentando se livrar de mim, não é, mamãe?

– Sim, estou, e você está tornando a tarefa extremamente difícil.

Alex suspirou enquanto se preparava para pedir a próxima dança a Belle.

– Por favor, tente não planejar a minha ruína durante minha ausência.

Quando Alex com certeza não podia mais ouvi-las, Eugenia se virou para a filha e disse:

– Sophie, precisamos agir de forma definitiva.

– Concordo plenamente. Embora eu não esteja bem certa de qual tipo de movimento decisivo precisamos fazer.

– Andei refletindo sobre o assunto.

– Tenho certeza disso – murmurou Sophie, disfarçando um sorriso.

Eugenia lançou um olhar firme para a filha, mas ignorou o comentário.

– E acho que precisamos de um fim de semana no campo.

– E como a senhora pretende fazer isso? Vai forçar Alex a acompanhá-la a Westonbirt e torturá-lo até que ele concorde em pedir Emma em casamento?

– Bobagem. Vamos convidar os Blydons a se juntarem a nós. E, é claro, vamos insistir para que levem a querida sobrinha.

– Isso é brilhante! – exclamou Sophie.

– Então daremos um jeito de deixar os dois sozinhos sempre que possível.

– Exatamente. Vamos encorajar os dois a fazerem piqueniques, a passearem a cavalo pelo bosque… esse tipo de coisa – disse Sophie, e então fez uma pausa e cerrou os lábios, pensativa: – Alex vai perceber o que estamos fazendo, é claro.

– É claro.

– Mas não acho que vá se importar. Ele está tão obcecado por Emma que vai fazer qualquer coisa para ficar a sós com ela… mesmo que isso signifique aceitar seus estratagemas nada sutis.

– Talvez ele simplesmente aproveite a iniciativa para comprometê-la.

Eugenia juntou as mãos em uma expressão de deleite diante da possibilidade.

– Mamãe! – exclamou Sophie. – Não consigo acreditar que a senhora disse isso. Não consigo acreditar que sequer pensou nisso.

Eugenia deixou escapar o típico suspiro de exaustão das mães.

– Na idade em que estou, acho cada vez menos necessário ter qualquer tipo de escrúpulos. Além do mais, apesar de seus modos libertinos, Alex é um homem honrado.

– Sim, é claro. Afinal, Alex só tem 29 anos. Eu imaginaria que *ele* ainda tem algum tipo de escrúpulo.

Eugenia estreitou os olhos verdes.

– Está fazendo graça comigo, Sophie?

– Com certeza.

– Humpf. Espero que esteja se divertindo.

Sophie assentiu com entusiasmo.

– O que eu estava tentando dizer – continuou Eugenia – é que se, por acaso, Alex comprometer a cara Srta. Dunster de alguma forma...

– Se ele a violar, a senhora quer dizer – interrompeu Sophie.

– Como você preferir. Mas se algo assim acontecer no... bem, no calor da paixão... temos que concordar que ele se sentiria obrigado a se casar com ela, por uma questão de honra.

– Não acha que esse é um modo um tanto dramático de fazer seu filho se casar? – perguntou Sophie, ainda incapaz de acreditar que estava discutindo um assunto tão delicado com a mãe. – E quanto a Emma? Veja bem, ela talvez não se sinta exatamente animada com a ideia de ter a reputação comprometida.

Eugenia encarou fixamente a filha.

– Você gosta dela?

– É claro que sim.

– Quer que Alex se case com ela?

– É claro que quero. Adoraria ter Emma como cunhada.

– Consegue imaginar alguma outra mulher capaz de fazer o seu irmão mais feliz?

– Bem, não... na verdade, não.

Eugenia deu de ombros.

– Os fins justificam os meios, minha querida, os fins justificam os meios.

– Não consigo acreditar que a senhora se tornou uma estrategista – comentou Sophie em um sussurro. – E mais: a senhora não tem como ter certeza de que ele vai mesmo comprometer a honra dela.

A expressão de Eugenia era pura presunção.

– Ele com certeza vai tentar.

– Mamãe!

– Ora, vai mesmo. Tenho certeza disso. Conheço um libertino quando vejo um, mesmo que esse libertino seja o *meu* próprio filho. *Principalmente* quando ele é o meu próprio filho – disse a duquesa, e se virou para Sophie com um sorriso de quem conhecia o mundo. – Ele se parece muito com o pai, sabe?

– Mamãe!

O sorriso de Eugenia ia se abrindo mais conforme ela se perdia em suas lembranças.

– Alex nasceu apenas sete meses depois do nosso casamento. Seu pai era um amante e tanto.

Sophie levou a mão à testa.

– Nem mais uma palavra, mamãe. Eu realmente não quero saber detalhes da vida íntima dos meus pais – disse Sophie, soltando um suspiro profundo. – Prefiro pensar em vocês dois como seres completamente castos.

– Se fôssemos completamente castos, minha cara – falou Eugenia, rindo e cutucando a filha com o dedo, sem a menor cerimônia –, *você* não estaria aqui agora falando sobre o assunto.

Sophie enrubesceu.

– Ainda assim, prefiro não ouvir.

Eugenia deu uma palmadinha confortadora no braço da jovem.

– Se isso faz com que se sinta melhor...

– Faz, acredite em mim. Não consigo acreditar que a senhora está me contando essas coisas.

Eugenia sorriu e balançou a cabeça.

– Temo que o decoro tenha ido embora junto dos escrúpulos.

E, com isso, a duquesa saiu andando em meio aos convidados, em busca de lady Worth.

Enquanto isso, Belle e Dunford estavam se divertindo imensamente valsando ao redor do salão de baile. A valsa ainda era um ritmo relativamente novo, que alguns consideravam escandaloso, mas Belle e Dunford o apreciavam muito, e não só porque aborrecia os mais sérios da sociedade. O amor deles por aquele ritmo vinha principalmente do fato de que a valsa permitia ao casal conversar de verdade sem que um ou outro tivesse que dar as costas a toda hora. Os dois tiravam vantagem disso e se encontravam em meio a um debate bastante acalorado sobre uma ópera que tinham visto recentemente, quando Dunford mudou abruptamente de assunto.

– Ele está apaixonado pela sua prima.

Belle era amplamente reconhecida como uma das dançarinas mais graciosas da aristocracia, mas daquela vez não perdeu apenas um passo, mas três.

– Ele disse isso? – perguntou, estupefata.

Dunford conduziu-a com gentileza de volta ao ritmo da música.

– Bem, não nessas palavras exatas – admitiu –, mas conheço Ashbourne há dez anos e, acredite em mim, ele nunca ficou assim tão bobo por causa de uma mulher antes.

– Eu dificilmente chamaria se apaixonar de bobeira.

– Não é esse o ponto e você sabe disso, Arabella, minha cara.

Dunford parou por um momento para sorrir inocentemente para Alex, que acabara de avistá-los do outro lado do salão. Então virou-se para Belle e voltou a falar:

– O fato é que ele está absolutamente louco por ela, mas temo que tenha enfiado com tanta firmeza na cabeça a ideia de que não vai se casar até ter quase 40 anos que não fará nada a respeito.

– Mas por que ele é tão radicalmente contra a ideia de se casar agora?

– Quando Ashbourne foi apresentado à sociedade, ele já havia herdado o título, e também era absurdamente rico.

– E muito bonito.

Dunford abriu um sorriso irônico.

– Foi um verdadeiro frenesi. Todas as damas solteiras… e até algumas casadas… passaram a disputá-lo.

– Eu presumiria que ele acharia lisonjeira toda essa atenção – falou Belle.

– Na verdade, foi exatamente o oposto. Ashbourne não é cego. Estava muito claro que a maioria das mulheres que se atiravam em cima dele estava mais interessada em se tornar uma duquesa rica do que em conhecê-lo melhor. Toda a experiência acabou fazendo com que ele se retirasse da cena social. Logo depois ele partiu para lutar na Península e não acho que seu desejo de se alistar tenha sido apenas por fervor patriótico. Alex não tem a maior parte das mulheres em grande conta – disse Dunford, e então parou e encarou Belle diretamente. – Até você precisa admitir que a maior parte das damas da aristocracia é completamente absurda.

– É claro, mas Emma não é assim, e Ashbourne sabe disso. É de imaginar que ele ficaria eufórico por encontrar alguém como ela.

– Isso seria o mais sensato, não é mesmo?

A música parou e Dunford pegou o braço de Belle, conduzindo-a até a lateral da pista de dança.

– Mas, em algum momento ao longo do caminho, essa desconfiança em relação às mulheres se traduziu em uma determinação de evitar o casamento enquanto for humanamente possível, e imagino que Alex já tenha até esquecido a razão pela qual se tornou tão radicalmente contra isso.

– Mas essa é a coisa mais estúpida que eu já ouvi!

Antes que Dunford pudesse responder, eles ouviram uma voz profunda e uma risada baixa.

– Já ouvi muitas coisas estúpidas na vida, Belle. Estou profundamente curioso para ouvir a maior de todas.

Horrorizada, Belle ergueu os olhos para Alex, que estava parado diante dela para convidá-la para dançar.

Belle tentou desesperadamente improvisar.

– Hum… Dunford parece achar que... nas óperas... as pessoas deveriam cantar menos.

– É mesmo?

– Sim. Ele acha que deveriam falar mais.

Ansiosa, Belle olhou para Alex, sabendo que ele não havia acreditado em uma só palavra do que ela dissera. Mas ao mesmo tempo achava que o duque não tinha ouvido a conversa sobre ele e sentia-se imensamente grata por isso. Como não conseguiu pensar em mais nada para dizer, Belle abriu um sorrisinho que sabia ser muito sem graça.

– Minha mãe ordenou que eu a convidasse para dançar, Belle – declarou ele com sinceridade, sorrindo e ignorando a óbvia aflição da jovem.

– Nossa – retrucou Belle –, não imaginei que a minha popularidade havia descido a ponto de os homens precisarem ser forçados pela mãe a me convidarem para dançar.

– Não se preocupe. Minha mãe está simplesmente tentando se livrar de mim, para que ela e a minha irmã possam se meter na minha vida sem minha interferência.

– Planejando o seu casamento, imagino – presumiu Dunford.

– Sem dúvida.

– Com Emma.

– Sem dúvida.

– Você poderia muito bem ceder de uma vez e pedi-la em casamento.

Alex pegou o braço de Belle e se preparou para conduzi-la à pista de dança.

– Pode esperar sentado. Não sou do tipo que se casa.

– Ora – declarou Belle com um toque de irritação –, nem ela!

De volta ao corredor lateral, Emma aterrissara no chão com a saia completamente bagunçada e nem um pingo de dignidade. Alguém havia deixado a porta lateral aberta, mas sem nenhuma vela iluminando o corredor. Emma não vira a porta até estar diretamente na frente dela. Nem sequer tentou abafar um gemido enquanto se colocava de pé lentamente, virava o pescoço e estendia os braços e as pernas para aliviar as juntas doloridas. Enquanto esfregava distraidamente as costas, Emma se viu desejando ardentemente que os Lindworthys tivessem pensado em colocar um tapete no corredor.

– Está absolutamente claro que Alexander Ridgely é um perigo para a minha saúde – murmurou, continuando a conversa consigo mesma que começara no jardim. – Eu deveria me esforçar para manter distância dele.

– Concordo plenamente.

Emma se virou, chocada, e se viu diante de um homem de cabelos claros, elegantemente vestido, aparentando ter cerca de 30 anos. Ela o reconheceu imediatamente como Anthony Woodside, visconde Benton.

Emma gemeu internamente. Ela havia sido apresentada a Woodside durante as primeiras semanas da temporada social e desgostara dele na mesma hora. O visconde vinha importunando Belle havia mais de um ano e não a deixava em paz, apesar dos esforços da jovem para desencorajá-lo. Emma havia tentando ao máximo evitá-lo nos eventos seguintes, mas com frequência acabava se vendo obrigada a lhe conceder uma dança por educação. Não havia nada abertamente ofensivo em relação a Woodside, seus modos eram sempre corretos e ele era um homem obviamente inteligente. O pouco apreço de Emma pelo visconde era uma reação aos aspectos mais sutis de seu caráter. O tom da voz, o modo como olhava para ela, a inclinação da cabeça ao examinar o salão de baile – tudo aquilo, por algum motivo, deixava Emma muito desconfortável em sua presença. Woodside era um homem estranho, aparentemente cortês com ela, mas ao mesmo tempo um tanto desdenhoso pelo fato de ela ser americana e não ostentar um título. E, acima de tudo, Alex parecia detestá-lo.

Portanto, naturalmente, Emma não ficou nem um pouco satisfeita ao se ver diante dele no corredor dos Lindworthys.

– Boa noite, milorde.

Emma dirigiu-se a ele com educação, tentando ignorar o fato de estar completamente sozinha, longe da festa, e de ter acabado de literalmente cair dentro do corredor, ao voltar do jardim.

Emma rezou para que ele não a tivesse visto esparramada no chão, mas bastou uma olhada no sorriso irônico do visconde para saber que não tinha tido essa sorte.

– Espero que não tenha se machucado na queda.

Ela ficou profundamente aborrecida ao perceber que ele dissera aquelas palavras com os olhos fixos nos seios dela. Emma estava muito desconfortável, louca para puxar o decote para cima, mas não daria ao desprezível visconde a satisfação de perceber que ele a enervava.

– Agradeço muito sua preocupação, milorde – falou Emma entre dentes. – Mas posso lhe garantir que estou ótima. Agora, se me der licença, no entanto, preciso mesmo voltar para a festa. Minha família deve estar sentindo minha falta.

Ela começou a se afastar, mas Woodside rapidamente agarrou seu braço. Não foi um toque bruto ou cruel, mas ele a segurava com firmeza, deixando claro que não tinha a intenção de soltá-la.

– Minha cara Srta. Dunster – disse em um tom suave, a voz contrastando com o toque de aço no braço dela. – Estou intrigado com a sua presença em um corredor vazio, precisamente neste momento.

Emma não disse nada.

Woodside apertou-a com um pouco mais de força.

– Nenhuma resposta na ponta da língua, Srta. Dunster? Onde está sua famosa espirituosidade?

– Minha espirituosidade é reservada aos meus amigos – retrucou ela em um tom gelado.

– E à sua família?

Emma o encarou confusa, sem saber muito bem o que ele queria dizer com aquele comentário.

– Tenho a sensação, Srta. Dunster, de que nós dois logo seremos muito mais próximos do que meros amigos.

Ele soltou o braço dela abruptamente, e Emma se afastou.

– Se acha que eu me dignaria…

Woodside deixou escapar uma gargalhada diante da determinação ardente na voz dela.

– Sinceramente, Srta. Dunster, eu não teria a mim mesmo em tão alta conta se fosse a senhorita. Concordo que é uma mulher atraente, mas lhe falta o pedigree que exijo em uma mulher.

Emma recuou um passo, se perguntando se ele estava falando dela ou de um cavalo.

– Sou um Woodside. Podemos até nos deitar com americanas de cabelos espalhafatosos, mas certamente não nos casamos com elas.

Emma levantou rapidamente a mão livre para esbofeteá-lo, mas o visconde bloqueou o golpe.

– Ora, ora, Srta. Dunster, em seu lugar eu não tentaria me enfrentar. Afinal, depois que eu me casar com a sua prima, posso facilmente proibi-la de se relacionar com a senhorita.

Emma riu ao ouvir isso.

– E acha mesmo que Belle se casaria com o senhor? Ela mal consegue suportá-lo durante uma dança.

Woodside apertou os pulsos dela com mais força até Emma não conseguir conter um gemido de dor. A aflição dela deu prazer a ele, e os olhos pálidos cintilaram perigosamente sob a penumbra do corredor. Emma ergueu o queixo com determinação e o visconde a soltou abruptamente, fazendo com que ela cambaleasse alguns passos.

– Não perca seu tempo com Ashbourne, minha cara. Ele jamais se casaria com alguém como a senhorita.

E, com isso, Woodside riu, fez uma reverência elegante e desapareceu na escuridão.

Emma esfregou os pulsos doloridos, ligeiramente desconcertada com aquele encontro. Como não poderia permanecer no corredor a noite toda, começou a abrir e fechar portas silenciosamente em busca do lavatório. Depois de cerca de cinco tentativas, enfim o encontrou e se esgueirou para dentro, fechando a porta pesada atrás de si. Uma vela havia sido deixada acesa dentro de um lampião, iluminando fracamente o pequeno cômodo. Emma gemeu ao ver o estrago no espelho. Estava totalmente desarrumada. Logo decidiu que não tinha o talento necessário para refazer o penteado, por isso tirou os grampos e deixou-os em cima da bancada – que os Lindworthys pensassem o que quisessem ao encontrar aquela pilha de grampos no dia seguinte. Pegou a presilha cravejada de esmeraldas que originalmente mantinha o coque no lugar e usou-a para prender a parte da frente dos cabelos no topo da cabeça, permitindo que algumas mechas emoldurassem suavemente seu rosto.

– Isso deve servir – sussurrou. – Com sorte, ninguém vai perceber que mudei o penteado. Uso os cabelos assim na maior parte do tempo mesmo.

Uma rápida inspeção no vestido revelou que, além um pouco de grama presa à bainha, não houvera nenhum dano permanente. Ela removeu as folhas e deixou-as em cima da bancada, junto dos grampos. Mais um mistério para os Lindworthys decifrarem no dia seguinte, pensou, consolando-se com a ideia de que talvez estivesse tornando a vida dos anfitriões mais interessante. Emma examinou a bainha mais uma vez em busca de folhas perdidas, dando-se conta de que ao menos o vestido era verde e camuflaria caso alguma passasse. Era mais importante do que nunca que ninguém soubesse por onde ela andara. Não seria tão ruim se alguém espalhasse que ela estivera sozinha com Alex. Mas se alguém achasse que havia passado algum tempo sozinha com Woodside... *isso* ela não suportaria. Emma ainda não conseguia acreditar que o homem realmente achava que Belle se casaria com ele. Provavelmente tinha sido a isso que se referira ao dizer que um dia ele e Emma seriam mais do que amigos. Emma estremeceu de nojo e tentou tirar Woodside da cabeça.

Então pousou a mão na maçaneta da porta do lavatório e respirou fundo para recuperar a compostura. Os sapatos estavam inegavelmente molhados, mas não havia muito que pudesse fazer a respeito, por isso voltou pelo corredor escuro, torcendo para conseguir fazer todo o caminho sem mais nenhum incidente.

De volta ao salão de baile barulhento, Emma enfiou a cabeça pela porta, buscando ansiosamente algum rosto conhecido, até seu olhar pousar em Belle. Ela nunca havia se sentido tão aliviada na vida. No entanto, um exame mais cuidadoso da cena revelou que Belle estava com Alex e Dunford, e Emma se resignou ao fato de não poder conversar com a prima em particular. Depois de cerca de trinta segundos fazendo gestos bizarros com a mão e rezando para que ninguém a visse, ela finalmente conseguiu chamar a atenção da prima, e Belle veio correndo até ela, com os dois homens logo atrás.

– Onde você estava? – perguntou Belle, preocupada. – Eu procurei você por toda parte.

– Digamos que eu estava ocupada – comentou Emma com ironia.

Ela repousou o olhar significativamente no rosto de Alex. A conversa silenciosa não escapou a Belle, e ela se virou para Alex, com as mãos na cintura.

– Santo Deus – murmurou Dunford, a voz arrastada. – Eu me sinto extremamente grato por não ser o alvo de tantos olhares letais.

125

– Meu olhar não foi letal – retrucou Emma, encarando Dunford de um modo que chegava bem perto disso. – Estava só dando um olhar significativo para Alex. Seja como for, está tudo resolvido e não foi nada muito importante.

Alex fitou-a, pensando consigo mesmo que havia sido, sim, muito importante. E, mais do que isso, estava longe de estar resolvido.

– A questão é – disse Emma, voltando-se para Belle e dirigindo-se à prima em voz baixa – que mudei de ideia, e não estou com disposição para entrar em uma discussão com tio Henry e tia Caroline por causa do vestido.

Para não mencionar Alex.

– Ótima decisão – concordou Belle.

Emma se virou novamente para os dois homens.

– Se vocês dois pudessem ir pegar o meu xale, eu ficaria muito grata.

– Não vejo por que seriam necessários dois homens adultos para pegar um mero xale – argumentou Dunford.

– Dunford – disse Belle em um tom determinado. – Poderia apenas fazer o que ela pediu, por favor?

Dunford resmungou alguma coisa sobre loiras hostis, mas obedeceu e atravessou o salão em busca do xale de Emma. Depois de algumas sugestões sutis e até um cutucão, Alex foi persuadido a se juntar ao amigo. Os dois voltaram bem a tempo, porque poucos segundos depois de Emma ter passado o xale ao redor dos ombros, lady Worth apareceu de repente, com um largo sorriso iluminando o rosto.

– Tenho uma notícia maravilhosa – falou, virando-se para as duas moças. – Eugenia convidou todos nós para um fim de semana em sua casa de campo. Não é maravilhoso, Alex? – perguntou por fim, inclinando ligeiramente a cabeça na direção dele.

– Maravilhoso – retrucou Alex com um sorriso tenso, sem conseguir se decidir se queria agradecer à mãe ou esganá-la.

Caroline se virou novamente para Belle e Emma.

– Henry está com dor de cabeça e temo que tenha chegado a hora de nos despedirmos – disse, e então se voltou mais uma vez para Alex e Dunford. – Lamento profundamente, mas estou certa de que compreendem...

Antes que qualquer um dos dois pudesse responder, Caroline já havia se afastado com as duas moças a reboque e, em questão de minutos, toda a família Blydon estava acomodada na carruagem.

CAPÍTULO 10

Sentada na carruagem forrada de veludo, Emma repassou mentalmente os últimos minutos e chegou à conclusão de que a tia estava agindo de forma um pouco estranha – certamente nunca a vira sair tão apressada de um baile. Ela temia que o estranho comportamento de Caroline pudesse ter a ver com o fato de ela ter visto a sobrinha desaparecer no jardim com Alex. Por isso Emma decidiu sabiamente não mencionar nada a respeito da saída abrupta e se recostou no assento, esperando que outra pessoa começasse uma conversa.

Belle logo preencheu o silêncio.

– Não consigo acreditar que a viúva Ridgely nos convidou para um fim de semana no campo tão em cima da hora. Bem, talvez eu consiga acreditar, sim – concluiu, lançando um olhar significativo para Emma.

Emma fez questão de não encarar a prima.

– Tenho certeza de que vamos nos divertir muito – declarou Caroline com firmeza. – Eugenia está particularmente ansiosa para passar algum tempo com vocês duas – acrescentou, indicando a filha e a sobrinha com um gesto.

– Tenho certeza que sim – comentou Ned baixinho, e piscou para Emma.

Era óbvio que todos já haviam compreendido o motivo do convite.

– Além disso, Sophie também está sentindo muita falta do marido – voltou a falar Caroline. – Tanto Eugenia quanto eu achamos que faria bem a ela um pouco de companhia feminina, ainda mais com o bebê prestes a chegar...

Ela se virou para o filho, pois não estava disposta a dar a ninguém a chance de lembrar que o bebê de Sophie ainda levaria cinco meses para chegar e que, além disso, a condição da jovem tinha muito pouco a ver com os motivos de Eugenia para o convite.

– É claro que você também foi convidado, Ned. Pretende vir conosco?

– Acho que vou declinar o convite – respondeu Ned com um sorriso malicioso. – É muito mais fácil me entregar aos excessos sem meus pais por perto.

Caroline fitou-o um tanto chocada.

Ned apenas riu.

– É difícil estabelecer uma reputação de libertino na companhia da mãe.

– Sinceramente, Ned, se precisa mesmo se permitir esse tipo de coisa, terá bastante tempo depois que terminar a universidade e se mudar para as suas acomodações de solteiro.

– Nada é melhor do que o presente.

– O que vai fazer enquanto estivermos fora? – perguntou Belle, curiosa.

Ele se inclinou para a frente com um brilho travesso nos olhos.

– Muitas, muitas coisas nas quais você não deve nem pensar.

– É mesmo? O que...

– Não é uma bênção – interrompeu Caroline em voz alta, ansiosa para mudar o rumo da conversa – essa oportunidade de passar algum tempo no campo com os Ridgelys, onde, sem toda a censura de Londres sobre nós, poderemos relaxar nossos padrões de comportamento? Ao menos um pouco.

A carruagem parou diante da mansão Blydon e, com a ajuda do marido, Caroline desceu e entrou apressada em casa.

Emma não perdeu tempo em alcançar a tia.

– Não pense que não sei o que está fazendo – falou em um sussurro alto.

Caroline parou por um momento.

– É claro que você sabe o que estou fazendo – disse ela, dando uma palmadinha carinhosa no rosto da sobrinha. – Assim como *eu* sei o que *você* anda fazendo.

Emma encarou a tia boquiaberta.

– Você foi muito esperta, minha cara, em recolocar o xale.

E, com isso, Caroline subiu a escada e entrou no quarto.

Os Blydons e os Ridgelys partiram para o campo no final de semana seguinte e, para a extrema irritação de Alex, ele não pôde organizar as coisas de modo a ter uma carruagem particular para fazer o trajeto até Westonbirt sozinho com Emma. Alex não conseguiu nem que os dois viajassem na mesma carruagem. Por mais que Eugenia desejasse alguma situação comprometedora (que, com sorte, levaria a um casamento com o máximo de pressa), ela não se convenceu a fazer nada que pudesse provocar esse tipo de incidente em um veículo em movimento.

Por isso Alex entrou de mau humor na carruagem dos Blydons, junto a

Henry, Caroline e a mãe dele, que havia declarado que as jovens deveriam ter uma carruagem só para elas, para que pudessem se divertir um pouco longe dos membros mais velhos e tediosos da excursão.

– Jovens! – exclamou Alex. – Pelo amor de Deus, Sophie está esperando o segundo filho!

Então murmurou alguma coisa que Eugenia não conseguiu entender direito, embora achasse ter ouvido a palavra "tedioso".

– Bem – declarou Eugenia –, eu diria que nem todos somos velhos. Pedi a Charlie que viesse conosco.

Nesse momento, o menininho saltou no colo do tio, insistindo em jogar cartas durante a viagem.

Emma, cujos sentimentos vinham oscilando entre a esperança secreta de dividir uma carruagem apenas com Alex e a irritação consigo mesma por ter esse tipo de expectativa, ainda assim ficou satisfeita diante da perspectiva de três ou quatro horas de conversa e fofocas com Belle e Sophie. Começaram falando de todas as jovens damas solteiras da aristocracia e, quando terminaram, passaram aos homens solteiros. Àquela altura, estavam mais ou menos na metade da viagem, por isso passaram ao assunto mais apimentado envolvendo damas e cavalheiros casados. Tinham começado a falar das várias viúvas quando Sophie finalmente declarou que estavam perto de Westonbirt. Emma sentiu-se profundamente aliviada. Para ser bem honesta, estava exausta de tantas fofocas.

Alex lhe contara que havia passado a maior parte da infância em Westonbirt, a propriedade ancestral da família, e Emma estava muito curiosa para conhecer o lugar em que ele crescera. Por isso, quando a carruagem fez uma curva e entrou pelos portões principais da propriedade, ela não conseguiu se conter e inclinou bem a cabeça para ver o máximo que podia. Como a carruagem não era aberta, Emma teve que se contentar em pressionar o rosto contra o vidro da janela.

– Pelo amor de Deus, Emma, parece que nunca viu uma árvore antes – comentou Belle.

Na mesma hora, Emma se recostou no assento aveludado, constrangida por ter demonstrado tanta curiosidade.

– Ora, gosto muito do campo e, depois de três meses em Londres, tenho a sensação de nunca ter visto uma árvore antes.

Sophie riu baixinho.

– Posso garantir que temos muitas árvores em Westonbirt. São ótimas para escalar. E também temos um riacho pitoresco, que Alex me garante ser cheio de trutas, embora eu não me lembre de ele jamais ter contribuído com uma única para o jantar.

No momento em que as rodas da carruagem pararam, um criado de libré se apressou a abrir a porta. Emma foi a última a descer, por isso não teve uma boa vista da casa até sair totalmente da carruagem. Não se desapontou. Westonbirt era uma mansão antiga e imponente que poderia muito bem ser a definição da palavra "enorme". Como fora construída durante os anos 1500, sob o reinado de Elizabeth I, o térreo tinha o formato da letra *E*, em homenagem à rainha. A frente da casa, que dava para o norte, era o traço mais longo da letra, com três alas se destacando nos fundos. Havia fileiras e fileiras de janelas altas e estreitas, os vidros cintilando de tão limpos, espalhadas por toda a fachada. Emma supôs que a mansão deveria ter mais de 15 metros de altura. Quando chegou mais perto, conseguiu ver outros detalhes do prédio. Cada janela e cada porta eram emolduradas por belíssimos trabalhos de entalhe que comprovavam longas horas do trabalho extenuante de artesãos, muito tempo atrás. Emma estava impressionada com a graça e a dignidade da casa ancestral de Ashbourne.

– Sophie – sussurrou ela, com reverência. – Não acredito que você realmente cresceu aqui. Estou me sentindo uma princesa só de estar parada diante desta mansão.

Sophie sorriu.

– Acho que acabamos nos acostumando com aquilo que nos cerca. Mas você precisa ver o resto. Os pátios nos fundos são realmente adoráveis.

– Imaginei que Alex poderia mostrar o resto a ela.

Eugenia vinha na direção delas e as três se viraram. A alguns metros de distância, Henry ajudava a esposa a descer da carruagem enquanto Alex estava sendo atacado por Charlie.

– Ah, eu adoraria ver mais da propriedade – exclamou Emma. – Gosto muito de passear no campo e o clima está absolutamente perfeito.

De fato, os deuses haviam sorrido para a Inglaterra naquele dia. O céu era de um azul límpido, com algumas poucas nuvens brancas e fofas, e o sol aquecia o rosto de Emma.

– Alex! – chamou Eugenia. – Se conseguir arrancar Charlie do seu pescoço, eu gostaria que mostrasse um pouco da propriedade a Emma.

Emma se virou para Belle enquanto Alex tentava se desvencilhar dos bracinhos fortes do sobrinho.

– Por que não se junta a nós, Belle?

– Ah, não – respondeu Belle, um tanto rápido demais. – Infelizmente, não posso. Acabei pegando sem querer dois volumes iguais da Parte II de *Henrique IV* na nossa biblioteca hoje de manhã.

Ela mostrou os dois volumes, ambos encadernados em couro vermelho, que levara para ler na carruagem, caso Sophie e Emma tivessem resolvido cochilar.

– Preciso conseguir agora mesmo uma cópia da Parte I de *Henrique IV*, e Sophie prometeu que eu poderia pegar o livro emprestado na biblioteca da casa. Não sei por que eu tenho duas cópias da segunda parte...

– Também não consigo imaginar – disse Emma, ciente de que absolutamente todos os presentes haviam planejado aquele momento.

– E não posso ler a Parte II antes da Parte I – acrescentou Belle. – Seria como ler as últimas páginas de um romance antes de começar.

– Isso sem falar quão perturbador seria para a sua ordem alfabética – ajudou Emma, com certo sarcasmo.

– Não havia nem me dado conta disso! – exclamou Belle. – Agora é ainda mais importante conseguir a Parte I!

– Não questione o destino – aconselhou Alex, pegando o braço de Emma, com Charlie saltando atrás dele. – Por que não veste seu traje de montaria e vamos dar um passeio? Podemos ir até os campos enquanto o sol está alto. À noite mostrarei o terreno mais próximo da casa.

Na mesma hora, Charlie se enfiou entre os dois e começou a pular para todo lado.

– Posso ir também? Por favor, por favor, posso ir? – cantarolou.

– Desta vez não, querido – adiantou-se Sophie rapidamente. – Que tal você ir procurar Cleópatra? A Sra. Goode me disse que ela está prestes a ter filhotinhos. Talvez neste fim de semana mesmo.

A possibilidade de filhotinhos pareceu bem mais empolgante do que um passeio a cavalo pelos campos com Alex e Emma, e Charlie rapidamente gritou:

– Brilhante!

E disparou na direção da cozinha, onde a gata preta e dourada costumava se acomodar ao lado de um dos fogões.

Em vinte minutos, Emma já se instalara no quarto espaçoso que lhe fora designado na ala oeste, vestira seu elegante traje de montaria azul-meia-noite e correra de volta para a frente da casa, onde Alex já a esperava. Ele estava parado nos degraus da frente, com o olhar perdido em uma colina relvada, ao longe, quando Emma chegou. Ela examinou silenciosamente o perfil bem constituído, pensando que nunca o vira tão belo quanto estava naquele momento, em um paletó verde-garrafa muito bem-cortado e calções de montaria castanho-claros. As emoções dela estavam um caos desde o beijo apaixonado que haviam trocado poucas noites antes, e a mera visão de Alex, olhando com tanta determinação a distância, fez com que ela ardesse por dentro. Emma suspirou baixinho, se perguntando se algum dia conseguiria recuperar seu equilíbrio interno estando próxima daquele homem tão complexo. Ao ouvir o suspiro, Alex se virou abruptamente para encará-la, com uma expressão tão séria que Emma se sentiu subitamente muito constrangida. Ela deu um sorriso tímido e alisou a saia azul do vestido. Então abriu os lábios para falar, mas não conseguiu pensar em nada para dizer. Ao longo dos últimos meses, ela e Alex haviam se acomodado em um relacionamento confortável e amigável, constantemente implicando um com o outro, como se fossem amigos de infância. Mas Alex tinha razão. O beijo no jardim dos Lindworthys havia alterado a amizade deles, e Emma se sentia quase tão constrangida como quando os dois se viram pela primeira vez.

– Gostou dos seus aposentos? – perguntou ele, de repente.

Emma levantou rapidamente os olhos para o rosto dele. O silêncio carregado fora quebrado e, por mais que ela sentisse falta da sensação de intimidade que costumava encontrar no olhar intenso dele, ficou satisfeita por ter recuperado a clareza de raciocínio.

– É claro. Sua casa é encantadora. Embora – disse ela, rindo – eu jure que jamais vou me acostumar com o tamanho do saguão de entrada. Eu poderia encaixar toda a minha casa de Boston dentro dele. Talvez ficasse apertada na altura. Talvez eu quebrasse os candelabros – disse ela, olhando para os candelabros de cristal que pendiam do teto, cerca de 15 metros acima dela. – Como se limpa isso?

Alex sorriu e deu o braço a ela.

– Com muito cuidado, imagino – disse ele, indicando a direção dos estábulos com um gesto, e os dois desceram os degraus naquela direção. – Pensei em lhe mostrar um pouco de Westonbirt a cavalo. O terreno é muito grande para percorrermos a pé.

Emma sorriu em expectativa.

– Não monto há anos – sussurrou.

Alex a encarou, incrédulo.

– Sinceramente, Emma, vejo você o tempo todo no Hyde Park, montada naquela bela égua branca da sua prima.

Emma revirou os olhos.

– Pelo amor de Deus, não se pode chamar *aquilo* de montar. Mal se consegue trotar naquele parque lotado, galopar menos ainda. Além do mais, mesmo que desse para galopar, as pessoas passariam semanas comentando sobre o meu comportamento *escandaloso* – disse Emma com uma careta. – Embora fosse de imaginar que as pessoas teriam coisas mais interessantes para falar, não é mesmo?

Alex estreitou os olhos e voltou a fitá-la.

– Por que tenho a sensação de que não estamos mais falando de uma situação hipotética?

– É possível que eu tenha cavalgado com a égua pelo parque a uma velocidade que poderia ser descrita como "temerosa" – admitiu Emma, e seu rosto era um retrato da inocência.

Ele riu.

– E as pessoas falaram disso por semanas?

Quando ela assentiu, ele comentou:

– Eu me pergunto por que não fiquei sabendo nada a respeito...

Foi a vez de Emma rir.

– Acredito que ninguém tenha coragem suficiente para mencionar o meu nome na sua presença, menos ainda de forma desagradável.

Emma se desvencilhou do braço dele e ergueu a saia, apressando-se na direção dos estábulos. Então virou-se para ele e gritou:

– Isso é maravilhoso, na verdade. Você nunca vai descobrir todas as coisas *chocantes* que eu faço, por isso consigo desfrutar de uma reputação definitivamente angelical aos seus olhos!

Alex apressou o passo.

– Angelical não é exatamente a palavra que me vem à mente.

– É mesmo?

Emma continuou a andar de costas, olhando de vez em quando para trás, para garantir que não tropeçaria na raiz de uma árvore.

– Eu consideraria "diabinha" mais apropriado.

– Ah, mas "angelical" é um adjetivo e "diabinha" é um substantivo, não são, portanto, intercambiáveis.

– Que Deus me proteja das mulheres cultas – resmungou Alex.

Emma parou por um segundo e sacudiu o dedo para ele.

– Eu ouvi isso, seu nojento.

– Não acredito que você me chamou de nojento!

– Sou a única pessoa com coragem suficiente para fazer isso.

– Imagino que sim – retrucou Alex, a expressão petulante.

– Além do mais – disse Emma, continuando a andar de costas na direção dos estábulos –, mulheres cultas são muito mais interessantes.

– É o que dizem as mulheres cultas.

Emma mostrou a língua para ele.

– Eu pararia agora – aconselhou Alex.

Ela abriu um sorriso malicioso.

– Você acha que não sou uma adversária à altura?

– De forma alguma – disse ele com a mais absoluta compostura. – Estou dizendo que você deveria parar de andar. Está prestes a cair.

Emma deu um grito e um pulo para a frente. Realmente acabara de ser salva de ficar encharcada.

– Essa água não parece muito limpa – comentou ela, torcendo o nariz.

– O odor também não parece muito agradável.

– Bem – declarou Emma –, acho que lhe devo um obrigada.

– A gentileza seria uma mudança encantadora – disse Alex, sorrindo.

Ela o ignorou.

– Melhor eu olhar por onde ando, certo?

– Talvez aceite me dar o braço?

Emma deu um sorriso caloroso.

– Mas é claro.

Ela deu o braço a ele e os dois caminharam juntos pela curta distância até os estábulos. Chegando lá, foram recebidos na mesma hora pelo cavalariço, que trazia dois cavalos.

– A Sra. Goode mandou uma cesta de piquenique, Vossa Graça. Está esperando por vocês perto do banco – disse o homem, entregando as rédeas a Alex.

– Excelente – retrucou Alex. – E obrigado por ter arrumado os cavalos em tão pouco tempo.

O cavalariço sorriu.

– Não foi problema nenhum, Vossa Graça, problema nenhum – falou, oscilando o peso do corpo de um pé para o outro.

Alex levou os cavalos para fora.

– Aqui está, meu bem – falou, e entregou a Emma as rédeas de uma égua castanha animada.

– Ah, que linda – comentou Emma com um suspiro, acariciando o pelo lustroso da égua. – Como se chama?

– Dalila.

– Ora, ora – murmurou ela. – Imagino que o seu se chame Sansão.

– Santo Deus, não – respondeu Alex. – Isso poderia acabar sendo muito perigoso.

Emma o encarou com desconfiança, se perguntando se ele estava se referindo a outra coisa que não cavalos, mas preferiu não falar nada.

Alex pegou rapidamente a cesta de piquenique que a governanta havia preparado, depois os dois montaram e partiram.

Começaram trotando, avançando lentamente, já que Emma estava muito interessada no cenário. Westonbirt era uma terra fértil, com colinas verdes e muitas flores do campo cor-de-rosa e brancas espalhadas por toda parte. Embora grande parte da propriedade tivesse sido usada para a agricultura por vários séculos, os campos extensos que cercavam as imediações da casa tinham sido poupados, para que a família pudesse aproveitar todos os benefícios do campo em relativa privacidade. A área por onde cavalgavam não tinha muitas árvores, embora Emma visse vários carvalhos grandes e fortes em que adoraria subir. Sorriu, satisfeita, e respirou fundo o ar fresco do campo.

Alex sorriu ao ouvir o suspiro alto.

– É diferente aqui, não é? – comentou.

– Hum?

Emma estava satisfeita demais para formular uma frase completa.

– O ar. É mais limpo. Quase sentimos seu sabor quando respiramos.

Ela assentiu.

– Tenho a sensação de estar me purificando a cada respiração, lavando a sujeira de Londres de dentro de mim. Acho que não tinha me dado conta da falta que sentia do campo.

– Eu me sinto exatamente assim sempre que consigo escapar da cidade – concordou Alex com um sorriso irônico. – Mas bastam poucas semanas para eu ficar entediado a ponto de chocar.

– Talvez – comentou Emma com ousadia – você não tenha tido a companhia certa.

Alex virou a cabeça para olhá-la, diminuiu a velocidade do cavalo até parar e a encarou com atenção. Emma também parou a égua que montava e retribuiu o olhar. Depois de um longo momento, ele finalmente quebrou o silêncio.

– Talvez – disse Alex, tão baixo que Emma mal conseguiu ouvir.

Alex desviou os olhos para a frente, protegendo a vista do sol.

– Está vendo aquela árvore lá? No alto da colina?

– Aquela com flores cor de pêssego?

Alex assentiu.

– Essa mesmo. Vamos disputar uma corrida até lá? Eu deixo você sair na frente, por causa dessa invenção monstruosa que chamam de sela lateral.

Emma não disse uma palavra. Também não esperou que Alex desse o sinal. Simplesmente saiu galopando a uma velocidade perigosa. Quando ultrapassou a linha de chegada (ou melhor, a árvore de chegada), um cavalo à frente de Alex, estava rindo de prazer, tanto por ter vencido a corrida quanto pela sensação gloriosa de completo abandono. O coque estava praticamente desfeito e, inconscientemente, Emma balançou a cabeça, fazendo com que os cachos luminosos caíssem por suas costas.

Alex teve que se esforçar para não se deixar levar pelo gesto sedutor.

– Você deveria ter esperado a corrida começar – repreendeu-a com um sorriso indulgente.

– Sim, mas aí eu provavelmente não teria vencido.

– O objetivo de uma corrida a cavalo é que vença o melhor.

– O objetivo *dessa* corrida a cavalo – retrucou Emma – era que vencesse o condutor de raciocínio mais rápido.

– Já estou vendo que não vou ganhar esta discussão.

Emma deu um sorriso inocente.

– Estamos discutindo?

Alex pigarreou.

– Já estou vendo que não vou ganhar esta conversa.

– É possível se ganhar uma conversa?

– Se *for* possível – disse ele em um tom resignado –, tenho certeza de que não serei o vencedor.

– Você é muito astuto.

– *Você* é muito astuta.

– O meu pai reclama disso há vinte anos.

– Que tal uma pausa para comermos? – sugeriu Alex, com um suspiro.

Ele desmontou rapidamente e pegou a bolsa de couro com a comida.

– A propósito – disse Emma quando Alex ofereceu a mão para ajudá-la a desmontar. – Você não chegou a me dizer o nome do seu cavalo.

Alex abriu um sorriso enquanto estendia uma manta de piquenique colorida no chão.

– Cícero.

– Cícero? – perguntou Emma, incrédula. – Não imaginei que gostasse de latim.

Alex fez uma careta ao se lembrar das aulas infernais de latim nas mãos dos tutores de sua infância e, mais tarde, em Eton e Oxford. Ele se sentou sobre a manta e começou a tirar a comida da bolsa de couro.

– Detesto latim. Detesto.

– Então por que batizou o cavalo em homenagem a um orador latino? – perguntou Emma com uma risadinha enquanto erguia a saia ligeiramente acima dos tornozelos e se acomodava com elegância diante de Alex.

Ele deu um sorriso travesso e jogou uma maçã para ela.

– Para falar a verdade, não sei. Só gosto do som do nome.

– Ah. Bem, creio que é uma razão tão boa quanto qualquer outra. Eu também nunca fui apaixonada por latim. Não é como se desse para conversar com alguém… a não ser com alguns poucos clérigos, imagino.

Enquanto Emma rolava a maçã entre as palmas das mãos, Alex voltou a enfiar a mão na bolsa de couro para pegar uma garrafa de vinho e dois copos elegantes, que tinham sido embrulhados em flanela para não quebrarem. Quando levantou os olhos novamente, Emma estava inclinada para o outro lado, examinando uma florzinha do campo cor-de-rosa. Ele a fitou e suspirou, pensando que não conseguiria imaginar maneira mais agradável de passar a tarde do que cavalgando sem rumo por Westonbirt com ela. Aquilo o perturbou. Ele não gostava do fato de sua felicidade e paz de espírito estarem aos poucos se tornando dependentes daquela ruiva encantadora sentada à sua frente. Quando Emma descera as escadas de casa mais cedo naquela tarde, estava tão dolorosamente bela que Alex sentiu que congelava. E percebeu que ela se sentia atraída por ele da mesma forma. Podia ver nos olhos de Emma – ela não sabia esconder as emoções.

Mas Alex precisava admitir para si mesmo – não apenas se sentia atraído por Emma. Colocando da forma mais simples, ele gostava dela. Era dona de um raciocínio rápido e afiado como uma lâmina, tão culta quanto a maior parte dos homens que Alex conhecia – se não mais – e, ao contrário da maioria dos aristocratas, sabia fazer uma piada sem necessariamente insultar alguém. Os amigos e a família não paravam de dizer que ele deveria tomar Emma para si e se casar com ela antes que outro o fizesse ou que ela voltasse para Boston.

Mas Alex definitivamente não queria se casar.

No entanto, iria enlouquecer se não fizesse amor com ela logo.

Ele a fitou de novo. Emma ainda examinava a flor do campo, torcendo os lábios quando virou-a para olhá-la por baixo. Aquela mulher realmente valia o preço da liberdade dele? Alguém valia?

Alex correu os dedos pelos cabelos cheios. Ultimamente, se pegava um tanto deprimido sempre que não a via ao menos uma vez por dia.

Emma levantou a cabeça de repente, os olhos violeta cintilando de entusiasmo.

– Alex? – chamou, levantando a flor para que ele a examinasse.

Alex suspirou quando encontrou o olhar dela. E se perguntou se Emma se incomodaria muito caso ele a deitasse em cima da manta e arrancasse suas roupas.

– Você já olhou para uma dessas flores? – perguntou ela. – Estou me referindo a olhar *de verdade*? É fascinante.

Emma parecia absurdamente inocente. Ainda mais do que o normal. Alex suspirou de novo. Provavelmente ela se incomodaria.

CAPÍTULO 11

Emma percebeu na mesma hora o brilho predador nos olhos de Alex e se preparou para o ataque dele.

Bem, talvez se "preparou" não fosse o termo mais preciso, decidiu ao reconhecer o frio na barriga e a respiração acelerada. Emma deixou escapar um suspiro baixo e se amaldiçoou pela própria fraqueza sempre que estava perto daquele homem. Ela levantou os olhos para o belo rosto que se tornara tão dolorosamente familiar. Os olhos verdes de Alex cintilavam com a promessa de algo que Emma não conseguia entender muito bem, mas que desejava mesmo assim. Ela engoliu com dificuldade e umedeceu os lábios, perdida naquele olhar de esmeralda. Então mordeu o lábio inferior, nervosa, e baixou os olhos. Para ser honesta consigo mesma – e Emma tentava desesperadamente fazer isso, por mais difícil que fosse –, precisava admitir que não estava se "preparando" para nada. Na verdade, estava esperando ansiosamente pelo próximo movimento de Alex.

Mas no fim das contas foi em vão, porque Alex não a "atacou", e logo ficou claro que não tinha qualquer intenção de fazer nada parecido. Quando Emma se virou, ele não estendeu a mão para tocar o queixo dela, para fazer com que ela o encarasse. Também não fez qualquer tentativa de puxá-la para os seus braços. Em vez disso Alex se virou para a garrafa de vinho esquecida à sua direita e se ocupou em abri-la.

Emma prendeu uma mecha rebelde dos cabelos ruivos atrás da orelha e suspirou de novo, se perguntando por quanto tempo os dois continuariam naquele estado de tensão quase constante. Ela não tinha a mínima ideia de como a situação poderia ser resolvida, nem imaginava qual seria o desfecho, mas sentia que *alguém* teria que fazer *alguma* coisa, e logo. Emma levantou os olhos para Alex, que acabava de remover a rolha com um floreio.

– Precisa de ajuda com alguma coisa? – perguntou ela com educação, se repreendendo mentalmente por não ter coragem de dizer nada mais ousado.

A rolha emitiu um estalo alto ao sair da garrafa. Alex olhou para Emma, que estava sentada tranquilamente, a saia espalhada ao redor das pernas.

– Ora, acho que você poderia desembalar o que trouxemos para o almoço – respondeu ele, e pegou a bolsa.

As mãos deles se tocaram brevemente quando Alex entregou a bolsa a Emma. Ela sentiu um arrepio intenso percorrer o braço, que afastou quase involuntariamente, surpresa com a intensidade da própria reação a um toque tão breve. Alex afastou os olhos com a mesma rapidez, mas ela poderia jurar ter visto um sorriso tímido em seus lábios antes de ele se dedicar à tarefa de servir o vinho. Santo Deus, devia estar ficando maluca se achava que Alex algum dia experimentaria qualquer emoção semelhante à timidez.

Enquanto isso Alex se perguntava como seria capaz de manter as mãos longe de Emma se continuasse a olhar para ela por mais um segundo que fosse.

– Me conte sobre a sua infância – pediu ele rapidamente, ansioso para concentrar a conversa em um tópico que não tomasse um rumo sedutor.

– Minha infância? – repetiu Emma, pegando a taça de vinho que Alex lhe estendeu. – O que você quer saber?

– Qualquer coisa – respondeu ele, inclinando o corpo preguiçosamente para trás e se apoiando nos cotovelos.

– Tenho 20 anos – lembrou ela com um brilho divertido nos olhos. – É bastante tempo de vida para contar em uma tarde.

– Então me conte qual foi a pior coisa que você já fez.

– A *pior* coisa? – perguntou Emma, tentando sem sucesso parecer afrontada, uma vez que não conseguiu conter uma risadinha. – Então você acha que fui uma criança travessa?

– É claro que não – respondeu Alex, em um tom tranquilo.

Ele bebeu um gole de vinho antes de pousar a taça em uma parte plana do terreno. Um sorriso malicioso se abriu lentamente em seu rosto.

– Imagino que você tenha sido um diabrete.

Emma riu com vontade e pousou sua taça ao lado da dele.

– Bem, certamente era o que eu parecia. – Ela enrolou um cacho do cabelo ao redor dos dedos – Se acha que meu ruivo é intenso agora, deveria ter me visto aos 10 anos. Eu parecia uma cenoura.

Alex sorriu ao pensar em uma Emma em miniatura, correndo pela casa em Boston.

– E tinha muitas sardas – continuou ela.

– Ainda tem algumas, na ponte do nariz – comentou ele, sem conseguir se conter ao pensar em como gostaria de beijar cada uma delas.

– Não é nada cavalheiro da sua parte reparar – falou Emma, rindo –, mas a verdade é que já me resignei ao fato de que nunca vou me livrar completamente dessas manchas miseráveis.

– Acho que são adoráveis.

Emma desviou os olhos, um pouco surpresa com o elogio carinhoso.

– Ah. Nossa, obrigada.

– Mas você ainda não respondeu à pergunta.

Ela voltou a olhar para ele, sem entender direito.

– Sobre a pior coisa que você fez quando criança – lembrou Alex.

– Ah – disse Emma, ainda tentando adiar a resposta. – Ora, foi bem terrível.

– Mal posso esperar para ouvir.

– Você não está entendendo, estou querendo dizer que foi *pavoroso*.

– Você só está conseguindo me deixar mais curioso, meu bem – falou Alex, com um sorriso se insinuando no rosto moreno.

– Não vou conseguir evitar, não é?

– Sou o único aqui que conhece o caminho de volta para casa.

O sorriso travesso de Alex dizia a Emma que ele sabia que a colocara em uma encruzilhada.

– Ah, que seja então – falou Emma com um suspiro, aceitando a derrota. – Eu tinha 13 anos. Você sabe que o meu pai é dono de um estaleiro, certo?

Alex assentiu.

– Bem, sou filha única, adoro o mar e também sou muito boa com números, sabe? Enfim, sempre planejei assumir os negócios em algum momento.

– Não há muitas mulheres administrando grandes estaleiros – comentou Alex baixinho.

– Até onde eu sei, não há nenhuma – continuou Emma. – Mas eu não me importava... eu não me *importo*. Às vezes precisamos ser pouco convencionais para realizar os nossos sonhos. E quem melhor para administrar o negócio do que eu? Conheço o estaleiro como ninguém, à exceção do meu pai, é claro.

Emma o encarou com uma expressão desafiadora.

– Você tinha 13 anos... – disse Alex com uma expressão indulgente, lembrando-a de voltar à história.

– Está certo. Bem, decidi que o meu pai estava demorando demais para começar a me ensinar a respeito do negócio. Eu já tinha ido milhares de vezes ao escritório de Boston, e ele até me deixava opinar toda vez que precisava tomar uma grande decisão. Não sei se algum dia seguiu algum dos meus conselhos – falou Emma, pensativa –, mas pelo menos sempre me deixava dar palpite. Eu também conferia os livros de contabilidade para garantir que não estavam cometendo nenhum erro.

– Você conferia os livros de contabilidade aos 13 anos? – perguntou Alex, incrédulo.

– Eu disse que sou boa em matemática – retrucou ela, na defensiva. – Sei que a maioria dos homens tem dificuldade de acreditar que uma mulher possa ser habilidosa com números, mas eu sou. E encontrava alguns erros. Cheguei até a descobrir que um funcionário estava enganando o meu pai.

– Não se preocupe, meu bem – falou Alex, rindo. – Já aprendi a não me surpreender com nenhum dos seus talentos ocultos.

– Então eu decidi que estava na hora de aprender sobre a dinâmica nos barcos. Meu pai sempre diz que não se pode ter sucesso administrando um estaleiro se não se sabe nada sobre a vida no mar.

Alex soltou um grunhido.

– Não sei se quero ouvir o resto da história.

– Bem, então vou parar por aqui – falou Emma, esperançosa.

– Eu estava brincando – falou ele em um tom falsamente ameaçador, erguendo uma sobrancelha e encarando-a com os olhos cor de esmeralda.

– Para encurtar o assunto – continuou Emma, sem querer se arriscar a contrariá-lo –, eu embarquei em um dos nossos navios.

Alex sentiu uma raiva irracional crescer no peito.

– Você é maluca? – perguntou, furioso. – Sabe o que poderia ter acontecido? Marinheiros podem ser absolutamente inescrupulosos. Principalmente quando não veem mulheres há meses – acrescentou, muito sério.

– Sinceramente, Alex, eu tinha só 13 anos.

– A sua idade provavelmente não teria a menor importância para eles.

Em um gesto nervoso, Emma esfregou o tecido azul-escuro do traje de montaria, sentindo-se um pouco desconfortável com a intensidade da reação de Alex.

– Posso garantir, Alex, que já ouvi tudo isso do meu pai vezes sem conta. Não preciso de uma bronca sua também. Eu não deveria nem estar contando isso.

Alex suspirou, consciente de que sua reação fora exagerada. Ele se inclinou para a frente, pegou gentilmente a mão de Emma que segurava a saia com força e levou-a aos lábios, em um gesto de arrependimento.

– Desculpe, meu bem – disse com a voz suave. – Mas é que me sinto mal só de pensar que você se colocou em uma situação perigosa inadvertidamente, mesmo que isso tenha acontecido sete anos atrás.

Emma sentiu o coração se aquecer diante do tom carinhoso e por saber que ele se preocupava tanto com ela.

– Não precisa se preocupar. Tudo acabou bem, e não sou tão cabeça-dura quanto a história talvez o leve a crer.

Alex continuou a acariciar a mão dela com o polegar.

– É mesmo?

– Eu não embarquei simplesmente em um velho navio qualquer – falou ela, tentando ignorar o calor que emanava da mão dele. – Um dos nossos capitães é também um amigo muito próximo da família, como se fosse um tio para mim. Eu jamais embarcaria clandestinamente em qualquer outro navio que não o do capitão Cartwright. Eu sabia que ele pretendia partir às oito da manhã, por isso fugi de casa na noite anterior...

– O quê? – falou Alex, apertando a mão dela com mais força. – Você ficou andando sozinha por Boston no meio da noite? Sua tolinha!

– Ah, fique quieto. Não foi no meio da noite. Só me pareceu assim porque eu estava nervosa demais para dormir. Provavelmente foi perto das cinco da manhã. O sol já tinha começado a nascer. Além do mais – falou Emma, em um tom acusador –, você prometeu que não ia me dar sermão.

– Não prometi nada.

– Bem, mas deveria – retrucou Emma em um tom desafiador, puxando a mão e pegando a taça.

– Muito bem – concordou Alex, rolando para o lado e apoiando a cabeça em um dos cotovelos. – Prometo não interromper.

– Ótimo – disse Emma, dando um gole no vinho.

– Mas não vou prometer não lhe dar um sermão quando você terminar.

Emma lhe lançou um olhar impertinente.

– Também não vou prometer não obrigar *você* a prometer que não vai se envolver em outro esquema absurdo desses no futuro.

– Por favor, um pouco de crédito ao meu bom senso – disse ela, revirando os olhos. – Eu dificilmente me esgueiraria para dentro de um navio hoje.

– Sim, mas só Deus sabe o que mais você poderia fazer – resmungou Alex.

– Posso terminar?

– Por favor.

– Bem, eu saí escondida de casa de manhã cedo, o que não foi exatamente fácil, considerando que meu quarto fica no segundo andar.

Alex grunhiu.

– Minha sorte é que havia uma árvore diante da janela e então eu desci por ela – continuou Emma. – Precisei pular da janela e me agarrar ao galho do carvalho, chegar ao tronco e só então descer até o chão.

Emma olhou para Alex para ver se ele estava prestes a interrompê-la de novo. Alex fez questão de não dizer nada.

– Uma vez no chão – continuou Emma –, não foi muito difícil seguir até as docas e entrar no navio.

– Seu pai não sentiu sua falta? – perguntou Alex.

– Ah, eu já tinha tudo planejado – falou Emma, muito desenvolta. – Ele sempre sai para o escritório muito cedo pela manhã. Nunca teve o hábito de passar pelo meu quarto antes de sair, com medo de me acordar. Tenho o sono muito leve – explicou ela com empolgação nos olhos violeta.

Alex sorriu, pensando que era bom saber logo desse detalhe.

– E quanto aos criados? – perguntou ele. – Com certeza um deles perceberia que você não estava em casa.

– Nós não vivemos da forma grandiosa que vocês vivem aqui – esclareceu Emma com um sorrisinho. – Não empregamos uma horda de criados. Mary, a governanta, costumava me acordar às sete e meia...

– Que horário de bárbaros – murmurou Alex.

Emma torceu os lábios e o encarou com uma expressão de leve reprovação.

– Em Boston, também não dormimos nas horas loucas que vocês costumam dormir aqui.

– Que provinciano – comentou ele com ironia, só para provocá-la.

Quase funcionou. Ela começou a balançar o indicador para ele, então parou, a mão ainda erguida no ar.

– Pensando melhor – disse, lentamente, estreitando os olhos –, não vou me dignar a discutir esse assunto com você.

– Estou arrasado – respondeu Alex.

Então pegou a mão dela e, com um gesto rápido, puxou-a para junto de si. Emma deu um gritinho quando aterrissou junto ao corpo forte dele, as pernas emaranhadas na saia.

– Alex! – gritou ela, tentando liberar as pernas do tecido pesado. – O que está fazendo?

Alex soltou a mão de Emma e acariciou a linha delicada do maxilar dela com o nó dos dedos.

– Eu só queria ficar mais perto do seu cheiro.

– O quê? – perguntou ela em um tom agudo.

– Todo mundo tem um cheiro próprio – explicou ele com a voz suave, deixando o polegar correr pelos lábios cheios. – O seu é particularmente doce.

Emma pigarreou, nervosa.

– Não quer ouvir o resto da história? – perguntou ela com a voz rouca, esforçando-se para se sentar, embora Alex não estivesse inclinado a deixá--la se afastar.

– É claro.

Ele então segurou gentilmente o lóbulo da orelha dela, entre o polegar e o indicador.

– Hum, onde eu estava?

Emma piscou algumas vezes quando se deu conta de que Alex havia tido sucesso em transformá-la em uma tonta.

– Você estava explicando por que a sua criada não percebeu que você tinha saído de casa – lembrou Alex, se perguntando se os cílios dela seriam tão macios quanto pareciam.

– Ah – disse Emma, engolindo em seco. – Bem, ela percebeu, *sim*, que eu saí, é claro, às sete e meia da manhã, ao entrar para me acordar. Mas eu sabia que, quando alguém finalmente procurasse o meu pai para contar do meu sumiço e ele conseguisse chegar até as docas, já estaríamos no mar.

– Então o que aconteceu? – perguntou Alex, descendo os dedos por seu pescoço.

O olhar de Emma encontrou o dele e ela ficou impressionada com a paixão primitiva que viu ali.

– O que aconteceu então? – perguntou ela, zonza, sem conseguir pensar direito.

Alex deu uma risadinha, satisfeito com a reação dela à carícia.

– O que aconteceu quando seu pai percebeu que você havia partido no navio?

Emma umedeceu os lábios, baixou rapidamente os olhos e fixou-os no queixo dele, o que logo descobriu ser consideravelmente menos desconcertante do que olhá-lo diretamente nos olhos.

– Bem – disse ela lentamente, tentando recuperar a compostura –, na verdade, não havia nada que ele *pudesse* fazer. Já estávamos longe. O problema começou quando eu finalmente me revelei ao capitão Cartwright ao pôr do sol daquele dia. Achei que o homem ia explodir.

– O que ele fez?

– O capitão me trancou na cabine dele e fez o navio dar meia-volta.

– Um homem sensato – comentou Alex. – Preciso mandar um bilhete de agradecimento a ele.

– Ele não me deu nada para comer.

– Ótimo – falou Alex sem se deixar abalar. – Você não merecia mesmo.

– Eu estava com muita fome – falou Emma, com intensidade, tentando ignorar o calor que sentia na nuca, onde a mão de Alex descansava. – Não comia havia 24 horas quando ele me trancou na cabine, e se passaram mais oito ou nove horas até chegarmos em casa.

– Ele deveria ter dado umas boas palmadas em você.

– Meu pai se encarregou disso – retrucou Emma com uma careta. – O meu traseiro ficou tão vermelho quanto o meu cabelo durante a semana seguinte inteira.

Alex teve que se esforçar muito para resistir à tentação de deixar a mão descer pelas costas dela e apertar a parte do corpo que ela acabara de citar. Ele olhou disfarçadamente para ela, para ver se Emma tinha alguma ideia do que lhe passava pela cabeça.

Ela olhava por cima do ombro direito, com os olhos fixos em algum ponto do horizonte e um sorriso de quem está perdida em lembranças. De repente, como se sentisse o peso dos olhos de Alex, ela se virou, os cabelos ondulando com a brisa e emoldurando o rosto. O sorriso delicado permaneceu, mas Alex viu a percepção se insinuando no olhar. Ele suspirou. Emma não era tola.

Inferno... provavelmente era por isso que ele gostava tanto dela.

Ela se aproveitou do breve momento de devaneio de Alex para recuar na manta de volta à sua posição original, usando a fome como desculpa.

– Estou morrendo de fome! – declarou. – O que será que a Sra. Goode preparou para nós?

Então começou a investigar o que tinham para o almoço.

– Espero que não seja nenhum dos filhotinhos da Cleópatra – comentou Alex.

Emma fez uma careta.

– Você é impossível – declarou, pegando um prato de frango assado. – Queria que ela não tivesse mandado frango...

– Por quê? – perguntou Alex, sentando-se e estendendo a mão para pegar uma coxa. – Você não gosta de frango?

Ele deu uma mordida voraz e abriu um sorriso bem-humorado. Emma pareceu preocupada.

– É que é difícil comer frango assado com os modos de uma dama.

– Então não aja como uma dama. Não vou contar a ninguém.

Emma pareceu hesitante.

– Não sei. Tia Caroline se esforçou tanto para me corrigir. Eu detestaria arruinar em um único piquenique todos os bons resultados obtidos.

– Pelo amor de Deus, Emma. Use as mãos e divirta-se.

– Tem certeza? Quando voltarmos, você não vai contar para todo mundo que eu não estava me comportando como uma dama inglesa adequada?

– Emma, eu já dei qualquer sinal de que queria que você se comportasse como uma dama inglesa adequada?

– Ah, está bem então.

Emma pegou a outra coxa e arrancou um pedaço com os dentes. Alex precisou se controlar muito para não rir quando a viu colocando o minúsculo pedaço de frango na boca.

– Agora é sua vez – disse Emma, erguendo as sobrancelhas.

Alex devolveu a expressão de desafio erguendo apenas a sobrancelha direita, com uma expressão de absoluta confiança.

– Detesto pessoas que conseguem fazer isso – sussurrou ela.

– Como?

Emma deu outra mordida minúscula no frango.

– Nada. Mas é sua vez de me contar a pior coisa que *você* fez quando criança.

– Acreditaria se eu dissesse que fui uma criança-modelo?

– Não – respondeu Emma na mesma hora.

– Então acreditaria que eu fui tão terrível que seria difícil contar apenas um incidente?

– Parece um pouco mais provável.

– Por que não fazemos um acordo? – sugeriu Alex, inclinando o corpo para a frente e apoiando os braços sobre os joelhos. – Que tal eu contar a história que tem a maior probabilidade de me constranger enquanto homem adulto?

– Ora, *isso* é intrigante – disse Emma, entusiasmada, esquecendo-se completamente da resolução de se comportar com decoro e arrancando um bom naco do frango.

– Eu tinha cerca de 2 ou 3 anos – começou Alex.

– Espere, espere – interrompeu Emma. – Está tentando me dizer que o seu momento mais constrangedor aconteceu quando você tinha 2 anos? Essa é a coisa mais absurda que eu já ouvi. As pessoas não deveriam nem ter *permissão* para se sentirem envergonhadas pelo que fizeram quando eram bebês.

– Vai me deixar terminar a história? – perguntou Alex, inclinando a cabeça de modo petulante.

– Com certeza – retrucou ela, acenando com a coxa de frango em um gesto magnânimo.

– Eu tinha cerca de 2 ou 3 anos.

– Você já disse isso – lembrou Emma, de boca cheia.

Alex lhe lançou um olhar aborrecido e continuou:

– A irmã da minha mãe me deu um cachorro de pelúcia de presente de Natal. Eu nunca deixava o cachorro longe da minha vista.

– Que nome você deu a ele?

Alex pareceu ficar tímido.

– Goggie.

Ele olhou para Emma, que tentava bravamente abafar uma risada. Ela foi rápida em abrir um largo sorriso.

– Enfim – continuou Alex –, eu brincava tanto com Goggie que o enchimento dele acabou saindo e eu fiquei arrasado. Ou ao menos é isso o que a minha mãe me diz – apressou-se a acrescentar. – Eu não me lembro de nada disso.

Emma imaginou um menino pequeno, de cabelos negros e olhos verdes, chorando a perda do brinquedo favorito, e decidiu que a imagem era adorável demais para pensar nela sem correr o risco de se apaixonar na mesma hora.

– E depois, o que aconteceu? – perguntou ela, sacudindo brevemente a cabeça para afastar o pensamento perigoso.

– Minha mãe ficou com pena de mim e encheu o corpo do cachorro com meias velhas dela. E teríamos todos vivido felizes para sempre, não fosse pelo fato de... – disse Alex com um sorriso de lado – eu continuar a abusar do pobre animal, e ele voltar a rasgar a tal ponto que a minha mãe não conseguiu mais consertar.

– E?

– E essa é a parte onde a história fica constrangedora.

– Ah, ótimo.

– Ao que parece, eu não conseguia suportar a ideia de abandonar Goggie, mesmo sua morte sendo absolutamente irrevogável, e, como não podia mais arrastar o cachorro comigo, resolvi que o enchimento tomaria o lugar dele.

Alex fez uma pausa e passou a mão distraidamente pelos cabelos desarrumados pelo vento.

– Você deve lembrar – retomou ele lentamente – que a minha mãe havia gentilmente enchido o cachorro com meias, certo? Portanto, ao longo dos meses seguintes, eu andei pelos corredores de Westonbirt arrastando meias femininas comigo por toda parte.

Emma riu com gosto.

– Não acho que seja uma história constrangedora. Acho adorável.

Alex a encarou com uma expressão de severidade zombeteira.

– Você se dá conta de que eu tenho uma reputação a preservar?

– Ah, acredite em mim, estou muito ciente da sua reputação – replicou Emma, os olhos cintilando em uma expressão travessa.

Alex se inclinou para a frente e tentou parecer severo.

– Acabei de confiar a você meu segredo mais sombrio. Como acha que eu seria visto se fosse divulgado que o duque de Ashbourne passou seus primeiros anos às voltas com meias femininas?

– Ora, ora. Você não estava *usando* as meias femininas, estava enamorado *das* meias femininas. E agora, pensando a respeito... – Emma fez uma pausa e um sorriso malicioso curvou seus lábios – ... faz todo o sentido. Você com certeza se interessa muito por meias femininas hoje em dia.

– O que está querendo dizer com isso?

– Sinceramente, Alex – provocou Emma. – Você sabe que tem uma reputação com as damas...

– Uma reputação que estou perdendo rapidamente, graças a você – resmungou ele.

149

Emma pareceu não ouvi-lo e continuou.

– Nada menos do que duas dúzias de mulheres me alertaram sobre você.

– Eu gostaria que alguém tivesse me alertado sobre *você* – falou ele com um suspiro.

– Como? – perguntou Emma, surpresa.

Alex se inclinou para a frente, os olhos verdes muito sérios.

– Acho que vou beijar você agora.

– V-vai? – balbuciou Emma, sentindo toda a autoconfiança e compostura desaparecerem.

Alex a examinou. Os cabelos vermelhos estavam desalinhados pelo vento e agora emolduravam o rosto dela de um jeito encantador. Os olhos violeta estavam muito abertos e se iluminaram quando o viram se aproximando. Ela umedeceu os lábios em um gesto nervoso, totalmente inconsciente de seus poderes de sedução.

– Emma – falou ele com a voz rouca. – Acho que preciso beijar você. Você entende isso?

Emma assentiu, incerta, mal consciente do que dizia, já que sentia o corpo todo pegando fogo, como se o calor que parecia emanar do corpo poderoso de Alex a incendiasse.

Os olhos dele finalmente pousaram naquela boca sensual, e o último pensamento racional de Emma foi que só um desastre natural seria capaz de impedir que ele a beijasse naquele momento. Então, lentamente, Alex colou os lábios aos dela.

CAPÍTULO 12

Fascinada, Emma não conseguia afastar os olhos do rosto de Alex, que se aproximou até tocar os lábios nos dela. O toque foi breve. Emma estava paralisada, mal conseguia respirar.

Alex levantou a cabeça e viu que Emma ainda o encarava com os olhos muito abertos, como se nunca o tivesse visto antes.

– Emma? – chamou ele, tocando o queixo dela.

Emma lutava contra a vontade de erguer a mão e afastar um cacho dos cabelos que havia caído na testa dele. Alex olhava para ela com tanto carinho que Emma achou que tudo o que queria fazer na vida era se aconchegar no calor daqueles braços e derreter. Ela sabia que ele não a amava, que não pretendia se casar com ela. Mas também sabia que Alex gostava dela, e que a desejava muito. E que Deus a ajudasse, ela também o desejava imensamente. Emma havia passado meses tentando se convencer de que não havia nada especial naquelas sensações novas e estranhas que experimentava sempre que Alex estava por perto. Ele tinha dito que precisava beijá-la. Finalmente chegara a hora de ser honesta consigo mesma. Ela também precisava beijá-lo.

Alex percebeu o momento exato em que a hesitação de Emma deu lugar ao desejo. O olhar dele ficou mais suave e ela umedeceu os lábios. Mas, antes que pudesse de fato beijá-la, Emma o deteve, pousando a mão no rosto dele, e murmurou seu nome com a voz rouca.

Alex virou a cabeça lentamente e beijou a palma da mão dela.

– O que houve, meu bem?

A voz de Emma estava carregada de emoção quando perguntou:

– Você promete que vai parar quando tivermos que parar?

Ele a encarou com intensidade, se perguntando se ela entendia o que estava pedindo.

– Eu-eu não tenho muita experiência neste tipo de coisa, Alex.

Emma engoliu em seco, tentando reunir coragem para continuar a falar.

– Eu quero muito beijar você. Acho que nunca quis tanto uma coisa na vida. Mas talvez eu não saiba quando deveríamos parar, ou como impedir você. Estou pedindo que dê sua palavra de cavalheiro de que vamos parar antes de fazermos alguma coisa… irrevogável.

Alex soube naquele momento que Emma era dele. E soube que poderia fazer amor com ela ali mesmo, em cima daquela manta, e que Emma não faria nada para detê-lo. Mas também sabia que a mente de Emma não queria o que o corpo dela obviamente desejava. Alex baixou os olhos para fitar o rosto cintilante e concluiu que não teria como viver consigo mesmo se tirasse vantagem da confiança dela.

– Eu dou a minha palavra – disse ele, baixinho.

– Ah, Alex…

Emma soltou um gemido e passou os braços ao redor do pescoço dele, que havia se curvado novamente acima do corpo dela.

– Se você soubesse há quanto tempo venho esperando por isto – murmurou ele ao mesmo tempo que deixava uma trilha de beijos ardentes por todo o rosto dela, descendo pela lateral do pescoço.

– A-acho que sei *exatamente* quanto – retrucou Emma, a voz trêmula diante do óbvio desejo dele.

Quando Alex a deitou lentamente, Emma enfiou os dedos nos cabelos cheios, tentando desesperadamente chegar o mais perto possível dele. Sem pensar, ela pressionou o corpo contra o de Alex, moldando-se aos músculos poderosos.

Para Alex, o movimento foi como se a faísca que ardia dentro dele havia meses finalmente tivesse se incendiado.

– Ah, Deus, Emma – gemeu ele. – Você tem alguma ideia do que está fazendo?

Ele abaixou a cabeça e viu que os olhos de Emma agora cintilavam com um desejo recém-descoberto e também com… confiança. Perdido naquele olhar violeta, Alex gemeu de novo.

– Posso ver que não.

Emma não entendeu o comentário enigmático.

– Al-algum problema? – perguntou ela, preocupada com a possibilidade de ter feito alguma coisa que o desagradara em virtude da inexperiência.

Alex se abaixou e beijou as pálpebras dela.

– Acredite em mim, meu bem, problema algum.

Ele deu uma risadinha ao ver o alívio na expressão dela. E ficou profundamente comovido por Emma estar tão preocupada em agradá-lo. – Você parece ter um talento natural para este tipo de coisa.

Alex se perguntava como, em nome de Deus, seria capaz de se conter como havia prometido a Emma, mas não verbalizou o pensamento, com medo de quebrar o encanto sensual que agora pairava sobre o piquenique particular.

Emma enrubesceu de prazer diante do elogio.

– Eu só quero... Ahh!

Ela arquejou em voz alta quando Alex subiu a mão por sua cintura até alcançar os seios.

O toque foi tão abrasador que Emma ficou surpresa por não tê-la queimado através do tecido do traje de montaria. Ela abriu os olhos e entreabriu os lábios, surpresa com a ousadia do gesto.

O sorriso de Alex era da mais pura satisfação masculina.

– Você gosta disto, não é, meu bem?

Ao sentir o mamilo dela se enrijecer através do tecido, ele apertou o seio cheio e viu Emma estremecer de desejo. E amaldiçoou silenciosamente os botões minúsculos que desciam pelas costas do vestido e tornavam impossível afastá-lo pelos ombros. Com um suspiro entrecortado, Alex se resignou ao fato de não poder ver o seios cheios e o mamilo rígido tão inebriantes. Levando em conta a promessa feita segundo antes, talvez aquele revés fosse bom.

– Ah, Alex – gemeu baixinho. – Tudo isto é tão estranho...

Emma deixou escapar outro arquejo quando sentiu a mão dele se insinuar sob as dobras da saia dela para acariciar suas panturrilhas esguias e firmes. Emma sentiu espasmos de prazer subirem por suas pernas até o centro do seu corpo e suspirou, com abandono.

– É tão gostoso...

A mão de Alex continuou a acariciá-la, cada vez mais para cima, até alcançar o ponto sensível onde o topo da meia encontrava a carne macia e pálida. Emma quase quicou na manta com a energia intensa que parecia se derramar das pontas dos dedos dele. Então, embora não conseguisse acreditar que aquilo realmente estava acontecendo, a mão dele subiu ainda mais.

– Alex? – chamou ela, ofegante. – O que vo...? Você tem certeza? Não sei se...

Alex a silenciou com um beijo suave.

– Shhh, meu bem. Eu prometo que não vou...

Alex deu um sorrisinho irônico diante das palavras melodramáticas que estava prestes a pronunciar:

– Que não vou violar você aqui, em cima desta manta. Quando fizermos amor, vai ser perfeito, sem hesitações ou mal-entendidos entre nós.

Alex continuou a espalhar beijos delicados pelo rosto de Emma, para acalmar seus medos, enquanto deslizava a mão por baixo da roupa de baixo dela e começava a acariciar os pelos delicados que cobriam seu prazer mais íntimo.

Emma prendeu a respiração e seu corpo ficou rígido contra o dele, sentindo os vinte anos de uma criação conservadora voltando à mente para dizer que ela não deveria estar naquela situação. Ela pousou a mão no peito dele, tentando afastá-lo.

– Espere, Alex, eu não tenho certeza se...

– Não tem certeza de quê, meu bem?

A voz dela saiu trêmula de apreensão quando respondeu:

– De você, disto, de *nada*.

– Você não tem certeza em relação a mim? – perguntou, tentando brincar para afastar os medos dela. – Está me dizendo que preferiria estar com outra pessoa?

– Não! – exclamou Emma. – Não é isso, é que...

– O quê?

– Eu não sei!

Emma sentia a mente gritando que ela deveria se levantar e ir embora, mas não poderia negar as sensações eletrizantes que disparavam por seu corpo a cada toque. E, por mais que a batalha interna continuasse, Emma se sentiu relaxar, o corpo implorando por aquilo que apavorava sua mente.

– Não se preocupe, meu bem – murmurou Alex, aliviado por ela ter cedido. – Vou manter a promessa.

Ele respirou fundo, esforçando-se para manter os instintos sob controle. Seu desejo por Emma era dolorosamente aparente, o membro rígido esgarçava o tecido dos calções de montaria.

– Só quero... *preciso* estar dentro de você de algum modo. Não consigo explicar isso. Só sei que preciso sentir você imediatamente.

Então ele deslizou um dedo para dentro dela. Emma estava quente e molhada, como Alex sabia que estaria, mas era muito pequena e muito apertada. Ele experimentou uma onda de orgulho ao se dar conta de que era o primeiro homem a tocá-la de forma tão íntima. E sentiu o próprio corpo latejar de desejo, o membro implorando para trocar de lugar com os dedos.

Deliciosas ondas de prazer dispararam pelo corpo de Emma, que começou a se sentir tensa na expectativa de algo que não compreendia, mas que sabia que iria acontecer.

– Alex! – gritou. – Por favor... Eu não aguento mais...

– Ah, sim, você aguenta, meu bem.

Conforme Alex a acariciava intimamente com um dedo, outro dedo encontrou o ponto sensível de carne escondido sob os pelos macios.

– Ah, meu Deus, Alex!

Emma gritou o nome dele em completo abandono. Todo o desejo que vinha se acumulando em seu corpo se concentrava agora em um ponto delicado em seu ventre e Emma sentiu a tensão chegar ao ápice. Em segundos o mundo pareceu explodir e ela se deixou cair, fraca e exausta, sobre a manta de flanela.

Alex retirou os dedos gentilmente e se deitou ao lado dela, apoiando-se no cotovelo.

– Shhh... – murmurou, acalmando-a enquanto Emma se recuperava do clímax.

Ele acariciou os cabelos dela e, com o olhar distante nas campinas ao redor, forçou o próprio corpo a se acalmar, pois sabia que não teria o mesmo alívio. Ainda assim, era inegável a satisfação por tê-la satisfeito fisicamente. E, embora sempre tivesse sido um amante atencioso, aquela era a primeira vez que sua própria necessidade física se tornava completamente secundária em relação à da parceira.

– Ah, meu Deus – disse Emma com um suspiro, assim que conseguiu recuperar a capacidade de falar.

– Concordo – brincou Alex, dando uma risadinha e deixando o indicador correr pela linha elegante do maxilar dela. – Como se sente?

– Eu me sinto... Ah, não sei como me sinto.

Emma fechou os olhos por um momento, sentindo-se profundamente relaxada. Havia um leve sorriso em seus lábios. Ela voltou a abrir os olhos e fixou-os no homem à sua frente.

– Você sabe mais sobre isso do que eu. Como eu me sinto?

Alex riu alto.

– Você se sente esplêndida, meu bem. Simplesmente esplêndida.

– Sim, acho que sim – concordou ela com um suspiro, enrodilhando o corpo contra o dele. – Mas eu não fui... vigorosa demais?

Alex conteve um sorriso.

– Não, meu bem, você não foi vigorosa demais. Foi simplesmente perfeita.

– Muito obrigada por dizer isso – falou ela, enterrando o rosto na lateral do corpo dele. – Eu não sabia muito bem o que fazer...

Emma teve vontade de encará-lo, queria ver a expressão nos olhos dele, mas sentiu-se enrubescer de constrangimento.

– Não precisa ter medo. Planejo fazer com que você ganhe muita experiência.

– Como?

Emma sentou-se depressa, subitamente ansiosa para ajeitar a saia. De algum modo, as palavras de Alex a trouxeram de volta à realidade.

– Alex, você sabe que não podemos fazer isso o tempo todo.

– Por que não?

– Simplesmente não podemos. Muitas pessoas acabariam magoadas. Muitas pessoas esperam mais de mim.

– Não consigo imaginar nada que *eu* esperasse mais de você.

– Você está sendo deliberadamente tolo. Eu só... – Emma de repente ficou muito pálida. – Não consigo acreditar no que eu acabei de fazer.

Ela estava com os olhos arregalados de choque diante do próprio comportamento escandaloso. Um beijo roubado era uma coisa, mas aquilo... santo Deus, ela deixara... não, na verdade implorara que Alex a tocasse da forma mais íntima.

Alex gemeu enquanto observava a dúvida e a autocensura estampadas no rosto de Emma. O corpo dele latejava dolorosamente e, para ser sincero, ele não se sentia com energia para lidar com o súbito ataque de suscetibilidade feminina.

– Não culpo *você*. Culpo a mim mesma. Eu perdi o controle.

Nada do que ela pudesse ter dito teria feito com que ele se sentisse pior. Emma era muito inocente e não tinha ideia do tipo de pressão sensual que ele exercera. Como era típico daquela jovem corajosa tentar assumir a responsabilidade pelas carícias íntimas que haviam trocado... Mas, apesar da culpa que começava a surgir, Alex não estava se sentindo particularmente caridoso. Seu corpo implorava por alívio e isso o estava deixando nervoso.

– Emma – enunciou ele subitamente, a voz calma e controlada. – Vou dizer só uma vez. Não se arrependa do que aconteceu. Foi lindo e natural, e você foi tudo o que eu sempre sonhei que seria. Se continuar a se culpar, vai acabar se sentindo mal. E se por acaso decidir que nunca mais devemos compartilhar nossas almas como acabamos de fazer, bem, acho que você vai ter que aceitar que não pretendo acatar isso tranquilamente.

Voltaram para casa cavalgando em silêncio. Emma tinha a sensação de que todas as suas emoções estavam à flor da pele. Por um lado, não parava de relembrar as carícias tórridas de poucos minutos atrás. Por outro lado, tinha vontade de se açoitar assim que chegasse em casa.

A vida, pensou, estava se tornando muito confusa.

Alex também não estava com vontade de conversar. Seu corpo parecia prestes a explodir, e não ajudava o fato de que o cheiro de Emma parecia estar por toda parte – nas roupas dele, nas mãos, simplesmente pairando no ar. Ele soubera desde o início que não encontraria satisfação física, mas achara que a satisfação com o prazer de Emma seria suficiente. E realmente havia sido – até ela começar a duvidar de si mesma, vulgarizando a experiência ao se sentir envergonhada daquela forma.

Teria que tomar algumas decisões importantes, concluiu. E… logo. Não tinha certeza de quanto mais conseguiria suportar aquela situação.

Quando finalmente chegaram a Westonbirt, Emma estava em um estado de completa confusão. Ao adentrarem o enorme saguão de entrada da casa, ela balbuciou alguma coisa incoerente para Alex e subiu correndo a escada longa e curva, em uma velocidade de que nunca imaginou ser capaz.

Alex guardou uma breve visão da musselina azul-escura e dos cabelos flamejantes, e deixou escapar um suspiro cansado. Quase desejou poder simplesmente dizer a si mesmo que a tratara mal. Ao menos assim poderia tentar desfazer o erro. Mas o fato era que a angústia de Emma se devia a um sentimento de culpa, com o qual ela provavelmente teria que lidar sozinha. Alex deixou escapar um gemido de frustação, passou a mão pelos cabelos e seguiu na direção de seus aposentos, pensando em pedir ao valete que lhe preparasse um banho gelado.

Emma chegou ao quarto tão afobada pelo impulso que entrou praticamente voando pela porta e se jogou na cama. Mais tarde se daria conta de que por isso ficou tão surpresa ao ver Belle deitada ali, enrodilhada tranquilamente com um livro de Shakespeare.

– Que inferno, Belle – falou Emma, irritada, esfregando o ombro que batera no quadril da prima. – Não pode ler no seu próprio quarto?

Belle a encarou com uma expressão de inocência nos olhos azuis.

– A luz aqui é melhor.

– Pelo amor de Deus, Belle. Tente ser um pouco mais criativa nas suas desculpas. O seu quarto fica bem ao lado do meu, recebe a mesma quantidade de luz.

– Acreditaria se eu dissesse que a sua cama é mais confortável que a minha?

Emma pareceu prestes a explodir.

– Está bem, está bem – apressou-se em dizer Belle, saindo rapidamente da cama. – Eu admito. Queria saber como foi o passeio a cavalo com Ashbourne.

– Ora, foi bom. Está satisfeita?

– Não – retrucou Belle com veemência. – Sou eu, Belle, está lembrada? Você supostamente deveria me contar tudo.

Algo no tom persuasivo da prima pareceu bater fundo nas emoções de Emma, que sentiu uma lágrima quente escorrer pelo rosto.

– Não sei se quero conversar agora.

Belle percebeu a expressão abatida da prima, deixou o livro de lado e, com sua presença de espírito característica, se lembrou de fechar rapidamente a porta do quarto.

– Ah, meu Deus, Emma. O que aconteceu? Ele... você...

Emma fungou e secou uma lágrima.

– Ele violou você?

– Odeio essa palavra – disparou Emma. – Já disse que odeio essa palavra?

– Violou?

– Não, ele não fez isso. Que tipo de mulher você acha que eu sou?

– Uma mulher apaixonada, suponho. Já ouvi dizer que os homens podem ser incrivelmente persuasivos quando a mulher está apaixonada.

– Pois bem, não estou apaixonada – retrucou Emma em um tom desafiador.

– Não?

Não sei, gritava a mente de Emma, mas ela não disse nada.

– Posso ver que você está ao menos considerando – continuou Belle. – Já é um começo, acho. Não preciso nem dizer como todos nós ficaríamos felizes se vocês dois se casassem.

– Pode acreditar que eu já havia me dado conta dos desejos de vocês.

– Bem, você não pode nos culpar. Adoramos ter você aqui na Inglaterra. Especialmente eu – falou Belle, muito séria. – É difícil quando a sua melhor amiga está a um oceano de distância.

O último comentário da prima bastou para que Emma explodisse em lágrimas, soluçando alto enquanto encharcava o travesseiro.

– Ah, meu bem. – Belle voltou rapidamente para a cama e começou a afastar os cabelos da prima do rosto. Emma não era o tipo de mulher que chorava à toa, por isso Belle sabia que alguma coisa séria havia acontecido.

– Eu não quis pressionar você. Todos sabemos que, no fim, a decisão é sua.

Emma não respondeu, mas as lágrimas continuaram a escorrer de seus olhos. Ela se deitou de lado e respirou fundo, as lágrimas agora pingando do nariz para o travesseiro.

– Talvez você se sinta melhor se falar a respeito – comentou Belle. – Por que não vai até a penteadeira para que eu penteie seu cabelo? Parece que o vento o embaraçou todo.

Emma se levantou e atravessou lentamente o quarto, esfregando o nariz com o dorso da mão sem se preocupar em ser graciosa. Deixou-se cair na cadeira forrada de veludo e fitou seu reflexo no espelho. Sua aparência era péssima. Seus olhos estavam inchados e injetados, o nariz, vermelho, e os cabelos, totalmente bagunçados. Ela respirou fundo para recuperar o equilíbrio e ficou secretamente encantada com as mulheres da sociedade que conseguiam até mesmo *chorar* com elegância. Uma única lágrima ou duas, uma fungadinha delicada – nada como aqueles soluços que pareciam sair do fundo do peito de Emma, deixando-a com aquela aparência arrasada.

Ela se virou para Belle, fungando alto mais uma vez.

– Sabe de uma coisa? Eu era diferente.

– Como assim? – Belle pegou um pente.

– Quero dizer, e corrija-me se eu estiver errada, que eu costumava ter a reputação de uma mulher excepcional. Não quero me gabar, mas eu sei que tinha.

Belle assentiu, tentando disfarçar um sorriso.

– Eu não dava sorrisinhos afetados – continuou Emma, com um pouco menos de entusiasmo. – Nem me envolvia em conversas tolas. Era espirituosa. As pessoas costumavam comentar a respeito disso.

Ela levantou os olhos para a prima em busca de confirmação.

Belle continuou a assentir, solidária, mas obviamente estava tendo dificuldade em conter o sorriso. Ela começou a passar o pente gentilmente pelos cabelos de Emma.

– E eu também tinha confiança em mim mesma.

– E não tem mais?

Emma suspirou e afundou mais o corpo na cadeira.

– Não sei. Eu era tão decidida nas minhas ações. Agora, nunca sei o que fazer. Estou sempre confusa e, quando finalmente tomo uma decisão a respeito de alguma coisa, me arrependo mais tarde.

– Você acha que toda essa confusão pode ter algo a ver com Ashbourne?

– É claro que tem a ver com Alex! Tem tudo a ver com ele. O homem virou a minha vida de cabeça para baixo.

– Mas você não está apaixonada por ele – lembrou Belle, com a voz suave.

Emma ficou calada.

Belle tentou uma tática diferente.

– Como você se sente quando está com ele?

– Completamente insana. Em um momento, estamos brincando como velhos amigos, e no momento seguinte eu sinto esse aperto na garganta, como se estivesse entalada com um ovo, e tenho a sensação de que sou uma menina tímida de 12 anos.

– Você não sabe o que dizer? – deduziu Belle.

– Não é que eu não saiba o que dizer. Tenho a sensação de que não sei mais nem falar!

Belle continuou a desembaraçar os cabelos da prima.

– Hum… Estou achando tudo isso fascinante. Nunca me senti dessa forma em relação a um homem – disse Belle, fazendo uma pausa, pensativa. – Embora esteja ansiosa para reler *Romeu e Julieta* quando finalmente chegar à letra *R*.

Emma fez uma careta.

– Por favor, lembre-se de que os dois acabaram tendo um final nada feliz. Eu preferiria que você não fizesse comparações.

– Ah. Desculpe.

Talvez por causa dos nervos à flor da pele, Emma não achou que a prima parecia muito contrita.

– Lá vamos nós – disse Belle, com naturalidade. – Tudo resolvido no lado esquerdo. – Ela começou a pentear a parte de trás dos cabelos de Emma. – Por que não me conta sobre essa tarde? Algo deve ter acontecido para deixar você desse jeito.

Emma não conseguiu evitar que seu rosto ficasse muito quente.

– Ah, nada, na verdade. Só passeamos a cavalo. A propriedade é linda.

Belle passou o pente com força pelos cabelos da prima.

– Ai! – gritou Emma. – Meu Deus, se continuar assim vou estar careca quando você terminar.

– Você estava dizendo alguma coisa sobre essa tarde? – lembrou Belle, com a voz doce.

– Me dá aqui esse pente! – falou Emma, irritada.

Belle enfiou a arma nos cabelos ruivos à sua frente e deu um leve puxão, para deixar clara a tortura que estava por vir.

– Ah, meu Deus... – cedeu Emma. – Nós paramos para fazer um piquenique.

– E?

– E foi muito agradável. Contamos histórias das nossas infâncias.

– E?

– E ele me beijou! Está satisfeita?

– Ele deve ter feito um pouco mais do que isso – desconfiou Belle. – Você já beijou Alex antes, e nunca chorou desse jeito.

– Bem, talvez ele tenha feito um pouco mais do que isso.

Emma realmente desejava não estar sentada diante de um espelho, onde era forçada a ver a própria pele enrubescendo de tal forma que estava quase da cor de seus cabelos.

– Mas ele não violou você? – Emma parecia quase aborrecida.

– Belle, você está *desapontada* por eu ter conseguido atravessar a tarde com a minha virtude intacta?

– Não, é claro que não – respondeu Belle rapidamente. – Embora deva admitir que estou um pouco curiosa em relação ao "ato" e tudo o mais, pois não consigo fazer a mamãe me contar nada a respeito.

– Ora, você não vai conseguir mais detalhes comigo. Sou tão inocente quanto você.

– Não exatamente tão inocente, imagino. Posso ser inexperiente, mas até eu sei que existem algumas coisas entre um beijo e o "ato".

Dizer que Emma ficou sem palavras seria um eufemismo.

– Estou errada?

– Ahn, bem, sim – balbuciou Emma. – Sim, existem.

Belle pressionou um pouco mais.

– Seria justo dizer que você fez alguma coisa entre beijar e o "ato"?

– Você poderia parar de chamar de "ato"?! – explodiu Emma. – Faz parecer tão sórdido.

– Prefere que eu chame de outra forma?

– *Prefiro* que você não chame de nada – disse Emma, os olhos se estreitando perigosamente. – Esta conversa está ficando pessoal demais.

Belle não se deixou deter.

– Você fez?

– Você não tem vergonha, não?

– Nenhuma – garantiu Belle em um tom animado, puxando o pente de forma impertinente.

Emma se encolheu de dor, gemeu, e mal conseguiu se conter para não praguejar.

– Ah, está bem, está bem! – cedeu, bufando.

Naquele ritmo, Belle arrancaria todos os fios de cabelo dela até a hora do jantar.

– Fiz – falou com um gemido. – Fiz, sim! Satisfeita?

Belle largou o pente e se sentou na cadeira em frente à prima.

– Ai, meu Deus – sussurrou.

– Você poderia fazer a gentileza de parar de me olhar como se eu tivesse sido arruinada?

Belle a encarou, confusa.

– O quê? Ah, desculpe. É só que… ai, meu Deus.

– Pelo amor de Deus, Belle. Eu gostaria que você esquecesse o assunto. É uma bobagem.

Ah, é mesmo?, perguntou a si mesma. *Então por que você estava se acabando de chorar poucos minutos atrás?* Emma calou rapidamente aquela vozinha interior. Talvez sua reação tivesse sido um pouco exagerada. Afinal, não tinha sido violada (maldita palavra). E, com um sorriso pesaroso, admitiu que não podia dizer que não tinha gostado.

162

Belle avaliava a questão cuidadosamente com seu jeito sempre pragmático. Aquilo realmente era uma grande notícia. Ela concluiu consigo mesma que o casamento entre a prima e o duque de Ashbourne era iminente. Uma ligeira indiscrição antes das núpcias de fato poderia ser facilmente esquecida. Ainda assim, aquilo não significava que Belle não estivesse profundamente curiosa a respeito do incidente.

– Só me diz uma coisa, Emma – implorou. – Como foi?

– Ah, Belle...

Emma soltou um suspiro e decidiu deixar de lado qualquer tentativa de parecer uma donzela que tivera a virtude ofendida.

– Foi esplêndido.

CAPÍTULO 13

Apesar da determinação de deixar seu constrangimento feminino para trás, Emma voltou a se comportar como uma tola e a balbuciar no instante em que pousou novamente os olhos em Alex.

A noite começara de forma bastante inocente. Depois que Belle conseguiu arrancar de Emma o máximo de detalhes do piquenique, as duas decidiram se arrumar para o jantar. No entanto, Belle estava bem mais interessada em escolher o traje da prima do que o próprio, e insistiu para que Emma usasse um vestido de um violeta profundo, que destacava seus olhos exóticos.

– É a mesma cor que você usou quando debutou na sociedade – explicou Belle. – E Alex ficou *muito* interessado em você.

– Duvido que ele vá se lembrar da cor do meu vestido – respondeu Emma com firmeza.

Ainda assim, ela se permitiu ser convencida, torcendo para que a cor ousada lhe emprestasse um pouco de coragem. Belle optou por um vestido de seda, de um tom pálido de pêssego, que valorizava o rosado de sua pele. Quando estavam prontas, Emma se sacrificou no altar dos penteados e deixou que Meg lidasse com suas madeixas sem uma reclamação sequer. Depois do jeito nada gentil com que Belle tratara seus cabelos mais cedo, a segunda incursão pareceu ser feita por uma deusa da delicadeza.

Sentada ali, diante da penteadeira, vendo pelo espelho Meg passar a escova por seus cachos brilhantes, Emma teve bastante tempo para avaliar a situação.

Amava Alex? Belle parecia pensar que sim. Mas como poderia amá-lo quando aquilo significava abandonar o sonho de toda uma vida de administrar o Estaleiro Dunster? Parte de Emma queria mandar a cautela às favas e agarrar qualquer felicidade possível com Alex. Mas sabia que, permitindo-se amá-lo só um pouquinho, não conseguiria evitar amá-lo de todo o coração, com cada fibra do seu ser. Ficava apavorada diante da perspectiva de se perder completamente nesse sentimento.

Como havia comentado com Belle menos de meia hora antes, ela *mudava* quando estava perto de Alex. Um único olhar carinhoso dele parecia banir qualquer pensamento racional, e Emma precisava se esforçar até para balbuciar frases incoerentes. Caso viesse a se casar com Alex, com certeza poderia esquecer a ideia de falar usando sentenças completas.

O que levava a outro ponto delicado: talvez ele não a pedisse em casamento. Alex era extremamente teimoso e Emma não conseguia imaginá-lo cedendo à pressão familiar e fazendo o pedido a menos que ele quisesse muito e estivesse pronto para isso. E se ele o fizesse? Ela aceitaria? Emma mordeu o lábio inferior e ponderou a situação. Talvez. Provavelmente. Deixou escapar um suspiro profundo. Com certeza. Como conseguiria evitar? O Estaleiro Dunster teria que sobreviver sem ela, porque Emma achava que não conseguiria sobreviver sem Alex.

Mas casar com ele não era garantia de felicidade. Poucos casamentos entre aristocratas eram baseados no amor, e Emma sabia que um casamento por amor nunca fora um dos objetivos de vida de Alex. Era altamente provável que ele decidisse se casar baseado apenas na afeição e no desejo que sentia por ela. Emma podia imaginá-lo sentado em seu estúdio, os pés apoiados na escrivaninha, avaliando a situação e optando por se casar com ela só porque provavelmente não apareceria nada melhor.

Como seria a vida ao lado de um homem que não a amava? Seria o bastante apenas estar perto dele ou ela perderia um pouquinho de sua alma todos os dias até virar uma concha oca? Mas, Deus do céu, ela não sabia se tinha alternativa, porque estava começando a se dar conta de que a possibilidade de ser feliz sem Alex era realmente muito pequena. Emma supôs que qualquer pedaço dele seria melhor do que nada, porque, sim, estava apaixonada por ele. Amava Alex desesperadamente, e ficava apavorada com a possibilidade de não ser capaz de encontrar uma forma de fazê-lo retribuir esse amor.

De repente, encará-lo no jantar pareceu uma perspectiva extremamente assustadora.

Emma foi bastante eficiente em encontrar desculpas para continuar no andar de cima. Havia um fio solto em seu vestido que precisava ser costurado, e ela estava convencida de que tinham aparecido novas sardas no tempo que passou ao ar livre. Meg foi imediatamente despachada para pegar um pouco de pó com tia Caroline. Emma tinha acabado de ser acometida por uma terrível dor de cabeça quando Belle finalmente perdeu a paciência e empurrou-a pela porta, forçando-a a descer a escada.

Quando chegaram ao andar de baixo, Alex já estava no salão de visitas, apoiado contra o peitoril da janela, girando distraidamente um copo de uísque nas mãos. Ao ver Emma, encarou-a com uma expressão de dúvida e examinou atentamente seu rosto. Ela, por sua vez, fez o melhor que pôde para parecer *blasé*, mas tinha a forte sensação de que falhara lamentavelmente.

– Boa noite, Vossa Graça – disse ela de súbito, dolorosamente consciente de que parecia uma ovelha balindo.

Não tinha certeza, mas pensou ter ouvido a prima soltar um fraco gemido.

Alex cumprimentou Belle com um aceno de cabeça – ela estava posicionada estrategicamente em um sofá com uma excelente vista para todo o salão. Depois que Belle retribuiu o cumprimento com um sorriso radiante, ele voltou a atenção para Emma.

– Espero que tenha tido uma tarde prazerosa depois do nosso retorno – disse ele em um tom educado.

– Foi muito agradável, obrigada – respondeu Emma automaticamente, apoiando as mãos com força nas costas de uma cadeira forrada de amarelo-palha.

Belle observava a conversa com interesse descarado, a cabeça indo de Emma para Alex sem nem tentar disfarçar.

– Tenho a sensação de estar em cima de um palco – murmurou Emma, baixinho.

– O que disse? – perguntou Alex cordialmente.

– Disse alguma coisa? – perguntou Belle ao mesmo tempo.

Emma deu um sorrisinho e balançou a cabeça. A tensão no cômodo era palpável.

– Acho que vou tomar outra dose – disse Alex.

– Tenho a impressão de que vai precisar – comentou Belle com um sorriso inocente.

– Menina impertinente.

Alex atravessou o salão tranquilamente e se serviu da bebida. Quando voltava para o lugar diante da janela, passou bem perto de Emma e murmurou em seu ouvido:

– Tente não arruinar a mobília, minha cara. Essa é uma das cadeiras favoritas da minha mãe.

Emma soltou a cadeira na mesma hora e praticamente voou para a outra extremidade da mesa com imensa pressa de se sentar perto de Belle. Quando voltou a erguer os olhos, Alex ostentava um largo sorriso.

Emma, por sua vez, não estava com a menor vontade de sorrir.

Felizmente, Sophie escolheu aquele momento para entrar na sala.

– Olá a todos – disse em um tom animado, olhando rapidamente ao redor. – Vejo que minha mãe ainda não chegou. Hum... que surpresa. Achei que ela estaria morrendo de ansiedade para interrogar vocês sobre o passeio a cavalo.

– Também achei– comentou Alex com ironia.

Sophie não teve resposta, por isso atravessou o salão e se sentou na cadeira amarela que Emma até pouco tempo antes parecia tentar destruir. Emma se encolheu ligeiramente, ainda constrangida com o comentário ácido de Alex.

– Cleópatra deu cria – anunciou Sophie, com um sorriso. – Charles ficou encantado. Não falou de outra coisa a noite toda. Infelizmente, agora ele está insistindo em me fazer todo tipo de perguntas bem, hum... *delicadas*, digamos assim. Não me sinto preparada para responder a um menino de 6 anos – disse ela, soltando um suspiro triste. – Gostaria muito que Oliver voltasse logo para casa.

– Estou certa de que Alex poderá ajudar com as perguntas delicadas – falou Emma, atrevida, arrependendo-se das palavras assim que saíram de sua boca.

Belle deixou escapar um som estranho, meio risada, meio grunhido, e começou a tossir. Emma teve que conter a vontade de dar um forte tapa nas costas da prima.

Alex continuou apoiado no parapeito da janela, com uma expressão inescrutável, e Emma teve vontade de xingá-lo por ser tão devastadoramente lindo sem precisar se esforçar para isso. Ele parecia estar fascinado com as unhas bem tratadas.

No entanto, a verdade era que Alex estava morrendo de medo de cair na gargalhada caso se permitisse olhar para Emma. Sabia que, se fizesse isso, ela jamais o perdoaria. Havia algo tão comicamente adorável nela, sentada naquele sofá, fervendo por dentro. Ele tinha a sensação de que nada a irritava mais do que vê-lo aparentemente no mais absoluto controle de si enquanto as emoções dela estavam em ebulição. Alex não estava sendo cruel, ele só preferia vê-la louca de raiva a vê-la parecendo desamparada e consumida pela culpa, como naquela tarde. Fingindo limpar um fio solto invisível no colete, ele olhou de relance para Emma. Não tinha certeza, mas achou tê-la visto respirar fundo e soltar o ar lentamente.

Não conseguiu resistir.

– Espero que a sua estadia em Westonbirt esteja sendo agradável até agora, Emma.

Alex tinha certeza de que passaria um ano no inferno por causa daquele comentário, mas valia a pena.

– Está sendo boa – respondeu ela brevemente, recusando-se a olhar para ele.

– Só boa? – falou Alex, e seu rosto era uma máscara perfeita de solicitude. – Então não estamos fazendo o nosso trabalho direito. O que mais podemos fazer para entretê-la?

– Estou certa de que não há nada que *você* possa fazer – retrucou Emma em um tom objetivo.

Belle estava boquiaberta.

– Ora, isso não pode ser verdade. Só preciso me esforçar mais. Por que não saímos para outro passeio a cavalo amanhã à tarde? Ainda há muito para ver.

Ele achou que Belle fosse cair do sofá.

– Isso não será necessário, Vossa Graça – respondeu Emma, muito rígida.

– Mas...

– Eu disse que não será necessário! – explodiu Emma. Então, percebendo que todos a encaravam com ar de confusão, acrescentou: – Estou com o nariz um pouco congestionado.

Ela fungou para demonstrar, mas é claro que o nariz não pareceu nada entupido. Então deu um sorrisinho sem graça, cruzou as mãos no colo e decidiu não dizer mais nada.

Sophie, constrangida, quebrou o silêncio:

– Ahn, Belle – falou, constrangida. – Por que não leva um dos gatinhos com você para casa? Não tenho ideia do que vamos fazer com todos eles.

– Duvido que a minha mãe permita – respondeu Belle. – O último gato que tivemos foi um desastre completo. Ele tinha um certo problema com pulgas.

– Não acho que os nossos gatinhos têm tempo de vida suficiente para estarem com pulgas – falou Sophie, pensativa.

– Ainda assim, acho que a minha mãe recusaria veementemente a ideia.

– Que ideia eu recusaria veementemente? – perguntou Caroline em voz alta, à porta.

– Sophie está tentando nos convencer a levar um dos filhotes de Cleópatra para casa – explicou Belle.

– Por Deus, não! – retrucou Caroline enfaticamente. – Você pode ter um gato no campo, mas em Londres nunca mais.

Caroline entrou no cômodo, cumprimentou Alex com um aceno de cabeça e se sentou perto de Emma, Belle e Sophie. Henry, que descera a escada logo atrás da esposa, deu uma olhada no grupo de mulheres reunidas no canto e seguiu direto até Alex.

– Uísque? – ofereceu Alex, erguendo o próprio copo.

– Aceito uma dose – respondeu Henry com simpatia.

Mas logo ergueu a mão para impedir que o outro se levantasse. Henry atravessou rapidamente o salão, se serviu de uísque e voltou para junto de Alex.

– Tenho a impressão de que vamos precisar disto hoje à noite – comentou.

– Por mais estranho que pareça, foi *exatamente* o que a sua filha disse há menos de cinco minutos.

– Como foi o passeio a cavalo esta tarde, querida? – perguntou Caroline a Emma, alto o bastante para que todos ouvissem.

– Foi muito bom, obrigada.

Mas Alex achou a resposta fraca.

– Eu tive uma tarde maravilhosa – declarou.

– Tenho certeza – retrucou Emma, mais para si mesma, tentando esquecer que fora ela que gritara de prazer naquela tarde, não Alex.

– Disse alguma coisa, minha querida? – perguntou Caroline, solícita.

– Não, nada. Estava só pigarreando.

– Parece um hábito – comentou Alex, incapaz de resistir à óbvia perturbação de Emma. Ele atravessou o salão com Henry e os dois sentaram-se perto de Caroline. – Ao menos na minha presença.

Emma encarou-o com tamanha ferocidade que Sophie não conseguiu evitar murmurar baixinho:

– Meu Deus...

Alex tomou um gole de uísque, tranquilo, não parecendo nem um pouco afetado pela ira dela.

O que, é claro, só serviu para deixá-la ainda mais furiosa.

Nessa altura, Alex abriu um sorriso.

– Bem! – falou Caroline, só para quebrar o silêncio.

No entanto, para sua consternação, todos se voltaram para ela na mesma hora, o que a obrigou a dizer mais alguma coisa.

– Conte-nos mais sobre a sua tarde, Emma, querida.

O tema parecia estar em alta.

– Bem, na verdade... – iniciou Emma, a irritação começando a dominá-la.

Belle acertou um chute em sua canela. Emma arquejou baixinho de dor, abriu um fraco sorriso e respondeu:

– Foi adorável, obrigada.

O silêncio voltou a se instalar e, dessa vez, ninguém teve coragem de quebrá-lo, nem mesmo Caroline.

Emma baixou os olhos para o colo, os dedos brincando distraidamente com o tecido da saia. Podia sentir os olhos de Alex e, por mais que tentasse, não conseguia reunir coragem para encará-lo. Sentada ali naquele silêncio pesado, teve que admitir que era consigo mesma que estava zangada, não com Alex.

Sabia que se sentia profundamente atraída por ele. Mas admitir aquilo ao cavalheiro em questão de algum modo parecia ir contra tudo o que aprendera, e era difícil dar as costas ao padrão moral que o pai, a tia e o tio haviam incutido nela. Estava, portanto, muito encrencada: ciente de que o desejava desesperadamente e sabendo que não deveria se permitir tê-lo. Poderia justificar o desejo pelo fato de amá-lo, mas precisava encontrar força de vontade para se impedir de concretizá-lo.

Tudo seria diferente se Alex a amasse ao menos um pouquinho em comparação ao tanto que ela o amava.

Ou, pensou Emma, desanimada, se ele ao menos a pedisse em casamento. Casar com ele sem reciprocidade ainda assim era preferível a não tê-lo de forma alguma. Alex havia voltado a examinar as unhas e não parecia nem remotamente prestes a pedir uma mulher em casamento. Emma engoliu em seco e deixou o corpo afundar ainda mais no sofá.

– Santo Deus! Parece que tivemos um funeral aqui. Vocês todos perderam a capacidade de falar? – perguntou Eugenia, parada na porta do salão de visitas, em um elegante vestido de seda verde.

Alex abriu um largo sorriso para a mãe enquanto se levantava para lhe dar um beijo carinhoso no rosto.

– Na verdade, mamãe, acho que estão todos com certo medo de abrir a boca.

Eugenia olhou para o filho com uma expressão acusadora.

– Você não andou tratando mal nossos hóspedes, não é?

– Só a mim – adiantou-se Emma, bravamente, fazendo com que a tia lhe lançasse um olhar reprovador.

Alex riu, encantado com a provocação.

– Talvez eu possa acompanhá-la até o salão de jantar, Srta. Dunster – disse ele, com elegância.

Alex foi até ela e ofereceu o braço.

– É claro.

Afinal, o que mais ela poderia fazer diante de um grupo de espectadores tão ávido?

Emma deu um belo sorriso para a audiência, se levantou e tentou dar um passo na direção da porta, mas a mão de aço de Alex a manteve firme no lugar.

– Acho que vamos entrar por último – declarou ele, o que já ficara óbvio.

– Se nenhum de vocês se importar – apressou-se a acrescentar Emma, sentindo o rosto enrubescer.

– Ah, não, nós não nos importamos *nem um pouco* – exclamou Eugenia, praticamente arrancando a filha do salão.

– Nunca mais faça isso comigo! – explodiu Emma, desvencilhando-se.

– Isso o quê? – perguntou ele com inocência.

– "Espero que a sua estadia esteja sendo prazerosa, Emma" – repetiu ela, imitando com perfeição o tom em que ele falara.

– Ah, por favor. Você não pode me privar de um pouco de diversão.

– Não às minhas custas. Fiquei mortificada!

– Não fique tão brava, meu bem. Você sabe que eu só estava brincando.

– Não sei de absolutamente nada. A impressão que eu tive foi de que você estava só se vingando porque não conseguiu o que queria essa tarde.

Sem conseguir afastar os olhos dos dela, Alex segurou-a pelos ombros e puxou-a para junto do corpo.

– Ah, meu bem, me desculpe – murmurou. – Jamais tive a intenção de levá-la a se sentir assim. Acredite em mim, eu consegui exatamente o que queria essa tarde.

– Mas…

Alex pousou os dedos nos lábios dela.

– Shh… Eu só queria deixar você feliz, mas parece que só consegui o oposto. Eu estava implicando com você agora porque, se não posso ver você feliz, vê-la brava é melhor do que vê-la triste.

– Bem, eu prefiro que não volte a usar esse tipo de tática – murmurou Emma contra o peito dele.

Alex deu um beijo na testa dela.

– Eu prometo. Agora… Já tinha visto um cômodo esvaziar tão rapidamente? – perguntou ele, tentando mudar de assunto. – Acho que eu não era o único a desejar que nós ficássemos a sós. Poderia apostar que a minha mãe chegou ao salão de jantar em menos de dez segundos.

– Eu acho que nunca vi minha tia se mover com tanta velocidade – comentou Emma, com um sorriso vacilante. – E pensei que o tio Henry fosse arrastar Belle pelos cabelos.

– Engraçado, eu o imaginaria acima disso.

– Você deve estar brincando. Tia Caroline pode ser aterrorizante quando está de mau humor. Ele não iria querer provocá-la. Tio Henry preza demais a tranquilidade. Além disso, todos estão ansiosíssimos para ver a minha vida resolvida. Digo… não que nós… que eu tenha qualquer plano de me assentar tão cedo. Tenho um negócio para administrar em Boston, você sabe.

Emma sentiu um peso no peito no instante em que falou isso. Não acabara de decidir que Alex era muito mais importante do que o Estaleiro Dunster?

– Não se deixe pressionar – disse ela.

Alex fitou-a com uma expressão estranha no rosto.

– Embora eu imagine que seja difícil pressionar você a fazer qualquer coisa – continuou Emma, parecendo ligeiramente perdida.

Alex deu um sorriso irônico, se perguntando quanta pressão seria realmente necessária àquela altura para fazê-lo sossegar.

– Está se sentindo melhor? – perguntou apenas.

Emma manteve os olhos baixos.

– Exagerei, não é?

– A que se refere?

Ela enrubesceu diante da clara referência ao seu comportamento apaixonado.

– Por ter ficado tão constrangida depois do que aconteceu – explicou Emma, depois parou e se forçou a encará-lo. – Acho que exagerei… Desculpe. Espero não ter aborrecido você.

Ela levantou a cabeça e os olhos violeta cheios de confiança encontraram os dele. Naquele momento, algo dentro de Alex derreteu. Ele não conseguia acreditar que Emma estava se desculpando com *ele* pelas carícias íntimas que haviam trocado. Jovens damas de boa família eram ensinadas que qualquer tipo de intimidade antes do casamento era o caminho para a perdição eterna, e agora que já não sentia mais o corpo prestes a explodir, Alex estava realmente impressionado por Emma não ter ficado de cama por uma semana.

– É muito natural se sentir confusa com uma nova experiência – falou, sentindo que precisava dizer alguma coisa para confortá-la.

– Agradeço por ser tão compreensivo – disse Emma, com um sorrisinho. – Embora ache que seria mais sábio se nos contivéssemos a partir de agora. – Quando Alex ergueu uma sobrancelha, ela explicou: – Eu não consigo nem descrever como me senti mal essa tarde.

– Culpada?

– Isso, e confusa também.

Emma fitou um pequeno relógio na extremidade da mesa com o olhar distante. Estava orgulhosa de si mesma por ser tão honesta com Alex, mas, ao mesmo tempo, falar de forma tão aberta era um pouco desconcertante.

– Gostaria que você não se sentisse assim.

– Eu também gostaria – retrucou Emma, ainda olhando para o relógio. – Mas acho que não sou capaz de controlar muito bem minhas emoções e, por isso, seria melhor evitar o estado de agitação em que fiquei mais cedo.

– Emma? – Como ela não respondeu, Alex chamou mais alto. – Emma?

Ela se virou rapidamente, os cabelos brilhantes emoldurando seu rosto em ondas suaves. Alex tocou o queixo dela com os dedos e então ergueu seu rosto para que pudesse olhar bem fundo em seus olhos.

– Ainda vou tentar beijá-la.

– Eu sei.

Ele se aproximou mais.

– Em todas as ocasiões possíveis.

– Eu sei.

Os lábios dele estavam quase tocando os dela.

– Vou tentar neste instante.

Emma suspirou, presa na teia daquela voz sensual.

– Eu sei.

– Você vai tentar me impedir? – perguntou Alex baixinho, os lábios colados nos dela.

– Não…

A resposta em voz baixa de Emma se perdeu quando a boca de Alex capturou a dela. Emma simplesmente fechou os olhos e saboreou o calor que emanava dele, se perdendo no prazer do momento.

Alex estava dolorosamente consciente de que tinham poucos e preciosos minutos juntos. Não duvidava de que a mãe fosse capaz de entrar no salão aos gritos e, diante de um simples beijo, declarasse que Emma estava sendo violada e que ele deveria se casar com ela imediatamente. Com um gemido, Alex se afastou e respirou fundo.

– Este vai ser um longo fim de semana – murmurou, ainda segurando o queixo dela.

– É, eu sei – disse Emma com a voz muito estranha.

Alex abriu um sorrisinho. Emma parecia presa em um devaneio, os olhos fixos em um ponto ligeiramente à esquerda do cotovelo de Alex.

– Eu adoraria saber o que está se passando na sua cabeça neste exato momento – disse ele baixinho, afastando uma mecha de cabelo da testa dela.

Emma balançou a cabeça devagar enquanto tentava se concentrar novamente no momento.

– O quê? – perguntou ela, piscando algumas vezes. – Promete não rir?

– Não prometo nada.

Ela pareceu espantada com a resposta inesperada. Alex sorria de um jeito indulgente, e seus olhos verdes cintilavam com a promessa cálida de amor.

– Bem, acho que vou contar mesmo assim – falou ela, baixinho. – Eu estava pensando que... bem, estava imaginando...

– Sim?

– Na verdade, estava me perguntando como consegui continuar em pé enquanto você estava me beijando ainda há pouco.

Um sorrisinho tímido surgiu em seu rosto e Emma baixou os olhos para os pés, que traçavam semicírculos no carpete.

– Eu achei que fosse derreter.

Alex sentiu algo pouco familiar se acender dentro dele, e não havia como negar o calor agradável que se espalhava subitamente pelo seu corpo. Ele se inclinou e roçou brevemente os lábios contra os dela.

– Você não tem ideia de como fico feliz ao ouvir isso.

Emma ainda arrastava o pé pelo carpete, absurdamente satisfeita com aquelas palavras e incapaz de conter um largo sorriso.

– Talvez você possa me dar o braço e me acompanhar até o salão de jantar.

– Acho que isso pode ser providenciado.

Quando chegaram lá, as famílias de ambos já estavam acomodadas ao redor da longa mesa de carvalho. Como o grupo era composto por sete pessoas apenas, Eugenia, que preferia uma boa conversa a formalidades, havia colocado todos em um lado da mesa, deixando o outro vazio.

– Tomei a liberdade de ocupar a cabeceira da mesa – anunciou Eugenia. – Sei que as regras sociais estipulam que esse é seu lugar, Alex, mas *somos* um grupo informal e admito que ceder meu lugar a você, meu filho, mexe com meu orgulho.

Alex levantou uma sobrancelha enquanto puxava uma cadeira para Emma e lançou um olhar à mãe que dizia que não acreditava em uma única palavra.

– Além do mais, achei que você e Emma iriam querer se sentar lado a lado.

– Como sempre, muito astuta, mamãe.

O sorriso de Eugenia não vacilou nem um pouco. Ela se virou para Emma, ignorando sumariamente o filho.

– Teve uma tarde agradável, minha cara? Caroline me contou que você adorou o passeio a cavalo.

Emma sorriu com indulgência enquanto se sentava entre Belle e o lugar vazio reservado para Alex. Eugenia era a terceira pessoa naquela noite a lhe fazer aquela pergunta. A quarta, na verdade, se contasse a prima, que fora um pouco mais direta.

– Foi uma tarde deliciosa. Alex foi um acompanhante muito atencioso, agradeço.

Belle começou a tossir. Emma lhe lançou um olhar fulminante e lhe deu um rápido chute por baixo da mesa.

– É mesmo? – sussurrou Eugenia, encantada com a cena que se desenrolava embaixo da mesa. – "Atencioso" como, exatamente?

Daquela vez, foi Sophie quem chutou, e seu pé encontrou a canela da mãe com um ruído audível.

– Extremamente atencioso, mamãe – respondeu Alex em um tom que encerrou o assunto.

Caroline deu um gritinho quando sentiu o chute de Henry na canela.

– Henry! – sibilou. – O que foi isso, pelo amor de Deus?

– Ora, meu bem – disse ele, fitando a esposa com carinho –, eu estava me sentindo excluído.

CAPÍTULO 14

No dia seguinte, Emma descobriu que o amor tinha outro sintoma: ela não conseguia comer. Ao menos não na frente de Alex. Não tinha qualquer problema para fazer isso quando não estavam no mesmo cômodo.

Quando desceu para o desjejum, Sophie, Eugenia e Belle já estavam comendo. Emma estava faminta e se sentou diante da mesa pronta para devorar o que parecia uma deliciosa omelete.

Então Alex chegou.

No mesmo instante, Emma teve a sensação de que um pássaro batia as asas dentro do seu estômago. Não conseguiu engolir nem um pedaço da omelete.

– A omelete não está do seu agrado? – perguntou Eugenia.

– Não estou com muita fome – apressou-se a responder Emma. – Mas está deliciosa, obrigada.

Alex, que havia se posicionado estrategicamente bem ao lado dela, se inclinou para a frente e sussurrou:

– Não posso imaginar como você saberia, se não provou nem um pedaço.

Ela deu um sorrisinho débil e levou o garfo à boca. A omelete tinha gosto de serragem. Emma olhou para Eugenia.

– Acho que só vou tomar um pouco de chá.

Quando chegou a hora do almoço, Emma tinha a sensação de que estava prestes a morrer de fome. Alex precisara sair para cuidar de alguns negócios da propriedade, por isso ela e Belle haviam passado a manhã explorando a casa. Quando chegaram ao salão de refeições informal, ela sentiu o coração afundar ao notar a ausência dele.

O estômago, no entanto, era só alegria.

Ela comeu rapidamente um prato cheio de peru assado e batatas, com medo de que Alex pudesse chegar a qualquer momento. Depois que terminou uma generosa porção de ervilhas e aspargos, resolveu perguntar a Eugenia sobre o paradeiro dele.

– Bem, eu estava esperando que Alex se juntasse a nós – disse ela. – Mas ele precisou ir até a parte noroeste da propriedade para inspecionar os danos do temporal da semana passada.

– É muito longe? – perguntou Emma.

Talvez ela pudesse ir encontrá-lo.

– Mais de uma hora a cavalo, eu acho.

E então notou que não se dera conta do tamanho da propriedade.

– Entendo... Bem, nesse caso, vou só saborear esses merengues deliciosos.

Com um suspiro, Emma chegou à conclusão de que provavelmente era melhor que ele tivesse sido chamado para algum compromisso. Se Alex passasse todos os minutos do dia ao seu lado (o que ela imaginava ser a intenção original dele), Emma provavelmente estaria desnutrida quando voltasse para Londres.

Mas não podia negar que, apesar da perturbação que Alex lhe causava, ela desejava a companhia dele a cada minuto que passavam separados. Emma saiu para um passeio a cavalo, mas não se divertiu; Alex não estava ali para apostarem corrida até a macieira que ela avistou alguns quilômetros a leste de Westonbirt. Ele também não estava por perto para caçoar quando ela habilidosamente escalou uma árvore, ou para elogiar sua mira quando jogou uma maçã em um galho carregado e conseguiu derrubar mais cinco. De volta à casa, Emma deu as frutas a Charlie, que ficou tão feliz com a perspectiva de tortas de maçãs frescas que se sentiu compelido a subir e descer a escada seis vezes. A empolgação do pequeno era contagiosa, mas não animou Emma como um sorriso de Alex. Ela duvidava que qualquer outra coisa tivesse esse poder.

Por outro lado, foi bom ter comido uma das maçãs enquanto estava encarapitada no topo da árvore, porque não comeu nada no jantar daquela noite.

Emma também não viu Alex na manhã seguinte. Henry teria uma reunião importante com seu advogado naquela tarde – que ele declarou ser inadiável –, por isso toda a família partiu de manhã cedo. Alex, cansado das andanças do dia anterior, e sem saber dos planos dos Blydons de partirem tão cedo, dormiu até mais tarde e não apareceu.

Emma deixou escapar um suspiro diante da ausência dele e se serviu de um farto café da manhã.

Eugenia e Sophie tinham planos de permanecer em Westonbirt até o meio da semana, e Alex já havia chegado à conclusão de que não poderia ir embora porque havia muitos reparos a fazer. Assim, Emma e a família tiveram uma carruagem só para eles na viagem de volta. No momento em que se colocaram a caminho, Belle abriu o livro de Shakespeare, Henry pegou alguns documentos de negócios para si e Caroline dormiu. Emma ficou olhando pela janela, resignada com a viagem silenciosa.

Algo que não a chateou.

Quando chegaram a Londres, Emma deixou escapar um suspiro de alívio, jurou que levaria um livro na próxima viagem longa e subiu correndo a escada até seu quarto. O fim de semana a deixara emocionalmente exausta – o encontro íntimo com Alex, a importante constatação de que o amava e não ter conseguido vê-lo antes de partir. A viagem sacolejante até Londres não havia ajudado, mas Emma só se deu conta de como estava cansada quando caiu na cama e viu que seria capaz de passar pelo menos uma semana dormindo.

Ou até que alguém batesse na porta dez segundos depois.

– Oi, Emma.

Ned abriu a porta e enfiou a cabeça dentro do quarto antes que ela tivesse a chance de responder.

– Teve um bom fim de semana?

Diante do aceno de cabeça cauteloso dela, ele continuou.

– Fantástico. Você parece renovada.

Emma, que estava deitada de bruços com o lado direito do rosto pressionado contra o colchão e um braço dobrado por cima da cabeça em um ângulo nem um pouco natural, ergueu os olhos com uma expressão cética e percebeu que o primo não estava sendo nem um pouco sarcástico. Ele parecia muito distraído, e Emma duvidava que realmente tivesse olhado com atenção para ela.

– E você? Teve um bom fim de semana? – perguntou Emma. – Imagino que tenha aproveitado seu breve período de liberdade.

Ned entrou no quarto, fechou a porta e se apoiou na escrivaninha.

– Digamos que eu tive um fim de semana *interessante*.

– Ah, Deus...

– Por que não me conta sobre o seu fim de semana primeiro?

Emma deu de ombros e se sentou na cama, apoiando-se contra a montanha de travesseiros encostada na cabeceira.

– Foi exatamente como você imaginaria.

– Um monte de pessoas tentando arrumar um casamento para você?

Inclusive eu mesma, pensou ela.

– Exatamente. Mas ainda assim consegui me divertir. Foi bom sair um pouco da cidade. É tão agitado aqui...

– Ótimo, ótimo.

Ned começou a balançar o corpo para a frente e para trás, e Emma teve a impressão de que ele não estava prestando a menor atenção no que ela dizia.

– Aconteceu alguma coisa, Ned?

Ele respirou fundo.

– Bem, pode-se dizer que sim.

Ned foi até a janela e ficou olhando para fora de braços cruzados, depois se virou e encarou a prima. Então descruzou-os e começou a andar de um lado para o outro.

– Você deveria se exercitar mais – comentou Emma.

Ned talvez a tenha ouvido, mas certamente não a escutara.

– Não aconteceu nada *seriamente* grave. Quer dizer, nada que não possa ser consertado se eu me esforçar. É claro que não sou muito bom em me esforçar, como você sabe.

Emma levantou as sobrancelhas.

– No aspecto físico, concordo.

– Não é como se alguém tivesse morrido, nem nada parecido – disse Ned, depois enfiou as mãos no bolso e murmurou: – Ao menos não ainda.

Emma torceu para ter entendido errado.

– Emma, vim aqui porque estou precisando de um conselho seu. E talvez da sua ajuda. Você é uma das pessoas mais inteligentes que eu conheço. Belle também é esperta. É impossível superar minha irmã no quesito literatura, e quantos idiomas ela fala? Três? Acho que ela também consegue ler alguns outros. Não é lá muito boa em matemática, mas ainda assim é muito inteligente. Só que minha irmã também é prática demais. No mês passado mesmo, ela...

Ned fez uma pausa, colocou os ombros para trás de repente e olhou para Emma com uma expressão abalada até voltar a falar:

– Ah, Deus, Emma. Não consigo nem lembrar o que pretendia dizer. Eu não vim até aqui para falar sobre Belle. O que eu estava dizendo?

Ned se deixou cair em uma cadeira.

Emma mordeu o lábio. O primo estava com a cabeça apoiada no encosto da cadeira. A situação parecia realmente séria.

– Hum, acredito que tinha alguma coisa a ver com você precisar dos meus conselhos.

– Ah, sim… Eu me meti em uma certa confusão…

– É mesmo?

– Eu estava jogando cartas.

Emma gemeu e fechou os olhos.

– Por favor, Emma – protestou Ned. – Não preciso de um sermão sobre o vício do jogo.

– Eu não ia fazer sermão nenhum. Só que quando a frase "Eu estava jogando cartas" é precedida por "Eu me meti em uma certa confusão", normalmente significa que alguém está devendo uma grande soma em dinheiro.

Ned não disse nada, apenas continuou sentado ali, parecendo arrasado.

– Quanto?

Enquanto aguardava a resposta do primo, Emma começou a somar mentalmente suas economias. Ela não havia gastado muito da mesada nos últimos tempos. Talvez conseguisse tirar o primo da encrenca em que se metera.

– Ahn… uma quantia de respeito.

Ned se levantou e olhou novamente pela janela.

– De respeito quanto?

– Muitíssimo respeito – respondeu ele misteriosamente.

– De quanto estamos falando exatamente? – explodiu Emma.

– Dez mil libras.

– O quê? – gritou Emma, com a voz aguda, dando um pulo para fora da cama. – Você ficou louco? Perdeu a cabeça?

Emma começou a andar de um lado para o outro, balançando os braços amplamente no ar.

– Em que você estava pensando, Ned?

– Não sei – respondeu ele com um gemido.

– Ah, esqueci, você não está muito bem da cabeça. Como esperar que você *pense*?

– Você não está sendo exatamente solidária neste momento de crise.

– Solidária? Solidária!

Emma lançou um olhar ameaçador ao primo.

– Não é de solidariedade que você precisa neste momento, Ned. Ao menos não no aspecto emocional. Não estou acreditando nisso… Emma se deixou cair de volta na cama.

– Simplesmente não acredito nisso. O que vamos fazer, pelo amor de Deus?

Ned deixou escapar um suspiro de alívio ao vê-la usar o pronome "nós".

– O que aconteceu?

– Eu estava jogando com um grupo de amigos no White's. Anthony Woodside se juntou a nós.

Emma estremeceu de nojo. Não vira o visconde Benton desde o estranho encontro dos dois no baile dos Lindworthys, e certamente não tinha o menor desejo de que isso voltasse a acontecer. A conversa tensa entre eles a deixara profundamente desconfortável e até um pouco ofendida. Não havia mencionado o incidente a Alex – não viu necessidade de aborrecê-lo. Ainda assim, Emma não conseguiu afastar a sensação de que Woodside tinha planos malignos – planos que envolviam a família dela. Suas premonições pareciam ter se tornado realidade.

– Pareceu indelicado não convidá-lo a se juntar a nós – continuou Ned. – Era para ter sido um jogo amistoso, muito casual. Todos tomamos alguns drinques.

– Todos menos Woodside, imagino.

Ned gemeu e bateu com a mão na parede em um gesto nervoso.

– Acho que você pode estar certa. Quando me dei conta, as apostas estavam altas demais, a situação foi saindo do controle e eu não tinha mais como recuar.

– E subitamente você ficou 10 mil libras mais pobre.

– Ah, Deus, Emma, o que vou fazer?

– Não sei… – respondeu ela com sinceridade.

– A questão é que ele estava trapaceando, Emma. Eu o vi trapacear.

Ned passou a mão pelos cabelos, e Emma se sentiu péssima ao ver a expressão torturada do primo.

– Por que você não disse alguma coisa *na hora*? Como pôde ficar sentado deixando o sujeito levar todo o seu dinheiro?

– Ah, Emma – disse Ned com um suspiro, afundando mais na cadeira e colocando a cabeça entre as mãos. – Posso ser um cavalheiro honrado, mas não sou idiota. Woodside é um dos melhores atiradores da Inglaterra. Seria loucura da minha parte dizer alguma coisa que o provocasse a me desafiar para um duelo.

– Tem certeza de que ele faria isso?

O olhar que Ned lhe lançou dizia que ele estava mais do que certo disso.

– E você teria aceitado? Não poderia simplesmente ter dado as costas e ido embora?

– Emma, é uma questão de honra. Eu não poderia mostrar meu rosto em nenhum lugar se acusasse alguém de trapaça e não encarasse as consequências.

– Sinceramente, acho esse negócio de honra entre cavalheiros superestimado. Pode me chamar de pragmática, mas acho mesmo que a vida de uma pessoa é preferível à honra. Ao menos no que diz respeito a jogos de cartas.

– Concordo, mas não há nada que eu possa fazer a respeito. O fato é que estou devendo 10 mil libras a Woodside.

– Quanto tempo você tem para conseguir o dinheiro?

– Normalmente, eu teria que pagar na hora, mas, como é uma quantia muito alta, ele me deu quinze dias.

– Tanto tempo assim? – perguntou Emma em um tom sarcástico.

– Acho que ele me deu um tempo extra porque está saboreando o fato de que estou nas mãos dele.

– Você provavelmente está certo.

Ned engoliu em seco, agarrando com força o braço da cadeira.

– Woodside disse que esqueceria totalmente a dívida se eu conseguisse arranjar um encontro entre ele e Belle.

Emma sentiu uma onda de raiva consumi-la.

– Eu vou matar esse sujeito! De todas as ideias repulsivas que alguém pode ter… – disse ela, furiosa, indo até a escrivaninha e abrindo as gavetas com força. – Você tem um revólver? – perguntou enquanto revirava suas coisas e jogava papéis no chão. – Só tenho um abridor de cartas…

De repente, um pensamento terrível lhe ocorreu e ela se virou para Ned, muito pálida.

– Você não concordou… não é?

– Pelo amor de Deus, Emma – falou Ned, ofendido. – Que tipo de homem você acha que eu sou?

– Desculpe, Ned. Sei que você não faria isso… só estou muito irritada.

– Não trocaria a inocência da minha irmã por uma dívida de jogo – acrescentou ele, na defensiva.

– Eu sei.

Emma suspirou enquanto tamborilava com os dedos no abridor de cartas ridiculamente pequeno.

– É afiado.

– Você não vai a lugar algum com esse abridor de cartas. E, de qualquer modo, não conseguiria causar muito estrago com isso.

Ela jogou a faquinha de volta em cima da mesa e arriou o corpo na beirada da cama.

– Não contei isso a ninguém, mas tive um embate com Woodside na semana passada.

– É mesmo? O que aconteceu?

– Foi tudo muito estranho. Ele fez vários comentários ofensivos por eu ser americana e não ter um título.

– Desgraçado – xingou Ned, cerrando os punhos.

– Mas não foi só isso. Ele me disse que ia se casar com Belle...

– O quê?

– Juro por Deus. E acho que Woodside realmente acredita nisso.

– O que você disse a ele?

– Eu ri na cara dele. Provavelmente não deveria ter feito isso, mas a ideia de Belle se casar com esse infeliz é absurda demais para ser levada a sério.

– Vamos ter que ficar de olho nele, Emma. Essa obsessão de Woodside com Belle já é péssima, mas agora que você o insultou, ele vai querer se vingar.

Emma lançou um olhar incrédulo para o primo.

– O que ele poderia fazer? Além de tirar 10 mil libras do seu bolso, digo...

Ned gemeu.

– Como eu vou conseguir esse dinheiro, Emma?

– Se cancelarmos a dívida, Woodside não vai ter nada com que pressionar Belle. Temos que bolar um plano.

– Eu sei.

– E quanto aos seus pais?

Ned apoiou a cabeça em uma das mãos, a expressão angustiada.

– Ah, Emma. Não quero pedir dinheiro a eles. Já estou com tanta vergonha do que fiz... não quero que eles se sintam assim também. Além do mais, as economias do papai estão todas comprometidas. Recentemente ele fez um grande investimento em uma plantação no Ceilão. Acho que ele não conseguiria reunir essa quantia tão rápido.

Emma mordeu o lábio inferior, sem saber o que dizer.

– Eu me meti nessa confusão, agora eu tenho que sair dela.

– Com uma ajudinha da sua prima.

Ned deu um sorriso cansado para ela.

– Com uma ajudinha da minha prima – repetiu.

– Bem, talvez seja mesmo melhor que o tio Henry e a tia Caroline não possam ajudar – falou Emma. – Eles ficariam arrasados.

– Eu sei, eu sei.

Ned suspirou, se levantou em um movimento decidido e foi até a janela, para olhar a rua cheia abaixo.

– Seria bem melhor se isso só acontecesse daqui a seis meses – comentou Emma, pensativa.

Ned se virou rapidamente, estreitando os olhos.

– O que vai acontecer daqui a seis meses?

– Meu aniversário de 21 anos. A família da minha mãe me deixou algum dinheiro… não sei se já havia mencionado isso a você. É uma quantia que está investida há um bom tempo e acho que seria suficiente para pagar sua dívida. Mas está em um fundo e não posso tocar nela antes de completar 21 anos. A menos que eu… – A voz de Emma ficou presa na garganta.

– A menos que você o quê?

– A menos que eu me case – falou ela, baixinho.

– Acho que Ashbourne não pediu você em casamento esse fim de semana – falou Ned, parcialmente sério.

– Não – respondeu Emma com tristeza.

– Bem, seja como for, levaria meses para que o dinheiro chegasse da América.

– Na verdade, o dinheiro está aqui em Londres. A minha mãe nasceu na América, mas meus avós emigraram daqui. Meu avô nunca confiou nos bancos das Colônias e manteve a maior parte das economias aqui. Acho que a minha mãe e o meu pai nunca viram motivo para tirar o dinheiro da Inglaterra, mesmo depois da independência dos Estados Unidos.

– Bem, é inútil pensar nisso. Nenhum banqueiro liberaria o dinheiro para você antes da hora.

– A menos que eu me case – disse Emma baixinho, o coração começando a bater um pouco mais rápido.

Ned fitou-a sem entender.

– O que está dizendo, Emma?

– É muito difícil conseguir uma licença especial de casamento?

– Imagino que não, desde que você conheça as pessoas certas.

– Imagino que Alex conheça – comentou Emma, umedecendo os lábios. – Você não acha?

– Você acabou de me dizer que Ashbourne não pediu você em casamento esse fim de semana.

– É verdade – concordou Emma, entrelaçando as mãos. – Mas isso não significa que *eu* não possa *pedi-lo* em casamento.

O olhar de Ned era de pura incredulidade.

– Eu... bem, imagino que você poderia – falou ele lentamente. – Nunca soube de nada parecido antes, mas acho que isso não significa que não possa ser feito.

– Você me acha uma boba... – disse Emma em tom categórico.

– Não, não, não, é claro que não – apressou-se em responder Ned. – Ashbourne é que seria um bobo se recusasse, e isso ele não é, tenho certeza. É que talvez ele fique um pouco surpreso.

– Muito surpreso.

– Surpreso como o diabo – completou Ned, assentindo com a cabeça.

Emma gemeu.

– Ah, meu Deus. Eu fico vermelha só de pensar.

Ned tamborilou com os dedos na parede enquanto analisava momentaneamente o plano.

– Mas você tem certeza de que isso vai funcionar, Emma? Como você vai pedir o sujeito em casamento, fazer com que ele aceite, se casar e conseguir o dinheiro... tudo isso em duas semanas?

Ela pareceu desanimada.

– Acho que eu não conseguiria. Mas imagino que o banco liberaria o meu dinheiro ao saber que estou noiva do duque de Ashbourne. Alex é um homem poderoso.

– Eu sei.

– Tenho certeza de que anunciar o noivado no *Times* já adiantaria. É quase como estar casada. Um cavalheiro jamais abandonaria uma dama depois que o noivado deles fosse anunciado no jornal. E os banqueiros nem sonhariam que alguém pudesse desistir de se casar com um duque.

– E se eles se recusassem a liberar o dinheiro? Banqueiros podem ser muito rígidos em relação a regras e coisas assim.

– Então vou providenciar um casamento rápido. Acho que Alex não se importaria.

Emma ficou brincando com a colcha da cama, os olhos fixos nos dedos, enquanto falava com o primo.

– Só espero ter coragem para isso – disse ela baixinho.

Na mesma hora, Ned estava ao lado dela, passando o braço ao redor dos seus ombros e apertando com suavidade.

– Emma, você não precisa fazer isso por mim. Posso dar um jeito de resolver o problema. Vou procurar um agiota se for preciso. Passarei alguns meses, um ano, talvez, na miséria, mas casamento é para a vida toda. Não posso pedir que sacrifique a sua felicidade dessa forma.

– Mas talvez – sussurrou Emma –, só talvez, eu não estivesse sacrificando minha felicidade.

Emma encarou o primo com intensidade, os olhos violeta cintilando de emoção.

– Entende? Talvez essa seja a única chance que eu tenha de ser feliz.

– Mas, Emma, você tem certeza de que é capaz de fazer isso? Se Alex não pediu você em casamento, o que a leva a pensar que vai aceitar o *seu* pedido?

– Não sei – respondeu Emma com um suspiro. – Acho que terei que convencê-lo a me aceitar, não é mesmo?

⁓

Enquanto isso, em Westonbirt, Alex aproveitava um banho bem quente de banheira. Tinha a sensação de ter ido e voltado do inferno a cavalo nos últimos dias, e todos os seus músculos doíam do esforço. Também estava profundamente irritado com a maldita tempestade que alagara metade da propriedade, derrubara seis árvores e monopolizara a atenção dele por todo o sábado. Lamentavelmente, só conseguira ver Emma no café da manhã e no jantar, e ela havia passado a maior parte do tempo beliscando a comida e evitando qualquer contato visual.

Ela estava nervosa, era só isso. Ele conseguia entender.

Mas o que Alex não conseguia entender era por que ele também estava nervoso. Tudo bem que ele provavelmente disfarçasse melhor do que ela, mas era quase dez anos mais velho do que Emma e com certeza tinha muito mais experiência com o sexo oposto. Era de se esperar que conseguisse se controlar um pouco mais. Mas, mesmo tendo conseguido agir quase naturalmente, Alex não podia negar a enorme ansiedade que o dominava sempre que Emma entrava em um cômodo. Nem podia ignorar como se sentira profundamente desapontado quando acordara naquela manhã e descobrira que ela já havia partido.

Alex gemeu e afundou um pouco mais o corpo na banheira. Precisava descobrir o que sentia exatamente. Depois disso, teria que descobrir o que queria fazer a respeito.

Casamento?

A ideia começava a parecer cada vez mais atraente. Sempre fora sua intenção adiar esse plano até estar mais próximo dos 40 anos. Somente então faria o que todos esperavam dele, se casaria com alguma jovem sem personalidade a quem ignoraria imediatamente. Havia a questão de produzir um herdeiro. Mas, assim que o assunto estivesse resolvido, poderia esquecer a existência dela. Não precisava de uma esposa em seu caminho.

Mas a questão no momento era: ele *queria* Emma em seu caminho. Ele havia saído do seu caminho justamente para tê-la nele. A ideia de ter Emma como esposa apagava tudo o que ele havia pensado a respeito de casamento. Alex sentiu um calor percorrer seu corpo ao pensar em acordar ao lado dela, em não ter que se esgueirar pelos cantos para conseguir um momento a sós. Não fazia muito sentido esperar por uma esposa que ele tivesse prazer em ignorar quando poderia ter uma que não queria ignorar.

E, é claro, havia a questão do herdeiro. O processo já não parecia tedioso se envolvesse Emma. E, pela primeira vez, Alex se pegou pensando seriamente no futuro e tentando visualizar os herdeiros de que a mãe vivia falando. Um menininho com cabelos cor de cenoura. Não, uma menininha com cabelos cor de cenoura – era isso que ele queria. Uma menina bem pequenininha, com cabelos cor de cenoura e grandes olhos violeta, que se atiraria em seus braços gritando "Papai!" quando ele entrasse no cômodo.

Depois disso, ele a colocaria na cama, agarraria a mãe dela, *a* colocaria na cama e se dedicaria com afinco a criar um menininho com cabelos cor de cenoura e grandes olhos violeta.

Bem, parecia que ele já havia se decidido.

Ou teria ficado maluco? Será que estava mesmo pronto para jogar fora uma década de planos por uma ruivinha americana?

Alex gemeu de novo e saiu da banheira, deixando a água escorrer pelo corpo. Pegou a toalha que o valete havia deixado cuidadosamente dobrada em cima de uma cadeira perto da banheira, secou-se rapidamente e foi até o guarda-roupa para pegar um roupão. Depois de vesti-lo, se jogou na cama.

Estava quase certo de que Emma aceitaria se ele a pedisse em casamento. Sabia que ela sentia falta do pai, e que sempre pretendera voltar para a América, mas ele podia ser flexível. Não havia motivo para que não pudessem visitar Boston a cada dois anos mais ou menos. Na verdade, o restante da família dela estava ali em Londres, e Alex sabia que todos desejavam que Emma ficasse na cidade. Na verdade, não queria uma esposa que tivesse se casado com ele por pressão familiar, mas não reclamaria de ter essa ajuda. Haveria bastante tempo para convencer Emma de que ela o amava.

Alex se sentou rapidamente na cama. Ele queria que Emma o amasse? Isso talvez fosse pedir muito. Quando somos amados por alguém – alguém decente e bom, claro – temos a responsabilidade de não machucar o coração dessa pessoa. E, por mais que não tivesse qualquer intenção de magoar Emma, ele sabia que isso poderia acabar acontecendo pelo simples fato de não retribuir o sentimento dela.

Mas é claro que talvez ele retribuísse.

No entanto, havia a possibilidade de Emma não o amar. Na verdade, ela não comentara nada a respeito. Não seria possível retribuir um amor que ela não sentisse, certo?

Mas *ele* poderia amá-la primeiro.

E isso significava que teria que convencer Emma a retribuir seu sentimento.

Era uma questão capciosa de qualquer modo, porque Alex ainda não decidira amá-la.

Ou decidira?

Ele saiu da cama e começou a andar de um lado para o outro no quarto. Havia decidido amar Emma? Não sabia dizer. Além do mais, um homem realmente *decidia* amar uma mulher ou apenas deixava o sentimento amadurecer até que um dia, ao sair da banheira, descobria que a amava havia muito tempo, tanto tempo que nem sabia quando tudo começara, e que na verdade estava apenas lutando contra o inevitável porque se tornara um hábito contrariar a mãe e a irmã?

Deus do céu, ele amava Emma. E agora, o que fazer? Ah, muito bem, ele poderia pedi-la em casamento, e ela provavelmente aceitaria, mas Alex não achava que isso seria o bastante. Não queria que Emma se casasse com ele só por afeto; queria que ela o fizesse por amor, por amá-lo tanto que não conseguiria suportar a ideia de uma vida sem ele. Porque Alex estava começando a perceber que era assim que se sentia a respeito dela.

Talvez devesse sondá-la antes de realmente fazer o pedido, tentar ter uma ideia do que Emma realmente sentia por ele. Não havia pressa. Agora que se comprometera com a ideia do casamento, Alex estava ansioso para tê-la unida legalmente a ele para o resto da vida, mas imaginava que alguns dias não fariam grande diferença. Afinal, se percebesse que ela não poderia retribuir o sentimento, talvez não a pedisse em casamento.

Quem estava querendo enganar? É claro que iria pedi-la em casamento. Nem Napoleão em pessoa conseguiria demovê-lo dessa ideia.

Mas realmente não havia mal algum em esperar só um pouco – mesmo que fosse só para ter tempo de se tranquilizar. Afinal, Emma não iria a lugar algum tão cedo. E ninguém a pediria em casamento nesse meio-tempo. Alex estava certo de que garantira isso. Poucos homens tinham sido corajosos o bastante para convidá-la para dançar duas vezes em uma única noite, quanto mais pedi-la em casamento. Alex tinha marcado território, e estava na hora de reivindicá-lo.

Na próxima sexta-feira estaria ótimo. Ele tinha um evento qualquer para comparecer na quarta-feira. Não conseguia se lembrar onde, mas seu secretário certamente tinha isso anotado em Londres, e Emma com certeza estaria presente. Ele poderia conversar com ela, sondar um pouco o terreno e então arriscar um palpite em relação ao que ela sentia. Na quinta-feira, a mãe dele ofereceria um pequeno jantar e Alex poderia passar algum tempo a sós com ela. A mãe com certeza se esforçava para dar essa oportunidade aos dois sempre que possível. Na manhã de sexta-feira, Alex escolheria um anel de noivado entre as joias da família e se encaminharia à mansão Blydon, onde pediria Emma em casamento e encerraria essa história.

A não ser pelo fato de que não estaria encerrando nada – os lábios de Alex se curvaram em um sorriso tranquilo: ele estaria começando tudo.

CAPÍTULO 15

Deus do céu, em que ela estava pensando?

A terça-feira começou com Emma parada nos degraus da frente da elegante casa de solteiro de Alex, localizada a apenas cinco quarteirões da casa Blydon, em Grosvenor Square. Não era uma casa muito grande – Alex não gostava de receber visitas e Emma supôs que ele planejava se mudar para a mansão da família quando se casasse.

O que ela esperava que acontecesse muito em breve.

Emma ergueu a mão para pegar a aldrava grande de metal, então se virou rapidamente.

– Você poderia ir embora logo? – sussurrou ela.

Ned estava parado a cerca de 2 metros da base da escada.

Ele deu de ombros.

– Alguém precisa acompanhar você de volta para casa.

– Alex pode me acompanhar.

– E se ele não aceitar o pedido de casamento?

– Ned Blydon, essa foi uma observação muito cruel – disse Emma, nervosa, sentindo o coração afundar no peito. – Ele vai aceitar. Eu acho – sussurrou ela.

– O quê?

– Vá embora!

Ned começou a caminhar de costas.

– Já vou, já vou.

Emma viu o primo desaparecer na esquina antes de se voltar novamente para a aldrava de metal que se erguia, enorme, na altura da testa dela. Depois de respirar fundo, levantou a aldrava e deixou-a cair com um baque surdo. O barulho pareceu alto demais para os nervos já sensíveis de Emma, que recuou assustada, e perdeu o equilíbrio na beirada do degrau. Ela agitou os braços, tentando se agarrar ao corrimão, e inclinou o rosto para a frente em um ângulo bizarro.

E foi nessa posição que o mordomo a encontrou quando abriu a porta e abaixou os olhos para ela, parecendo confuso.

– Ah, olá – disse Emma em um tom agudo, com um sorrisinho, enquanto se recompunha o mais rápido possível. – Sua Graça está recebendo visitas?

O mordomo não respondeu imediatamente, preferindo mirá-la de alto a baixo em um julgamento silencioso. Estava claro que era uma dama da alta classe, mas era bastante incomum que uma dama bem-nascida aparecesse desacompanhada para visitar um cavalheiro solteiro. O mordomo avaliava se seria correto permitir que ela entrasse quando Emma fitou-o subitamente com aqueles olhos violeta enormes, e ele perdeu toda a concentração. O homem fechou os olhos por um momento e, indo contra o próprio bom senso, falou:

– Entre, por favor.

Ele levou-a a uma saleta de recepção bem ao lado do saguão de entrada.

– Vou ver se Sua Graça está disponível.

– Quem é, Smithers? – perguntou Alex, distraído, mal levantando os olhos dos documentos que estava examinando.

– Há uma jovem dama desacompanhada que deseja vê-lo, Vossa Graça.

Alex deixou os papéis em cima da mesa, fitou o mordomo com atenção e respondeu:

– Não conheço nenhuma jovem dama capaz de aparecer na minha casa desacompanhada.

Ele pegou novamente os documentos e começou a folheá-los em gestos bruscos.

– Como desejar, Vossa Graça.

Smithers ia saindo da sala, mas parou pouco antes de fechar a porta.

– Tem certeza, Sua Graça?

Alex voltou a pousar os papéis e encarou o mordomo com uma expressão irritada.

– Tenho certeza de quê, Smithers?

– Tem certeza de que não conhece essa dama em particular? Ela parece bastante, hum, ansiosa, Vossa Graça.

Alex decidiu dar mais atenção ao mordomo.

– Como é a dama, Smithers?

– Ela é bem pequena, tem cabelos de uma cor bastante forte.

– O quê? – bradou Alex, e se levantou tão rapidamente que bateu com o joelho na mesa.

As rugas nos cantos dos olhos do mordomo suavizaram ligeiramente.

191

– E tem os maiores olhos violeta que eu já vi desde que a Sra. Smithers faleceu há sete anos.

– Santo Deus, Smithers, por que não disse logo?

Alex saiu em disparada do escritório e quase rolou escada abaixo. O mordomo foi atrás dele a um passo mais lento.

– Não fazia ideia de que o senhor estava interessado na cor dos olhos da minha falecida esposa – disse o mordomo, baixinho, abrindo seu sorriso mais largo nos últimos sete anos.

– Emma! – exclamou Alex, entrando apressado na sala. – O que você está fazendo aqui, pelo amor de Deus? Aconteceu alguma coisa? A sua família sabe que você veio?

Emma umedeceu nervosamente os lábios antes de responder.

– Não, eles não sabem. Somente Ned, que me acompanhou até aqui.

– O seu primo permitiu que você entrasse em minha casa desacompanhada? Ele enlouqueceu?

– Não, embora eu ache que *eu* enlouqueci – admitiu Emma, a voz um pouco desanimada.

Alex não parecia louco de alegria por vê-la. Ela se levantou rapidamente.

– Posso ir embora, se não for um bom momento – disse ela.

– Não! – exclamou Alex em voz alta enquanto atravessava a sala e fechava a porta. – Fique, por favor. Só estou surpreso por vê-la aqui.

– Sei que isso é altamente inapropriado – começou Emma, sem ter a menor ideia de como abordar o assunto do casamento. – Mas queria falar com você em particular, e sei como é difícil conseguir alguns momentos a sós nesta cidade.

Alex ergueu uma sobrancelha. Ele sabia.

– Ned me disse que você voltou ontem. Ele o viu ontem à noite, no White's.

Alex se perguntou se Ned também havia contado a ela que ele passara a noite inteira atormentando-o com perguntas sobre Emma.

Ela se levantou subitamente, ansiosa demais para permanecer sentada. E começou a andar de um lado para o outro, mordendo o lábio inferior em um movimento nervoso.

– Você faz muito isso – comentou Alex, com um sorriso indulgente.

Emma se virou para ele.

– O quê?

– Morder o lábio. Acho muito cativante.

– Ah. Bem, obrigada.

Alex atravessou a sala e segurou-a pelos braços.

– Emma – disse ele em voz baixa, olhando no fundo dos olhos dela. – Por favor, me diga qual é o problema. Você obviamente está bastante perturbada com alguma coisa.

Ela sentiu um nó na garganta quando fitou o verde intenso dos olhos dele. Com a cabeça inclinada para trás em uma posição vulnerável, Emma teve a sensação de que ele conseguia ver nas profundezas de sua alma. Ela engoliu em seco várias vezes, lutando contra a vontade de pressionar o corpo contra o dele e simplesmente se derreter em seus braços. Podia sentir o calor emanando de Alex e desejava desesperadamente senti-lo.

Alex percebeu o desejo começando a nublar os olhos dela, e foi preciso recorrer a toda a força de vontade que tinha para não lhe roubar um beijo imediatamente. Ele não fazia ideia de como acalmar a angústia de Emma, mas com certeza ela não precisava de outro encontro íntimo.

Emma não sabia quanto tempo havia permanecido naquela posição antes de se lembrar de respirar, mas finalmente soltou o ar e disse:

– Preciso conversar com você sobre um assunto, e não consigo pensar claramente com você assim tão perto de mim.

Alex encarou aquilo como um bom sinal.

– É claro – disse ele, solícito, soltando os braços dela e indicando o sofá onde ela estava sentada poucos momentos antes.

Alex passou a mão pelo queixo, pensativo, e começou a avaliar a situação. Havia planejado pedir Emma em casamento na sexta-feira, mas poderia muito bem fazer aquilo ali mesmo. Ela também devia sentir alguma coisa por ele, senão não teria ousado aparecer sozinha na casa dele. Além disso, ali ele teria mais chance de beijá-la loucamente depois que ela dissesse sim (o que ele rezava para que acontecesse) do que na casa dos primos de Emma, onde havia planejado anunciar sua intenção. Esperaria apenas que ela dissesse o que a estava perturbando tanto e então a pediria em casamento. Seria um grande momento.

Emma foi até o sofá e se sentou na beirada.

– Alex – falou, inclinando-se para a frente. – Preciso lhe pedir uma coisa e tenho medo de que você diga não.

Alex se sentou em uma cadeira perto do sofá e também inclinou o corpo para a frente, de modo que seu rosto ficou bem próximo do dela.

– Você nunca vai saber se não perguntar.

– Tenho ainda mais medo de que você diga sim – murmurou ela.

Alex ficou intrigado, mas não disse nada.

Emma respirou fundo, engoliu em seco e endireitou os ombros. Ela imaginara que aquilo não ia ser fácil, mas jamais imaginou que se sentiria tão apavorada enquanto tentava dizer as palavras.

– Alex – falou subitamente, e sua voz saiu alta demais.

Ela voltou a engolir em seco e procurou falar um pouco mais baixo.

– Alex – repetiu. – Preciso... quer dizer, quero... não, não.

Ela levantou os olhos muito grandes e luminosos para ele.

– Isso é muito difícil para mim.

– Estou percebendo – falou Alex em um tom solidário.

Emma acabaria deixando o lenço que tinha nas mãos em farrapos.

– Alex, eu gostaria de pedir a sua mão em casamento.

As palavras saíram muito rapidamente, e ela soltou o ar de repente, sem nem mesmo se dar conta de que estava prendendo a respiração.

Alex piscou, confuso, mas, exceto pelas pálpebras, não mexeu um músculo.

Emma o encarou, ansiosa.

– Alex?

– Você acabou de me pedir em casamento?

Ela começou a torcer o tecido da saia verde na mão, sem coragem de voltar a encará-lo.

– Sim.

– Foi o que imaginei.

Alex se recostou na cadeira, de repente, bastante surpreso. Acabara de se convencer de que já estava na hora de pedir Emma em casamento e ela se adiantara. Uma vozinha no fundo de sua mente lhe dizia que aquilo era uma coisa boa, que, se Emma realmente o pedira em casamento, aquilo provavelmente queria dizer que ela teria aceitado quando ele finalmente viesse a fazer o mesmo. Mas uma voz ainda mais alta, não tão no fundo de sua mente, dizia que aquilo era muito errado, que ela de algum modo tinha negado a ele algo que ele queria muito fazer. Alex vinha ensaiando o pedido sem parar havia dois dias. Não conseguia dormir à noite porque não parava de imaginar todos os cenários possíveis. Havia pensado seriamente em se apoiar em um dos joelhos e tudo o mais. Em vez disso estava apertado em uma cadeira pequena demais para ele enquanto Emma permanecia inclinada tão precariamente na pontinha do sofá que Alex temia que ela fosse cair.

– Emma, tem certeza de que sabe o que está fazendo? – perguntou ele por fim.

Ela pareceu murchar. Aquela não era uma reação muito positiva.

– O que eu estou querendo dizer – continuou Alex – é que normalmente é o homem que pede a mulher em casamento.

– Eu não poderia simplesmente ficar esperando que você resolvesse me pedir em casamento – disse ela, um pouco tímida. – *Se* você resolvesse me pedir em casamento.

– Você não teria tido que esperar muito tempo – murmurou ele.

Emma obviamente não o escutou, porque não pareceu menos ansiosa.

– O problema é que preciso me casar com você o quanto antes.

Alex achou o comentário muito intrigante, já que eles não haviam realizado o ato que costuma exigir que uma mulher se case o quanto antes com um determinado homem.

– Isso é muito incomum – disse Alex, balançando a cabeça.

– Sei disso – improvisou Emma –, mas você me diz com frequência que sou uma mulher incomum.

– Na verdade, nunca fiquei sabendo de uma mulher que tenha pedido um homem em casamento – comentou Alex, medindo as palavras com cuidado. – Não acho que seja exatamente *ilegal*, mas simplesmente não se faz.

Emma revirou os olhos. Estava começando a entender o que estava acontecendo ali. Havia ferido o orgulho masculino de Alex. Normalmente estaria achando graça disso, mas a felicidade de toda a sua vida estava em jogo. Alex estava sentado diante dela, sentindo pena de si mesmo porque ela havia roubado alguma espécie de direito inato masculino, sem sequer parar para pensar em quanta coragem fora necessária para ir até a casa dele desacompanhada e pedi-lo em casamento. Não havia sido criada para enfrentar uma situação como aquela. Ainda assim, havia decidido que um deles teria que ser maduro o bastante para isso e esse alguém podia muito bem ser ela.

– Sinceramente, Alex – disse ela com um sorriso doce. – Você deveria se sentir lisonjeado. É raro para um homem que uma mulher esteja tão encantada por ele a ponto de desafiar as convenções.

Alex a encarou surpreso.

– Eu pretendia pedi-la em casamento na sexta-feira – disse ele em um tom ligeiramente petulante. – Já havia até ensaiado o que iria dizer.

– Você ia mesmo? – perguntou Emma, alegre. – De verdade? Ah, Alex, estou tão feliz!

Incapaz de se conter, ela se levantou de um pulo do sofá, se ajoelhou diante de Alex e pegou as mãos dele.

Alex baixou os olhos para ela, a expressão ainda um pouco contrariada.

– Eu estava realmente animado com a ideia de fazer o pedido. Nunca fiz isso antes, como você deve imaginar. E agora não vou ter a oportunidade...

Emma abriu um sorriso encantado e apertou as mãos dele.

– Você ainda pode me pedir em casamento. Prometo que vou aceitar.

Alex suspirou e de repente a encarou, muito sério.

– Não estou sendo muito agradável, não é?

– Não – admitiu Emma –, mas realmente não me importo. Estou feliz demais por você querer se casar comigo.

– Eu ainda não aceitei, sabia?

Emma o encarou, carrancuda.

– Mas vou aceitar, eu acho, se tiver o encorajamento necessário.

– E qual seria esse *encorajamento*, Vossa Graça?

Alex olhou para o teto com uma expressão de falsa inocência.

– Ah, não sei. Um beijo seria um bom começo.

Emma se inclinou para a frente e apoiou as mãos nos braços da cadeira dele.

– Você vai ter que cooperar – disse, sentindo-se extraordinariamente ousada agora que ele aceitara a sua proposta.

Alex se inclinou, suas mãos cobriram as dela.

– Pode contar comigo.

Ele parou de repente, com a boca dolorosamente próxima.

– Ah, Alex.

Emma suspirou e roçou os lábios nos de Alex muito delicadamente, encantada ao se dar conta de que aquela era a primeira vez que ela tomava a iniciativa e achando que talvez fosse o mais doce de todos os beijos exatamente por isso.

– Fico muito feliz por ter pensado em fechar a porta – comentou Alex, sorrindo, enquanto enfiava o nariz no pescoço dela. – Embora...

As palavras se perderam quando ele afastou a cabeça, relutante, e virou o pescoço até estar de frente para a porta da saleta.

– Smithers! – gritou abruptamente. – Pode tirar o ouvido da porta! Já ouviu tudo o que queria ouvir, agora suma!

– Imediatamente, senhor – foi a resposta abafada.

Emma não conseguiu conter uma risada quando ouviu passos desaparecendo pelo corredor, escadas acima.

– Ele vem tentando fazer com que eu me case há anos – explicou Alex. – Agora, onde estávamos?

Ela abriu um sorriso sedutor.

– Acho que estávamos prestes a passar para o sofá.

Alex gemeu. Esperava que Emma não tivesse planos para um noivado longo. Ele se levantou da cadeira, puxou-a para que ficasse de pé, então levantou-a e colocou-a no sofá.

– Ah, meu bem – disse ele, sentando-se ao lado dela. – Senti tanto a sua falta.

– Você me viu três dias atrás.

– Isso não significa que não senti sua falta.

– Também senti a sua – confessou Emma timidamente. – Quando não estava tendo uma crise de nervos diante da possibilidade de vir até aqui hoje.

– Estou muito feliz por você ter vindo.

Alex roçou novamente os lábios contra os dela, aprofundando o beijo daquela vez, deixando a língua correr pelos dentes lisos. Quando Emma deixou escapar um leve suspiro, ele tirou vantagem do momento e aprofundou o beijo, deleitando-se com o sabor dela.

– Estou muito feliz com a ideia de que casamentos duram a vida toda – falou Emma, baixinho, junto à boca dele. – Porque acho que jamais vou me cansar dos seus beijos.

Ela se afastou ligeiramente e levou a mão ao rosto dele.

– Você faz com que eu me sinta tão linda.

– Você *é* linda.

– É muito gentil da sua parte, mas cabelos ruivos estão lamentavelmente fora de moda. Mesmo assim, acho impossível alguém se sentir tão bonita quanto eu me sinto neste momento.

Alex a fitou com ternura. A pele clara e delicada estava ruborizada de desejo, e os olhos muito abertos e cintilantes eram emoldurados pelos cílios mais longos que ele já vira. E os lábios de Emma, Deus, nunca pareceram tão rosados antes, nem tão cheios.

– Então você deve mesmo se sentir muito linda, Emma. Porque eu nunca vi na vida algo tão belo quanto você neste momento.

Ela sentiu um calor agradável percorrer todo o seu corpo.

– Ah, Alex, por favor, me beije de novo.

– Com prazer, meu amor.

Ele levou as mãos ao rosto dela, puxando-o para mais perto. Emma não ofereceu qualquer resistência e Alex mergulhou a língua em sua boca, acariciando a maciez ali dentro. Ela o imitou timidamente, explorando a boca masculina com curiosidade.

Alex achou que as carícias hesitantes de Emma o matariam, mas queria mais. Ele a puxou para junto de si com ardor, pressionando o corpo dela intimamente contra o dele, acariciando-a incontrolavelmente.

Emma gemeu de prazer, mal conseguindo acreditar nos tremores de alegria que percorriam seu corpo. Quando achou que não era capaz de suportar mais, Alex pousou a mão em seu seio, apertando muito de leve. Uma chama parecia queimá-la através do tecido, fazendo sua pele arder. Alex a estava marcando como sua futura esposa. Ela sentiu que perdia lentamente o controle. Tudo em que conseguia pensar era ficar o mais colada possível a ele, tocando cada centímetro do corpo dele.

Quando Emma já estava prestes a se perder totalmente, Alex se afastou com muita, muita relutância.

– Meu bem – falou ele, com um cavalheirismo que nem sonhava possuir –, vou parar agora antes de chegarmos a um ponto em que não conseguirei mais me conter. Entende?

Ela assentiu, trêmula.

– Quero que a nossa noite de núpcias seja perfeita. Então você será minha de todas as formas.

– E você será meu – disse Emma, baixinho.

Alex deu um beijo carinhoso nos lábios dela.

– Sim, é verdade. Será o momento mais lindo das nossas vidas, eu prometo, e não quero estragá-lo de forma alguma. Agora, se não se importa, acho que gostaria de abraçá-la por um instante antes de ser forçado a levá-la de volta para casa.

Emma assentiu de novo, incapaz de encontrar palavras que expressassem as emoções que a dominavam. Nunca sonhara que fosse possível uma mulher se sentir tão plena de alegria como ela se sentia naquele momento.

Lentamente, Emma se deu conta de que Alex ainda não dissera que a amava, mas a verdade era que ela também não dissera, o que não diminuía em nada seu sentimento por ele. Além do mais, conseguia sentir o amor dele, quase tocá-lo. Ao longo dos últimos meses, Emma passara a conhecê-lo muito bem. Ele não conseguiria abraçá-la daquele jeito se não a amasse ao menos um pouco. E, com o tempo, ela sabia que as palavras viriam. Talvez precisasse reunir coragem para dizê-las primeiro. Mas não poderia ser tão difícil, não é mesmo? Afinal, já o pedira em casamento. Nada poderia ser mais assustador do que isso, e ela se saíra muito bem. Teria que esperar um pouco mais para falar de amor. Por ora, estava satisfeita apenas em ficar nos braços dele. Tinha encontrado seu lar.

Depois de alguns minutos, Alex lembrou que era preciso levar Emma de volta para casa. Ela havia dito que Ned a acompanhara até ali – Alex não queria nem imaginar o que Emma havia feito para convencer o primo a fazer isso. De qualquer modo, ele sabia que Ned voltaria se ela demorasse demais. E, se isso acontecesse, toda a família Blydon acabaria envolvida. E a confusão se instalaria. Todos ficariam felizes, é claro, depois que ele informasse do casamento iminente, mas Alex achava que aquele não seria um começo muito auspicioso para a vida do casal.

Assim, lamentando muito, ele cutucou o ombro de Emma.

– Acorde, meu bem. Lamento, mas tenho que levá-la de volta para casa.

– Gostaria que você não precisasse fazer isso.

– Eu também, pode acreditar. Mas a última coisa que queremos é toda a sua família em cima de nós.

Emma bocejou e se desvencilhou lentamente dos braços de Alex.

– Detesto a realidade.

Alex riu.

– O que acha da próxima semana?

– O que acho da próxima semana para quê?

– Para o nosso casamento, tolinha.

– Na próxima semana? Você ficou maluco?

– Obviamente.

– Alex, não tenho como planejar um casamento até a semana que vem.

Então Emma se lembrou de que o pedira em casamento justamente porque precisava se casar o quanto antes.

Mas Alex já cedera.

– Duas semanas então.

– Está certo – falou ela lentamente. – Tia Caroline vai ter uma síncope. Tenho certeza de que ela vai querer um evento grandioso.

– Você quer um evento grandioso?

Emma fitou-o e sorriu.

– Sinceramente, eu não me importo – disse ela com um suspiro.

Tudo o que ela realmente queria era Alex. Embora, agora que pensava a respeito, sempre tivesse sonhado com um vestido lindo, no qual se via descendo a nave de uma igreja para encontrar seu futuro esposo.

– Sem ser neste sábado, o próximo – disse Emma rapidamente, torcendo para ser capaz de encontrar uma modista disposta a trabalhar em um prazo tão curto.

– Muito bem. Vou cobrar.

Emma deu uma risadinha.

– Por favor, faça isso.

Alex ainda estava curioso com o comentário dela de ter que se casar com ele o quanto antes. Fosse qual fosse o problema, era algo tão urgente que a fizera desafiar todas as convenções.

– Emma, eu tenho uma pergunta a lhe fazer – disse ele, tocando o queixo dela de leve.

– Sim?

– O que levou você a me pedir em casamento?

– O que me *levou*? Bem, na verdade é tudo uma grande tolice, e eu poderia simplesmente matar Ned por isso, embora deva dizer que no fim deu tudo muito certo. Eu realmente não poderia estar mais feliz.

Emma ergueu os olhos e deu um sorriso tímido.

– A questão é que eu precisava de dinheiro, e não posso usar o meu...

Então Emma parou abruptamente, horrorizada com a mudança que acabara de ver em Alex. Todo o corpo dele pareceu ficar tenso, como se preparado para um embate físico, e seu rosto era como uma máscara de granito, duro e indecifrável. Emma cambaleou um passo para trás, com a sensação de ter quase sido empurrada pela expressão implacável.

– Alex? Algum problema?

Alex sentiu uma fúria ardente consumi-lo e se viu incapaz de falar. Aquilo latejava em sua mente, bloqueando a razão. *Eu precisava de dinheiro eu precisava de dinheiro eu precisava de dinheiro.* As palavras de Emma ecoaram implacáveis, na cabeça dele, e os muro ao redor do seu coração, que ela tão recentemente botara abaixo, começaram a se reerguer. Como podia ter sido tão tolo? Ele achou que finalmente havia encontrado uma mulher que parecia realmente gostar dele, que não se importava com os bens materiais e o prestígio que acompanhavam seu nome. Ele chegou a crer que estava apaixonado por ela... Que idiota. No fim, Emma provara ser exatamente como todas as outras. Alex não conseguia acreditar que ela realmente admitira que tudo o que queria era dinheiro. Aquilo, supôs, era um ponto a favor de Emma, porque ao menos não fora dissimulada como o restante delas.

Alex a encarou friamente, e seus olhos cintilavam como duas pedras de gelo cor de esmeralda.

– Vá embora – disse, a voz rouca, praticamente cuspindo as palavras.

Emma sentiu todo o sangue fugir de seu rosto e, por um momento, achou que fosse desmaiar.

– O quê? – perguntou ela, sem ar, incapaz de acreditar que tinha ouvido direito.

– Você me ouviu. Quero que vá embora.

– Mas o que...

Emma mal conseguiu pronunciar as palavras.

– Pode considerar nulo e revogado qualquer acordo a que tenhamos chegado aqui hoje.

A voz dele também era fria. Ele a agarrou pelo braço e começou a levá-la na direção da porta. Emma sentiu lágrimas quentes marejando seus olhos e se esforçou para evitar que escorressem enquanto Alex a arrastava pela sala.

– Alex, por favor – pediu ao sair tropeçando da saleta e chegar ao saguão principal. – Qual é o problema? O que houve? Por favor, me diga. Por favor!

Alex virou-a para que o encarasse, e a expressão dela era dura.

– Sua megerazinha gananciosa.

Emma teve a sensação de ter sido esbofeteada.

– Ah, meu Deus – sussurrou ela, sem conseguir mais conter as lágrimas, que escorriam livremente.

– Espere do lado de fora – disse ele, rudemente, empurrando-a até o degrau da frente. – Vou conseguir uma carruagem para levá-la para casa.

Então deu as costas a ela e entrou em casa. Mas parou de repente e se virou.

– Nunca mais volte aqui.

Ainda parada nos degraus, Emma se perguntou se teria morrido. Então enxugou algumas lágrimas, respirou fundo o ar fresco algumas vezes e tentou recuperar o equilíbrio. Ela precisava sair dali. A última coisa que queria era voltar para casa na carruagem dele. Cobriu a cabeça com o xale para esconder os cabelos ruivos, desceu os degraus às pressas e saiu andando.

CAPÍTULO 16

Caminhar sozinha até sua casa deu a Emma tempo para avaliar a malfadada conversa com Alex. E ela não demorou a entender exatamente o que acontecera. Belle lhe havia contado sobre a primeira incursão de Alex na alta sociedade, e Emma sabia que ele ainda era incansavelmente assediado por causa de seu título e sua riqueza. Também sabia que Alex detestava mulheres que o desejavam por essas razões.

Emma se deu conta de que, ao ser questionada sobre sua motivação, dera a pior resposta possível. Praticamente a primeira palavra que saíra de sua boca fora "dinheiro". Mas, pensou ela, com raiva, ele havia perguntado o que a *levara* a pedi-lo em casamento, não *por que* ela queria se casar com ele. Se Alex tivesse perguntado *por que*, Emma provavelmente teria engolido o orgulho e confessado que o amava, rezando para que ele respondesse que sentia o mesmo.

Mas o fato de entender a reação de Alex não significava que o perdoasse por sua injustiça. Ele jamais deveria ter tirado uma conclusão tão rápida e tão cruel sobre ela. Emma achou que tinham construído uma relação mais sólida do que aquilo. Acreditara que Alex era seu amigo, não apenas mais um admirador. E, como amigo, ele deveria ter confiado nela o bastante para ao menos perguntar a que ela se referia quando dissera ter agido por dinheiro. Se ele realmente gostasse dela, teria percebido que havia mais no que ela estava dizendo do que simplesmente ganância. E teria lhe dado a chance de explicar a situação delicada em que Ned se encontrava.

Emma respirou fundo, tentando conter as lágrimas que ameaçavam rolar. Se Alex não confiava nela como amiga, ela não via como ele poderia confiar nela como esposa. E isso provavelmente significava que ele não a amava.

Emma apressou o passo quando dobrou a última esquina que levava ao quarteirão onde morava. Não tinha dúvida de que Alex acabaria recuperando o bom senso e se dando conta do que acontecera. A teimosia dele fazia páreo com a dela, mas Alex haveria de notar que a imagem de Emma como uma alpinista social interessada no dinheiro dele simplesmente não se sustentava à luz de dois meses de amizade sólida. Ele talvez até se desculpasse. Mas Emma achava que não seria capaz de perdoá-lo por não ter confiado nela. Eles poderiam ter sido muito felizes juntos. Teriam tido um casamento maravilhoso. Bem, pensou ela maldosamente, ele mesmo arruinara a própria chance de felicidade.

Infelizmente, arruinara a dela também.

E foi por esse motivo que, quando finalmente entrou pela porta da frente da casa dos Blydons, Emma só conseguiu se conter pelo tempo necessário para subir correndo a escada até o quarto, onde explodiu em lágrimas. Trancou a porta com um movimento rápido do pulso, se jogou na cama e encharcou a fronha em minutos.

Emma chorou com soluços altos, de rasgar o peito, que faziam todo o seu corpo estremecer e pareciam retorcer sua alma. Não se deu conta do barulho que estava fazendo, tampouco percebeu as batidas hesitantes na porta – primeiro Ned, depois Belle e, finalmente, Caroline. Um pedaço do seu coração havia sido arrancado naquela tarde, e Emma chorava sua perda. Nunca mais confiaria no próprio julgamento no que se referia aos homens. E a parte mais angustiante disso tudo era saber que ainda o amava. De certa forma, Alex a traíra, e ainda assim ela o amava. E não achava que deixaria de amá-lo algum dia.

E doía demais. O pai lhe dissera que o tempo cura todas as feridas, mas Emma se perguntava se ainda tinha tempo de vida suficiente para sarar aquela dor imensa dentro do peito. Alex a ferira. Profundamente.

Mas, quando as lágrimas lentamente começaram a cessar, outra emoção se juntou à tristeza, à mágoa e à dor: raiva. Uma raiva pura e implacável. Como ele ousara tratá-la de forma tão insensível? Se Alex não conseguia confiar nela, a mulher com quem supostamente queria passar o resto da vida, devia ser um homem mais frio, mais cruel e mais cínico do que a aristocracia londrina jamais poderia supor. Ele que vivesse o resto da vida sozinho, com aquele coração de pedra.

Ela estava com ódio.

Quando finalmente destrancou a porta e Ned caiu cambaleando dentro do quarto, seus olhos ainda estavam vermelhos e injetados, mas ela não chorava mais. Estava fumegando de raiva.

Ned entrou e fechou a porta rapidamente.

– Pelo amor de Deus, o que aconteceu? Você está bem? – perguntou ele, segurando-a pelos ombros e examinando atentamente o rosto da prima. – Ele a machucou?

Emma desviou o olhar. A preocupação do primo com seu bem-estar aplacou a maior parte da explosão de raiva que a dominava.

– Não fisicamente, se é a isso que se refere.

– Ele recusou seu pedido de casamento, não foi? – presumiu Ned. – Que idiota. Qualquer tolo percebe que o homem está apaixonado por você.

– Acho, então, que ele é o mais tolo de todos – tentou brincar Emma. – Porque ele mesmo não sabe disso.

Ela atravessou o quarto e ficou olhando para fora da janela por um instante, sem realmente prestar atenção, antes de enfim se voltar para o primo.

– Sinto muito mesmo, Ned. Sei quanto você precisa do dinheiro. Mas acho que agora não vou conseguir ter acesso a ele – disse Emma, e deixou escapar uma risadinha amarga. – A menos que *você* se case comigo, é claro.

Ned a encarou, espantado.

– Embora eu não ache que combinaríamos como casal – continuou ela com ironia. – Sinceramente, acho que eu cairia na gargalhada se você tentasse me beijar. Não daria certo. Sinto muito.

– Pelo amor de Deus, Emma! – explodiu Ned. – Eu não me importo com o dinheiro. Não sou um pobretão. Vou dar um jeito de conseguir.

Ned foi até ela e puxou-a para um abraço fraternal.

– Estou preocupado é com você. Aquele desgraçado a magoou, não foi?

Emma assentiu, sentindo-se ligeiramente melhor agora que Ned a abraçava – um abraço fazia maravilhas por um coração partido.

– Na verdade, a única coisa que me impede de chorar neste exato momento é a raiva que estou sentindo dele. E também – acrescentou timidamente – chorei tanto que acho que desidratei.

– Aceita um copo d'água?

– Aceito, sim.

– Espere um instante, vou chamar uma criada.

Ned levou Emma até a cama, onde ela se sentou obedientemente, então atravessou o quarto e abriu a porta.

Belle cambaleou para dentro.

– Ah, pelo amor de Deus, Belle – disse Ned, irritado. – Você estava ouvindo atrás da porta?

Belle se levantou do chão com o máximo de dignidade que conseguiu, que não era muita, levando-se em consideração que havia caído de barriga no chão.

– O que você esperava? – retrucou ela, exasperada. – Vocês passaram os últimos dois dias se esgueirando pela casa, obviamente conspirando para levar adiante algum plano nefasto, e não tiveram a decência de me incluir.

Belle bufou para Ned e Emma, as mãos plantadas na cintura.

– Não ocorreu a nenhum dos dois que eu talvez pudesse gostar de saber o que está acontecendo? Não sou idiota, sabiam? Eu poderia ter ajudado – disse ela, e fungou com desdém. – Ou ao menos me divertiria tentando.

Emma apenas fitou a prima com o olhar perdido.

– Não havia nenhum plano nefasto – disse, finalmente.

– E, seja como for, não era da sua conta – falou Ned, rabugento.

– Tolice – retorquiu Belle. – Se fosse só problema *seu*, não seria da minha conta. E se fosse só problema de *Emma*, não seria da minha conta. Mas se o problema é de *vocês dois*, então é da minha conta, sim.

– O modo como o seu raciocínio funciona é impressionante – comentou Ned, com ironia.

– Eu me esqueci completamente do que estávamos falando – acrescentou Emma.

– É claro! – falou Belle em um tom dramático e ao mesmo tempo com certa ironia. – Então eu chego em casa do parque hoje e descubro a minha única prima aos prantos, trancada no quarto, e, quando tento consolá-la, o meu caríssimo irmão me impede dizendo "É melhor deixar Emma em paz. Você nem sabe por que ela está aborrecida. Saia daqui".

Emma se virou para Ned, com as sobrancelhas erguidas de curiosidade.

– Você realmente disse "Saia daqui"? Que coisa horrível.

– Ora, eu posso ter dito – respondeu Ned, na defensiva. – Caso não se lembre, você parecia estar morrendo aqui dentro. Eu estava muito preocupado.

Emma se levantou, virou-se para Belle e pegou as mãos da prima.

– Sinto muito por você ter se sentido excluída, Belle. Com certeza não foi essa a nossa intenção. O fato é que Ned estava com um problema, eu tinha a solução, e tudo aconteceu tão rápido que nos esquecemos de contar a você.

– E me desculpem pela cena que eu fiz – falou Belle, envergonhada. – Mas agora precisam me contar o que está acontecendo.

– O que você quer saber? – perguntou Emma – O problema ou a solução?

– As duas coisas.

– Ora, para resumir, eu pedi Alex em casamento.

Belle afundou na cama, quase puxando Emma com ela.

– O quê?

– E o desgraçado recusou – acrescentou Ned, furioso.

– Ele o quê? Não, ele não fez isso.

– Fez, sim – confirmou Emma, assentindo lentamente.

– Por quê? – perguntou Belle, incrédula.

– Na verdade, isso é um pouco pessoal – disse Emma, hesitante, então apressou-se a acrescentar: – E não contei nada a Ned a respeito.

– Mas por quê? Você não poderia esperar que ele fizesse o pedido? É assim que costuma acontecer. Tenho certeza de que Alex a pediria em casamento, mais cedo ou mais tarde.

– Na verdade, eu não tinha muito tempo.

– Como assim, Emma? Você não é exatamente uma solteirona.

– É aí que eu entro – adiantou-se Ned. – Emma estava se sacrificando no altar do casamento por minha causa.

Belle recuou e olhou para Emma sem entender.

– Você faria isso por Ned?

– De qualquer modo – continuou Ned em um tom alto, fazendo questão de ignorar a implicância da irmã. – Eu me meti em uma confusão. Uma dívida de jogo.

– Quanto? – perguntou Belle sem rodeios.

– Dez mil libras.

– O quê?! – exclamou Belle, com a voz aguda.

– Essa foi exatamente a minha reação – murmurou Emma.

– Você ficou louco?

– Escute, eu já ouvi tudo isso de Emma – falou Ned com um suspiro. – Basta dizer que Woodside estava trapaceando.

– Ah, não, não o visconde Benton – disse Belle com um gemido. – O homem é um porco.

– Ele é pior do que você pensa – acrescentou Emma. – Ele ofereceu trocar o pagamento da dívida por você.

– Por mim? Ah, não, você não está querendo dizer que...

– Na verdade, acho que ele quer se casar com você, Belle. E provavelmente

207

achou que comprometer sua virtude seria a única maneira de fazer com que você concordasse.

Belle estremeceu.

– Estou me sentindo extremamente suja de repente. Acho que gostaria de tomar um banho.

– Eu tenho um pouco de dinheiro que a família da minha mãe deixou – explicou Emma. – Pensei em dá-lo a Ned, para que ele não precisasse contar aos seus pais a respeito da dívida, mas não posso tocar nessa soma antes de me casar.

– Ah, meu Deus – sussurrou Belle. – O que vamos fazer?

– Acho que não tenho escolha – disse Ned. – Terei que recorrer a um agiota.

– A menos que... – disse Emma, pensativa, as palavras se perdendo no caminho.

– A menos que o quê? – perguntou Ned, atento. – A última vez que você disse "a menos que" foi quando decidiu pedir Ashbourne em casamento. A única coisa que conseguiu com isso foi um coração partido.

A menção ao seu estado emocional abalado quase fez uma lágrima rolar pelo rosto de Emma, mas ela piscou rapidamente para afastá-la.

– Seu idiota – sussurrou Belle, chutando a canela do irmão.

– Desculpe, Emma – desculpou-se ele na mesma hora. – Eu não deveria ter dito isso. Não era para soar assim.

– Está tudo bem – falou Emma baixinho, olhando por cima do ombro para não ter que encarar os primos enquanto recuperava a compostura. – É que estávamos aqui conversando e tudo parecia tão... não sei... normal. Quase esqueci que estava triste. Você apenas me lembrou de como estou me sentindo, só isso.

– Desculpe – repetiu Ned.

– Está tudo bem. Tenho certeza de que vou me lembrar disso uma centena de vezes antes de dormir hoje à noite. Assim como tenho certeza de que vou morrer de raiva outra centena de vezes. Mas talvez, apenas por enquanto, vocês dois possam me ajudar a esquecer.

– Muito bem! – disse Belle rapidamente, retomando o rumo da conversa.– Você tinha dito "a menos que". Acho que pensou em algum plano.

Emma ficou olhando pela janela por mais um instante, antes de finalmente responder.

– Ah, sim. Certo. Vou dizer o que acho que devemos fazer.

Belle e Ned se inclinaram para a frente, em expectativa.

– Acho que deveríamos roubar a promissória que Ned assinou para Woodside.

– O quê? – perguntaram os primos de Emma em uníssono, incrédulos.

– Se Woodside não tiver a promissória, não vai poder cobrar a dívida. Nem conseguirá convencer ninguém de que Ned não a pagou. É um belo plano.

– Talvez funcione – disse Ned, pensativo. – Quando você pretende fazer isso?

– É melhor começarmos imediatamente. Não temos muito tempo, e não sabemos quantas vezes teremos que tentar antes de achar o papel.

– Mas como vamos ter certeza de que ele não estará em casa quando você for roubar a promissória? – perguntou Belle. – Acho que ele não sai toda noite. E eu com certeza não conheço muito bem os hábitos do visconde para conseguir prever quando, e se, ele vai sair.

Emma olhou nos olhos da prima.

– É aí que você entra – falou, em um tom decidido.

Belle se encolheu visivelmente.

– Não estou gostando nem um pouco...

– Ah, pelo amor de Deus, Belle. Não estou pedindo para se prostituir. Só o que precisa fazer é mandar um bilhetinho em tom de flerte para Woodside dizendo que está ansiosa para vê-lo no...

Emma mordeu o lábio e levantou os olhos enquanto examinava mentalmente sua agenda de compromissos.

– No baile de lady Mottram, amanhã à noite. Já sabemos que ele está completamente obcecado por você. Não tenho dúvida de que o homem vai correr para encontrá-la no baile. Basta fingir e mantê-lo entretido por algumas horas enquanto entramos na casa dele e pegamos a promissória.

– E como você sugere que eu faça isso? Ele provavelmente vai achar que Ned decidiu sacrificar a minha virgindade por 10 mil libras.

– Melhor ainda – disse Emma, assentindo. – Nesse caso, Woodside com certeza não vai sair do baile antes de você.

– Só não deixe que ele a arraste para o jardim – aconselhou Ned.

– Ou para uma varanda – acrescentou Emma. – Varandas com frequência são pouco iluminadas. Já ouvi dizer que muita coisa acontece nelas.

– O que devo dizer quando as pessoas perguntarem por vocês dois? – indagou Belle. – Porque vocês sabem que vão perguntar. Acho que não fui a um único baile sozinha em toda a temporada.

– Você não estará sozinha – retrucou Emma. – Tenho certeza de que a sua mãe e o seu pai estarão lá também.

– Ora, devo dizer que *isso* é reconfortante – disse Belle, destilando sarcasmo em cada palavra. – Não acha que eles ficarão ao menos um pouco curiosos me vendo passar tanto tempo com um homem que desprezo completamente?

– Belle, você é uma mulher inteligente – declarou Ned em um tom decisivo. – Tenho certeza de que vai pensar em alguma coisa.

– Ninguém vai questionar a ausência de Ned – comentou Emma. – Ele é homem, e os homens podem ir aonde quiserem. Quanto a mim, ora, pode-se dizer que não estou me sentindo muito bem. Meu afastamento de Alex provavelmente será o assunto do momento até o baile e todos vão mesmo esperar que eu esteja de coração partido.

– Essa vai ser a missão mais horrível, repulsiva e desprezível que já assumi – declarou Belle com um suspiro, com a expressão de quem acabara de tomar um copo de leite azedo.

– Mas você aceita? – perguntou Emma, esperançosa.

– É claro que sim.

Alex passou a noite de terça-feira com uma garrafa de uísque à mão.

Em algum ponto de seu estupor alcoólico, ele se pegou encantado com o maravilhoso talento de Emma como atriz. Ela certamente precisava ser muito boa para ter conseguido enganá-lo por dois meses inteiros. Ele estivera tão certo de que a conhecia bem, de que a conhecia de verdade tal e qual conhecia Dunford, Sophie e a mãe dele. Emma havia se tornado uma parte tão integral da vida de Alex que ele com frequência era capaz de prever o que ela ia dizer antes mesmo que abrisse a boca. Quem teria imaginado que havia uma mente estratégica tão perspicaz por trás das madeixas ruivas? Ou que ela provavelmente era a pessoa que subia mais rápido em árvores em todas as Ilhas Britânicas? (Ele não vira aquilo pessoalmente, mas Belle e Ned juravam que era verdade.)

Com certeza uma mulher que conseguia escalar uma árvore, colocar uma minhoca em um anzol (sim, ele ouvira tudo sobre isso também) e calcular uma longa divisão matemática com enorme facilidade não poderia ser uma megerazinha gananciosa como ele a acusara de ser naquela tarde.

Mas quando ele perguntara a Emma o motivo de tê-lo pedido em casamento, ela dissera na mesma hora: dinheiro.

No entanto, a verdade era que nenhuma mulher que estivesse interessada em se casar apenas por dinheiro admitiria isso ao homem em questão.

Mas Emma dissera que precisava de dinheiro. Aquilo era irrefutável.

No entanto, era curioso constatar que ela mesma tinha bastante dinheiro. Alex conhecia o Estaleiro Dunster e sabia que era muito bem-sucedido. A verdade era que ela não precisava realmente da fortuna dele. Se não estivesse tão furioso naquela tarde, talvez Alex tivesse se lembrado desse fato.

Alguma coisa não fazia sentido, mas Alex estava bêbado demais para descobrir o quê.

Acabou adormecendo no escritório.

E acordou com uma ressaca horrível na quarta-feira de manhã.

Alex subiu com dificuldade a escada e desabou na cama, onde, entre o latejar de suas têmporas e o imenso desconforto no estômago, começou a se perguntar se talvez não tivesse havido algum mal-entendido. Com certeza fazia mais sentido que as ações de Emma ao longo de um período de dois meses fossem mais relevantes do que um comentário superficial feito no calor do momento.

Se esse raciocínio estivesse certo, então ele havia demonstrado ser o maior dos imbecis.

Por outro lado, o comentário de Emma sobre precisar de dinheiro havia validado todas as opiniões que ele tivera sobre as mulheres por quase dez anos. Com certeza uma década era mais relevante do que dois meses.

Alex deixou escapar um gemido. Ainda sentia a cabeça turva demais para tomar decisões importantes e, para dizer a verdade, tinha medo de como se sentiria em relação a si mesmo quando finalmente chegasse a uma conclusão sobre o que verdadeiramente acontecera na tarde do dia anterior.

Ele se amaldiçoou pela própria covardia e voltou a dormir. Era mais fácil do que pensar em Emma.

Quando finalmente acordou, algumas horas depois do meio-dia, não foi com seu valete cutucando-o com cuidado, nem com a luz do sol entrando pela janela. Na verdade, foi brutalmente despertado por Dunford, que havia conseguido adular Smithers para que o deixasse entrar. Depois disso, passara direto pelo valete sem lhe dar a menor atenção, o que fez o homem se retirar ofendido para a cozinha, onde tomava uma xícara de chá forte para se recuperar.

– Acorde, Ashbourne! – gritou, sacudindo Alex pelos ombros. – Pelo amor de Deus, homem, acho que não temos mais muito tempo.

Alex abriu os olhos com relutância. Cristo, parecia que alguém havia selado suas pálpebras com cera.

– O que você está fazendo no meu quarto?

Dunford recuou diante do cheiro forte do hálito de Alex.

– Pelo amor de Deus, Ashbourne, você está fedendo a álcool. O que você fez na noite passada? Entornou um barril?

– Não me lembro de ter convidado você para vir até o meu quarto – retrucou Alex, irritado.

Dunford torceu o nariz.

– O fedor que você está exalando de um modo geral é realmente impressionante.

– Na verdade, não me lembro de *jamais* ter convidado você a entrar no meu quarto.

– Não se sinta tão lisonjeado. Há muitos outros quartos onde eu preferiria estar. No entanto, estamos em apuros. Medidas desesperadas se fazem necessárias.

Alex lançou um olhar de irritação ao amigo enquanto se levantava com dificuldade da cama e ia até o lavatório, onde havia uma bacia cheia de água, deixada ali na noite anterior. Jogou água no rosto e piscou algumas vezes enquanto a temperatura gelada começava a restaurar a circulação para seu cérebro.

– Dunford, de que você está falando?

– Alguma coisa está acontecendo na casa dos Blydons. Alguma coisa muito estranha. Acho que precisamos interceder.

Alex fechou os olhos por um momento.

– Lamento, mas acho que você terá que agir sozinho. Acredito que não sou mais bem-vindo na casa dos Blydons.

Dunford ergueu as sobrancelhas.

– Emma e eu tivemos um desentendimento – disse Alex, apenas.

– Entendo.

Alex duvidava que o amigo entendesse.

– Pode ter sido apenas um mal-entendido – murmurou. – Nesse caso, talvez eu seja o maior idiota que já existiu na face da terra.

Dunford se absteve de fazer qualquer comentário.

Alex olhou atentamente para o amigo. Os dois se conheciam há anos, e ele confiava na opinião de Dunford.

– Qual é a sua opinião sobre Emma? Você passou bastante tempo com ela. O que pensa dela de verdade?

– Penso que você é um idiota se não se casar com ela.

– Acredita que ela se casaria por dinheiro?

– Pelo amor de Deus, Ashbourne, Emma tem fortuna própria. Ela não precisa se casar por dinheiro.

Alex teve a sensação de que um nó se desfazia em seu peito, de que o cinismo frio que carregara por anos começava a se esfarelar.

– Mas você acha que ela é gananciosa? – perguntou, quase desesperado. – Algumas mulheres nunca parecem satisfeitas.

Dunford encarou Alex com uma expressão firme e cálida.

– Você acha que Emma é gananciosa, Ashbourne? Ou está com medo de arriscar?

Alex se deixou cair em uma cadeira, o rosto estampando todo o desespero abjeto que sentia.

– Não sei de mais nada – falou em um tom cansado, e apoiou a cabeça em uma das mãos.

Dunford foi até a janela e ficou observando as ruas cheias de Londres. Suspirou baixinho, ciente de que o amigo estava confuso mas ainda precisava se agarrar ao que lhe restava de orgulho. Assim, Dunford manteve os olhos fixos no carvalho alto do outro lado da rua quando falou:

– Eu o conheço há pelo menos uma década, Ashbourne, e nesse tempo foram poucas as ocasiões em que pensei em lhe dar algum conselho, mas vou fazer isso agora – disse Dunford, e então parou por um instante, tentando organizar as palavras na mente. – Você passou os últimos dez anos resignado ao destino de um casamento que, se não fosse infeliz, seria ao menos insatisfatório. Então conheceu Emma e, de repente, surgiu a possibilidade de um casamento feliz. Mas você se tornou tão desconfiado das mulheres que só o que consegue fazer é procurar motivos pelos quais

Emma não seria uma boa esposa. E acho que faz isso porque sabe que, se arriscasse dar uma chance a Emma e não fosse feliz, isso seria muito, muito mais doloroso do que qualquer casamento por conveniência que possa ter imaginado.

Alex fechou os olhos. Não estava acostumado a ter as próprias emoções expostas daquela forma.

– Mas há uma coisa que você esqueceu – continuou Dunford, em um tom brando. – Se arriscar com Emma e *for* feliz, você vai ser mais feliz do que jamais sonhou ser possível. E tenho a impressão de que ela vale o risco.

Alex engoliu com dificuldade enquanto se levantava da cadeira e ia até Dunford, junto à janela.

– Bem, saiba que não é fácil ouvir alguém destrinchando minha alma – falou, muito sério. – Mas obrigado.

A sombra de um sorriso curvou os lábios de Dunford.

– No entanto, não acredito que ela vá querer me ver – disse Alex, soturno. – Acho que realmente estraguei tudo. Talvez o que fiz seja irreparável.

Dunford inclinou a cabeça para o lado.

– Que besteira. Nada é irreparável. Além do mais, ela talvez não tenha escolha.

Alex ergueu uma sobrancelha.

– Acho que ela e Belle se meteram em algum tipo de encrenca – explicou Dunford. – Foi por isso que vim até aqui.

– O que aconteceu? – perguntar Alex rapidamente, já sentindo uma onda de pânico dominá-lo.

– Não sei exatamente. Passei na casa dos Blydons para ver Belle hoje de manhã, e enquanto eu a esperava descer escutei quando deu instruções a um criado para entregar uma carta ao visconde Benton o mais rápido possível.

– Woodside! – exclamou Alex. – Por que Belle iria querer qualquer proximidade com aquele desgraçado?

– Não faço ideia. Na verdade, tenho absoluta certeza de que Belle detesta o homem. Ele vem lançando olhares maliciosos para ela há mais de um ano. Mais de uma vez ela me implorou que a ajudasse a escapar dele. Por que você acha que dançamos juntos com tanta frequência?

Alex colocou a ponta do polegar entre os dentes enquanto tentava encontrar alguma explicação para o comportamento de Belle.

– Há alguma coisa errada – concluiu, muito sério.

– Eu sei. E piora. Quando Belle estava prestes a entrar na saleta onde eu a esperava, Emma desceu correndo. Acho que ela não me viu a princípio, porque agarrou Belle pelo braço e sussurrou, em um tom urgente: "Você mandou? Garantiu que Malloy dissesse a ele que é de infinita urgência? Não vai funcionar se ele não se encontrar com você no baile de lady Mottram".

– E depois disso?

– Emma reparou na minha presença, ficou muito vermelha e começou a gaguejar. Acho que nunca a vi tão descomposta antes. Quando me dei conta, ela já estava correndo escada acima.

– Você questionou Belle a respeito disso?

– Eu tentei, mas ela me contou uma história absurda, de uma peça que as duas estavam pregando em Ned. Acho que Belle não notou que eu a escutei quando encaminhava o bilhete para Woodside.

– Precisamos fazer alguma coisa – disse Alex, em um tom decidido. – Woodside não tem escrúpulos. Seja lá o que as duas têm em mente, elas não têm noção de onde estão se metendo.

– Mas não podemos impedi-las se nem sequer sabemos o que está acontecendo.

Alex levou as mãos à cintura.

– Basta confrontar as duas hoje à noite.

– Certo – concordou Dunford, assentindo com vigor.

– No baile de lady Mottram.

CAPÍTULO 17

– Como estou?

Emma pulou na frente de Ned, o corpo pequeno todo vestido de preto. Usava uma calça escura que fora do primo quando ele tinha 14 anos. Ned ficou apenas encarando-a.

– Consigo me passar por um rapaz? – insistiu Emma. – Vou prender os cabelos em um coque e esconder com um gorro, é claro.

Ned engoliu em seco.

– Hum, Emma, a questão é que… bem, não. Você não está nem um pouco parecida com um rapaz.

– Não? – disse ela com um suspiro. – Inferno… E eu estava tão feliz de ter encontrado uma calça que me servisse. Está um pouco larga na cintura – disse, e afastou o cós da calça para mostrar. – Mas qualquer coisa menor teria ficado apertada demais no quadril. Calças não são cortadas para vestir um corpo feminino.

– Creio que exista uma boa razão para isso – disse Ned baixinho, reparando na forma indecente como a calça se ajustava às formas da prima. – Que bom que eu sou seu primo. Não gostaria que mais ninguém visse você assim.

– Não seja tão rigoroso. Para ser sincera, estou achando esta calça extremamente confortável. É espantoso que as mulheres ao redor do mundo ainda não tenham se revoltado. Se quer saber por que as mulheres vivem desmaiando por aí, experimente amarrar um espartilho ao redor da cintura.

– Além disso, Emma, você precisa, hum, isto é…

Ned se interrompeu e, quando Emma olhou para ele, viu que sua expressão era quase sofrida.

– Eu preciso o quê?

– Talvez você queira, hum, bem, amarrar o seu…

Ele acenou com a mão na direção dos seios dela.

Ned e Emma costumavam ser bastante francos um com o outro, mas ele não conseguiria se forçar a falar sobre as partes íntimas da prima.

– Ah, sim – disse Emma lentamente. – Hum, talvez você esteja certo. Espere só um pouquinho...

Emma voltou cinco minutos depois, mas seu peito parecia exatamente o mesmo.

– Desculpe – disse, constrangida. – Estava desconfortável demais. Vou ter que usar um casaco largo.

Ned achou que era melhor esquecer o assunto e ofereceu um de seus antigos casacos.

– Experimente este. Acho que vai ficar arrastando no chão, mas temos que ir.

Não chegou a arrastar no chão, mas quase. Emma examinou o casaco.

– Pareço uma criança abandonada indo a um enterro.

A dupla de conspiradores seguiu sorrateiramente pelo corredor e desceu pela escada dos fundos.

– Cuidado com o terceiro degrau – sussurrou Emma. – Ele range. Você precisa segurar na parede.

Ned lançou a ela um olhar irônico.

– Você se esgueira com frequência por esta escada?

Emma corou ao se lembrar do dia em que ela e Belle desceram escondidas a escada dos fundos, vestidas de criadas. O dia em que conhecera Alex.

– Belle que me contou – murmurou.

Seguindo o conselho de Belle, os dois desceram em silêncio a escada dos fundos, atravessaram a cozinha deserta na ponta dos pés e escapuliram pela porta lateral para o veludo negro da noite.

A festa de lady Mottram já ia avançada quando Alex e Dunford, os dois impecáveis em roupas de noite pretas, surgiram no salão de baile.

– Está vendo as duas? – perguntou Alex em voz baixa, valendo-se de sua altura para examinar acima das cabeças dos convidados.

– Não – respondeu Dunford, esticando o pescoço.

– Emma não está aqui.

– Como não? Ela tem que estar.

– Pois não está. Sou capaz de avistá-la a mais de um quilômetro de distância.

– Espere! – exclamou Dunford subitamente. – Estou vendo Belle.

Alex acompanhou a direção dos olhos de Dunford até localizar os cabelos loiros de Belle. Ela estava cercada pela horda usual de admiradores.

– Woodside está se atirando sobre ela.

Dunford franziu a testa.

– E ela não está fazendo nada para impedir... Venha comigo.

Dunford avançou resoluto por entre os convidados, com Alex logo atrás.

– Belle! – exclamou Dunford jovialmente quando a alcançou. – Você está ainda mais adorável do que o normal.

Ele se inclinou e beijou a mão dela. Belle o encarou, cheia de desconfiança.

– Visconde Benton! – Dunford deu um tapa camarada nas costas do homem. – Não o vejo há séculos. Venho querendo perguntar sobre o colete que está usando. Já estou admirando a peça há algum tempo. Onde mandou fazê-lo?

Depois que Dunford desviou satisfatoriamente a atenção de Woodside, Alex concentrou suas energias em Belle.

– Lady Arabella – disse brevemente, dispersando o restante dos rapazes com um olhar severo. – Preciso falar com a senhorita em particular.

– Não tenho nada a tratar com Vossa Graça – retrucou Belle, erguendo ligeiramente o queixo.

Alex se virou para Dunford e Woodside.

– Se importariam se eu roubasse lady Arabella só por um instante? Prometo devolvê-la logo – disse ele, piscando para Woodside. – Sei o afeto que ela tem por você, por isso não vou privá-lo da companhia dela por muito tempo.

Então Alex lançou um sorriso sinistro na direção de Belle, segurou-a pelo pulso e praticamente a arrastou até a varanda.

– Onde está a sua prima?

– Não está definhando em casa por sua causa, se é com isso que está preocupado.

Belle se calou abruptamente, ciente de que falara demais a Alex.

Ele percebeu na mesma hora o olhar culpado dela.

– Onde ela está? Ela está em perigo? Só Deus sabe em que tipo de encrenca Emma pode se meter sem ninguém tomando conta dela.

Não havia qualquer fundamento racional para o medo que dava um nó em suas entranhas, mas de algum modo Alex sabia que Emma estava envolvida em algo perigoso. E também sabia que não havia a menor possibilidade de simplesmente sentar e assistir enquanto ela corria perigo.

– Ela é perfeitamente capaz de tomar conta de si mesma. Além do mais, eu não sabia que Vossa Graça ainda se importava com minha prima.

– Não brinque comigo, milady – alertou Alex. – Onde ela está?

– Escute aqui, Vossa Graça – retrucou Belle em um tom mordaz –, o senhor se comportou de forma abominável. Não sei o que disse a Emma, mas deve ter sido algo terrível, porque ela não quer nem falar a respeito. Minha prima anda pela casa com a expressão mais taciturna que já vi e de vez em quando começa a chorar. Espero que esteja satisfeito. Então estamos fazendo o possível para manter a mente dela ocupada, para que não tenha que pensar no porco que a estava cortejando! Por sorte, tivemos...

– Por sorte o quê? – perguntou Alex. – O que a senhorita está planejando hoje à noite para manter Emma ocupada?

– Eu disse "porco"? – perguntou Belle, improvisando, enquanto inclinava a cabeça e tamborilava com um dedo no queixo. – Pois quis dizer "verme". Agora me deixe em paz... a mim e Emma!

Belle se desvencilhou da mão dele e voltou para o salão de baile, indo direto na direção de Woodside e Dunford.

– Sinto muito pelo comportamento rude de Ashbourne – falou, encantadora, sorrindo para os olhos claros de Woodside. – Ele estava me perguntando sobre minha prima. Está louco por ela, como o senhor sabe.

Woodside retribuiu o olhar de Belle com uma expressão perspicaz.

– Tive a impressão de que o sentimento era recíproco.

– Não mais. Na verdade, foi por isso que ela ficou em casa esta noite. Emma ainda está um pouco aborrecida com toda a situação. Mas não quero falar sobre ela esta noite. Gostaria de saber um pouco mais sobre o senhor, milorde. Ned me falou muito a seu respeito.

Um brilho lascivo cintilou nos olhos de Woodside, provavelmente convencido de que Ned havia resolvido oferecer a irmã em troca das 10 mil libras.

– Imagino – sussurrou ele.

Dunford conteve um gemido ao ver Alex indo na direção deles com cara de poucos amigos.

– Woodside, não se importaria se eu dançasse esta valsa com lady Arabella, não é mesmo? Sei que Ashbourne já a roubou por algum tempo, mas preciso muito conversar com ela também.

– Não quero dançar, Dunford – falou Belle.

– Acho que quer, sim – disse ele em um tom excessivamente suave, puxando-a na direção da pista de dança.

Woodside deixou escapar um suspiro de irritação enquanto observava sua presa ser mais uma vez levada para longe dele. Estava prestes a ir em busca de um drinque quando Alex apareceu ao seu lado.

– Peço perdão por isso – falou Alex com um sorriso rígido. – Tenho certeza de que está ansioso para passar mais tempo com lady Arabella esta noite. Ela é mesmo adorável.

Woodside olhou para Alex com desconfiança.

– O que ele precisa dizer de tão importante?

Alex se obrigou a engolir o desprezo que sentia pelo homem e abriu um sorriso amável.

– Na verdade, Woodside, a culpa é minha. Por acaso sabe que eu estava cortejando a prima de lady Arabella?

Um sorriso conspiratório surgiu no rosto de Woodside. Ele jamais acreditara que o poderoso duque de Ashbourne se casaria com uma ninguém, sem título, vinda das Colônias, por isso não sentiu necessidade de falar de Emma com respeito.

– A mocinha americana, é? Ela é bonita, mas não imaginei que um homem como você estaria interessado em alguém das Colônias.

Alex teve que controlar a ânsia de arrancar a língua do homem.

– Tivemos um pequeno desentendimento, sabe como é, e ela não quer falar comigo.

– Mande flores – aconselhou Woodside em um tom condescendente. – Ou uma joia, se achar que a família dela não consideraria muito ousado. Sempre funciona – afirmou, tirando um fio imaginário da manga do paletó. – É muito fácil manipular as mulheres.

Alex se perguntou quanto esforço extra teria de empregar para arrancar os pulmões dele junto com a língua.

– Pedi a Dunford que intercedesse por mim junto a Belle, já que obviamente não tive sucesso nisso. Ele está tentando convencê-la a convencer Emma a falar comigo, para que possamos resolver nossas diferenças.

Woodside assentiu.

– Uma abordagem inteligente. E, se funcionar, muito mais barata do que uma pulseira.

Alex sorriu, com os dentes cerrados.

– Mais um motivo para rezarmos para ele estar sendo bem-sucedido.

Ele não estava.

Dunford tentou praticamente todas as táticas imagináveis para fazer com que Belle revelasse o paradeiro de Emma, mas ela permaneceu implacável. Finalmente, ele decidiu que seu único recurso restante era a chantagem. Dunford pigarreou algumas vezes, encarou os olhos azuis de Belle e, sorrindo com malícia, disse:

– Belle, se não me contar agora mesmo onde está sua prima, juro que vou criar uma cena com a qual você terá que conviver por anos.

Belle o encarou com uma expressão zombeteira.

– Estamos em um salão de baile lotado, Dunford. O que você poderia fazer, em nome de Deus?

– Eu vou beijar você.

– Ah, por favor – disse Belle, sem achar grande coisa.

– E vou beijar de língua – disse ele muito lentamente, em um tom significativo.

Belle arquejou diante da ousadia.

– Você não faria isso. Você nem sequer se sente atraído por mim. Já me disse isso antes. Em várias ocasiões.

– Não importa.

– Você vai acabar com a minha reputação se fizer isso.

– No momento, Belle, eu não me importo.

Bastou examinar os olhos castanhos muito sérios de Dunford para que ela se desse conta de que havia julgado mal o amigo. Havia uma dureza sob a fachada tranquila, e ele acabara de levar a melhor sobre ela.

– Não tenho escolha, certo?

– Não.

Belle suspirou, sentindo-se enjoada de desespero, ainda que se perguntasse se talvez, apenas talvez, Dunford e Ashbourne não poderiam ajudar Emma e Ned no plano deles.

– Não tenho a noite toda, Belle.

– Está certo – concordou ela. – Emma e Ned estão invadindo a casa de Woodside. Ned está devendo dinheiro a ele, uma dívida de jogo. Então os dois foram lá para tentar roubar a promissória.

– O quê? Essa é uma das coisas mais estúpidas que eu já ouvi!

– A dívida é muito alta – disse Belle, sem rodeios.

– O seu irmão precisa aprender a honrar as próprias dívidas de jogo como um cavalheiro. Ou ao menos aprender a não apostar mais do que pode pagar.

– Woodside estava trapaceando. Nada mais justo do que recuperar a promissória.

Dunford balançou a cabeça.

– E suponho que sua parte no plano seja manter Woodside entretido, para que ele não desconfie de nada enquanto seu irmão e sua prima revistam os pertences dele.

Belle assentiu e fez a cortesia devida quando a valsa terminou.

Dunford pegou o braço dela e levou-a de volta até onde estavam Alex e Woodside.

– Cuidado com a forma como vai realizar a sua tarefa, minha cara – sussurrou ele no ouvido de Belle. – Tenho a impressão de que você e o visconde têm ideias diferentes a respeito do significado de "entreter". Ah, Woodside, aqui está você – disse ele em um tom animado, pousando a mão de Belle no braço do outro cavalheiro. – Estou devolvendo lady Arabella aos seus cuidados. Ela não parava de falar em você.

Woodside assentiu lentamente para Belle e um sorriso sinistro curvou seus lábios.

– Lamento, mas eu e Ashbourne precisamos partir – continuou Dunford. – Espero que vocês dois tenham uma noite agradável.

– Tenho a certeza de que teremos – disse Woodside em voz baixa. – Estou pensando em mostrar os jardins a lady Arabella. Os jardins de lady Mottram estão entre os melhores de Londres.

Belle fez uma careta, que disfarçou rapidamente com um breve acesso de tosse.

– Na verdade, temo estar pegando um resfriado. Acho que é melhor não me expor ao ar úmido da noite.

Dunford assentiu para os dois e puxou Alex na direção da porta.

– Consegui – sussurrou. – Explico tudo na carruagem.

‿

– Pare aqui.

O coche de aluguel que Ned e Emma tinham contratado para levá-los até a casa de Woodside parou a uma quadra de distância do destino. Não queriam que o som dos cascos dos cavalos alertasse algum criado de sono leve de que havia alguém entrando. Ned pagou o cocheiro e Emma ficou calada para que a voz não arruinasse seu disfarce.

Desceram a rua a um passo ligeiro até a casa de Woodside. Ele alugava uma casa modesta na cidade, fato pelo qual Emma ficou imensamente grata. Uma mansão exigiria muito tempo para ser revistada e provavelmente teria um bando de criados sempre alerta. Era pouco provável que a casa relativamente pequena tivesse muitos deles.

– Acho que devemos dar a volta pela lateral – sussurrou Ned. – Vamos ver se ele deixou a fresta de alguma janela aberta. A noite está razoavelmente quente.

Emma assentiu e seguiu o primo pelo beco estreito que corria ao longo da lateral da casa. Tiveram sorte. Woodside largara a janela dos fundos parcialmente aberta, provavelmente para deixar entrar um pouco de ar fresco em um cômodo que parecia ser mal ventilado.

– É um pouco alta – comentou Ned com uma careta.

– Você só vai precisar me levantar.

– E como eu vou entrar?

– Acho que não vai – respondeu Emma com um sorriso nervoso. – A menos que encontre um calço para apoiar o pé na parede.

– Não gosto da ideia.

Emma também não gostava, mas sabia que o primo nunca a deixaria fazer aquilo se percebesse como ela estava apreensiva.

– Vai ter que me dar um sinal se vir alguém chegando.

– Que tal eu tossir?

Emma assentiu e ele juntou as mãos para que ela apoiasse o pé, e a sustentou com firmeza enquanto ela se erguia ao nível da janela.

– Parece ser o escritório dele! – sussurrou empolgada, erguendo lentamente o vidro da janela para aumentar o espaço por onde passaria. – E a porta está fechada, portanto não preciso me preocupar com o surgimento de algum criado.

– Vou empurrar você mais para cima agora – avisou Ned. – Tente passar uma das pernas por cima do parapeito. Se conseguir fazer isso, vai entrar com facilidade.

Enquanto Ned impulsionava o corpo dela para cima, Emma cerrou os dentes e usou toda a força da parte superior do corpo para se sustentar contra o parapeito enquanto levantava a perna e a passava através da janela aberta. Depois disso, foi fácil passar o restante do corpo e ela se deixou cair com suavidade em cima do carpete, abençoando mentalmente os sapatos de sola macia que usava.

– Já estava na hora de a minha experiência de subir em árvores servir a propósitos mais úteis – falou baixinho.

O brilho suave da lua entrava pela janela aberta, mas, mesmo depois que os olhos de Emma se ajustaram à escuridão, ela se deu conta de que não conseguia enxergar o bastante para fazer a busca. Emma enfiou a mão no bolso do casaco, pegou uma vela e acendeu. Com a ajuda da luz extra, examinou o cômodo e seu olhar finalmente encontrou a fresta embaixo da porta que dava para o corredor. Qualquer criado que passasse poderia facilmente ver a luz através daquela fresta. Emma rapidamente tirou o casaco e cobriu a abertura.

– Tudo certo – sussurrou para si mesma. – Se eu fosse um bandido trapaceiro, tentando arrancar dinheiro de um bom rapaz, onde eu colocaria a promissória que ele assinou?

A escrivaninha parecia o lugar mais lógico por onde começar. Afinal, Woodside certamente não estava esperando que Ned e Emma invadissem a casa dele, por isso não devia ter se dado o trabalho de esconder o papel. Emma abriu a primeira gaveta. Algumas penas, papel de carta, mas nada que se parecesse com a promissória que Ned lhe descrevera. Emma passou à próxima gaveta. E mais uma vez não teve sorte. Então puxou a terceira gaveta, mas parecia trancada.

O coração de Emma estava à mil quando correu até a janela.

– Ned? – chamou em um sussurro.

– O quê?

– Uma das gavetas está trancada.

– Tente um grampo cabelo. A maioria dessas escrivaninhas antigas não têm fechaduras muito boas.

– Está bem.

Emma voltou correndo para a escrivaninha, arrancou o gorro que usava e tirou um grampo dos cabelos. Mordeu o lábio inferior, deixou escapar um leve suspiro e enfiou o grampo na fechadura. Nada. Emma virou o grampo algumas vezes. Nada ainda. Por fim, ela encarou a gaveta irritada que não estava colaborando e sussurrou:

– Gavetinha idiota. Não faço a menor ideia do que estou fazendo e você sabe disso.

A fechadura girou. Emma abriu um largo sorriso.

– Ora, ora, não foi tão difícil.

Ela vasculhou o conteúdo. Havia alguns documentos jurídicos, um papel que parecia o contrato de aluguel da casa e até algum dinheiro, mas nem sinal da promissória. Emma devolveu rapidamente os papéis à gaveta, na ordem em que os encontrara, e fechou-a, certificando-se de trancá-la de novo.

Ela voltou a correr até a janela.

– Não estava na gaveta trancada – avisou a Ned.

– Continue procurando!

Emma soltou mais um suspiro e voltou a atenção para uma estante embutida na parede perto da porta. Ela imaginou que talvez Woodside tivesse colocado a promissória dentro de um dos livros. Felizmente, aquela não era uma biblioteca na plena acepção da palavra. Emma imaginou que devia haver entre trinta e quarenta volumes ali. Não levaria muito tempo para examinar todos.

Ela subiu em um banquinho e começou da prateleira mais alta, que parecia conter a obra completa de Shakespeare. Hum, pensou com um sorrisinho malicioso, talvez Belle realmente tivesse alguma coisa em comum com Woodside.

A carruagem de Alex parou diante da casa de Dunford depois de atravessar as ruas de Londres a uma velocidade temerosa. Woodside morava a apenas três quarteirões, por isso os dois homens resolveram deixar a carruagem ali, onde não levantaria qualquer suspeita.

– Vou esganar Emma – declarou Alex, as longas pernas atravessando rapidamente a rua.

Bastou um olhar para a expressão furiosa do amigo para que Dunford percebesse que Alex talvez estivesse falando sério.

Em minutos, os dois estavam diante da casa de Woodside.

– Não estou vendo nenhum sinal de arrombamento – sussurrou Alex, examinando a fachada da casa.

– Acho que há um beco na lateral – informou Dunford. – Vamos.

Os dois caminharam até o início da lateral do prédio e se detiveram para espiar em silêncio pelo canto. Havia um homem parado mais ao fundo, olhando ansiosamente para uma janela.

– Já encontrou? – perguntou o sujeito, baixinho.

Alex e Dunford recuaram.

– Nosso caro amigo, lorde Edward – zombou Dunford.

– O próximo que irei esganar assim que terminar com Emma – murmurou Alex em um tom ameaçador.

– Espere aqui.

Dunford se moveu como um raio e, antes que Alex percebesse o que estava acontecendo, ele já havia colocado a mão sobre a boca de Ned. Alex se juntou rapidamente a eles.

– Emma está lá dentro? – perguntou.

Ned assentiu, os olhos azuis arregalados de surpresa e também de uma dose saudável de medo.

– Que diabo deu em você para esperar aqui enquanto ela está lá dentro?

Dunford não tirou a mão da boca de Ned, portanto ele não pôde responder – uma circunstância pela qual ficou extremamente grato, já que não sabia o que dizer. Ned vinha se perguntando a mesma coisa ao longo dos últimos dez minutos, sentindo-se um tolo parado ali enquanto Emma revistava a casa.

Alex continuou com o interrogatório.

– Ela está procurando a promissória, não está? Como você espera que a sua prima encontre uma folha de papel aí dentro?

Mais uma vez, Dunford não tirou a mão de cima da boca de Ned, por isso o rapaz fez a única coisa que poderia fazer para se libertar. Lambeu a mão do outro.

Dunford deu um pulo para trás, absolutamente enojado. Estava prestes a secar a mão no casaco quando pensou melhor e fez isso no casaco de Ned.

– Eu não tinha como responder às perguntas com a mão dele tapando minha boca – explicou Ned, tenso.

– E então? – cobrou Alex.

– Eu não sei. Acho que estávamos só torcendo para ter sorte. Isso tudo foi ideia dela.

– Tenho certeza que sim.

Alex não tinha dúvida de que Emma havia armado todo aquele plano. Ele teria que mantê-la na rédea curta quando estivessem casados.

– Mas você não deveria ter concordado.

Ned fitou-o com uma expressão condescendente.

– Já tentou deter Emma quando ela está determinada a fazer alguma coisa? Ela teria vindo até aqui sozinha se eu não a acompanhasse.

– Vou entrar – declarou Alex.

– Não acho que seja uma boa ideia – disse Ned, hesitante.

Alex lançou a ele um olhar gelado.

– Sua capacidade de julgamento não se mostrou das melhores até aqui.

Ned engoliu em seco e recuou.

– Dunford, pode me dar impulso?

Enquanto isso, no escritório de Woodside, Emma havia terminado de inspecionar a estante e estava pronta para desistir de encontrar a promissória naquele cômodo. Parecia que teria que se aventurar pelo resto da casa, no fim das contas. Uma ideia que não a deixava exatamente animada.

Ela estava prestes a se debruçar pela janela para atualizar Ned sobre a busca quando lembrou subitamente que o grampo de cabelo estava em cima da escrivaninha. Com certeza não queria deixar qualquer evidência que a incriminasse. Embora imaginasse que aquilo na verdade não importava. Quando Woodside desse falta da promissória, saberia quem a pegara. O homem não era burro. Afinal, havia conseguido que Ned contraísse uma dívida de 10 mil libras. Emma imaginava que era preciso ter certo grau de inteligência para trapacear com tamanha habilidade.

Ainda assim, ela não queria deixar para trás nada que Woodside pudesse levar às autoridades, por isso voltou até a escrivaninha e pegou o grampo.

Foi quando viu a caixa de rapé.

A caixa estava em cima da mesa e era muito ornamentada, parecendo ter sido importada da Ásia.

– Ah, por favor, meu Deus, por favor, meu Deus, por favor, meu Deus – invocou Emma, esquecendo-se completamente do grampo de cabelo.

Ela fechou os olhos em prece enquanto levantava a tampa da caixa. Então respirou fundo e abriu os olhos. E viu ali dentro um pequeno pedaço de papel, dobrado várias vezes. Mal conseguindo respirar, ela desdobrou o papel.

Eu, Edward William Blydon, visconde Burwick, prometo pagar a lorde Anthony Woodside, visconde Benton, a soma de 10 mil libras.

Abaixo do texto, Emma viu a assinatura de Ned. E foi nesse momento de supremo alívio que Emma se deu conta de como o seu coração estava batendo rápido.

– Obrigada, meu Deus – sussurrou enquanto fechava a caixa de rapé e a colocava no lugar.

– Ned! – chamou baixinho. – Encont...

E então se virou bem a tempo de ver Alex erguer o corpo pela janela aberta e aterrissar no carpete com a graça de uma pantera.

– Você! – disse ela com a voz engasgada, recuando em choque.

A boca dele estava cerrada em uma linha severa.

– Você me deve algumas explicações, minha cara dama.

CAPÍTULO 18

Emma ficou encarando-o, boquiaberta.

– No entanto – continuou Alex, em um tom mais moderado –, acho que este não é o lugar mais apropriado para isso. Conseguiu encontrar a maldita promissória?

A resposta veio em um tom presunçoso.

– Encontrei, sim – disse, e acenou com o papel diante do rosto dele.

– Nesse caso, espero que me dê licença, porque vou jogá-la pela janela.

Alex pegou o braço de Emma e puxou-a pelo escritório.

– Espere! – exclamou ela. – Meu casaco! Está enfiado na fresta embaixo da porta. Também preciso pegar a vela.

Emma atravessou correndo o escritório, pegou o casaco e se enrolou rapidamente nele.

– Que belo meliante você está se saindo – murmurou ela com ironia.

Alex pegou a vela da mesa em um gesto irritado e apagou-a, mas não antes de lançar um olhar fulminante na direção de Emma.

– Já vou, já vou – disse ela rapidamente, já se encaminhando para a janela.

E obviamente não foi rápida o bastante, porque Alex a levantou no colo e jogou-a ele mesmo pela janela, fazendo com que ela aterrissasse nos braços de Dunford, que já estava à espera.

– Você também está aqui? – perguntou Emma com a voz fraca.

– Se eu fosse você, ficaria grata pela minha presença. Ashbourne está quase a ponto de explodir.

Emma não duvidava daquilo. Ela se virou para encarar Ned.

– O que está acontecendo? Por que eles estão aqui?

O primo apenas deu de ombros.

– Pode colocá-la no chão agora, Dunford – disse Alex, descendo pela janela. – Sua vela – disse, estendendo-a para Emma, que a enfiou no bolso. – Vamos sair daqui.

– Não devemos fechar a janela novamente? – sugeriu Emma.

Com muita paciência, Alex se voltou novamente para a janela.

229

– Dunford, pode apoiar o meu pé?

Dunford juntou as mãos para formar o apoio e Alex esticou a mão para fechar a janela.

– Na verdade – disse Emma, assim que os pés de Alex voltaram a tocar o chão –, ela não estava toda fechada. Estava uns 10 centímetros aberta.

Alex respirou fundo. Emma engoliu em seco ao ver um músculo começar a pulsar na bochecha dele. Mas Alex se manteve firme e se virou para o amigo.

– Dunford?

O outro homem voltou a fazer o apoio com as mãos e ergueu Alex, que levantou a janela alguns centímetros.

– Está bom assim? – perguntou na voz mais perigosamente solícita que Emma já ouvira.

Ela ainda estava furiosa com ele.

– Um pouco mais alto – falou, impertinente.

Alex levantou a janela mais alguns centímetros.

– Um pouco mais baixo.

Ele abaixou-a um pouco.

– E agora?

– Talvez um pouco… ai!

Emma esfregou as costelas no lugar onde Ned lhe dera uma cotovelada.

– Assim está bom – disse, por fim, encarando o primo com severidade. – Ah, consegui a sua promissória! – falou, e estendeu o papel para Ned. – Quase me esqueci de dizer. É esta, não é?

Ned desdobrou o papel e deixou escapar um suspiro de alívio ao lê-lo.

– Não sei como agradecer, Emma.

– Ah, não foi nada, Ned. Na verdade, eu me diverti muito.

– Eu, por outro lado, não me diverti nada – falou Alex muito lentamente, incapaz de controlar a fúria que ameaçava explodir sobre Emma.

Ficara tão preocupado com ela. Em pânico. Foram oito longas horas entre o momento em que Dunford lhe contara que Emma e Belle estavam metidas em algum plano esquisito até finalmente ir ao baile de lady Mottram para confrontá-la. Oito longas horas andando de um lado para o outro, jogando as mãos para o alto e se perguntando o que Emma estaria aprontando e se ela estava correndo algum perigo. Fora uma tarde de agonia, em que ele quase morreu de culpa pelo modo como a havia tratado no dia anterior. Então, quando descobrira que Emma planejava invadir a casa de Woodside, a

230

vontade de Alex fora dar um murro na parede. Oito horas de frenesi e pavor absolutos, e tudo isso com o estômago vazio, tinham consequências dramáticas em um homem, e a declaração de Emma de que estava se divertindo certamente não apaziguara o péssimo humor dele.

Emma recuou instintivamente ao ver a expressão sombria no rosto de Alex.

– Podemos ir agora ou vou precisar jogar você por cima do ombro? – perguntou Alex com uma calma ameaçadora.

Emma engoliu uma risada nervosa, percebendo sabiamente que uma risadinha naquela hora seria terrivelmente inapropriada – e provavelmente perigosa para o bem-estar dela.

– Isso não será necessário – balbuciou.

Alex virou seu olhar ameaçador para Ned.

– Acho que você é capaz de voltar sozinho para casa.

Ned assentiu.

– E Emma? Ela vai precisar de um acompanhante.

Alex passou o braço pelo dela e puxou-a contra a lateral do corpo.

– Eu acompanharei Emma. A sua prima e eu temos alguns assuntos a discutir.

– Poderíamos muito bem ter essa conversa amanhã – disse ela, tentando se desvencilhar de Alex, mas ele a manteve firme no lugar.

– Acho que não.

Alex assentiu para Ned em despedida e começou a descer a rua tão rápido que Emma quase teve que correr para acompanhar seu passo. Dunford seguiu os dois a uma distância respeitável.

– Precisa mesmo me *arrastar*? – arquejou Emma, sentindo os pés quase voando pela rua.

– Se você for esperta, vai manter a boca fechada pelos próximos minutos.

– Bem, minhas pernas não são tão longas quanto as suas – disse ela, em um tom nada satisfeito. – Não consigo andar tão rápido assim.

Alex parou de repente. Emma, que vinha no embalo, esbarrou nele.

– O que foi agora? – perguntou, irritada.

– Ainda posso jogar você por cima do meu ombro – alertou ele em um tom sombrio.

Ela o fulminou com o olhar.

– Nem ouse, seu rato encardido.

Alex soltou o ar lentamente enquanto abria e fechava o punho, tentando desesperadamente não perder o controle da tensão que disparava pelo seu corpo.

– Ande – falou furioso, puxando-a mais uma vez pela rua.

– Aonde estamos indo, afinal? Caso não tenha percebido, eu moro na direção oposta.

– Vamos para a casa de Dunford. Fica a poucas quadras de distância. Podemos pegar uma carruagem lá.

– Ótimo. Porque espero que você me leve imediatamente de volta para casa – disse Emma, petulante. – Seu comportamento esta noite está sendo deplorável.

Alex estacou mais uma vez. E, mais uma vez, Emma esbarrou na lateral do corpo dele.

– Você está *tentando* me deixar com raiva – sibilou ele.

Emma ergueu o nariz.

– Não me importo nem um pouco com os seus sentimentos, *Vossa Graça*.

Alex quase rangeu os dentes ao ouvir o tom obsequioso com que Emma se referiu ao seu título. Ele apontou o dedo como se estivesse prestes a dizer alguma coisa. Seu rosto se contorceu, o maxilar ficou tenso e ele se esforçou para encontrar as palavras. Por fim, baixou o dedo. Ainda lhe sobrava dignidade suficiente para não sacudi-la no meio da rua. Para não mencionar o fato de Dunford estar menos de 2 metros atrás deles.

– Continue andando – disse, tenso, voltando a andar na direção da casa do amigo.

Poucos minutos depois, Alex parou na frente da bela casa de Dunford. Emma arrancou a mão da dele, cruzou os braços em um gesto desafiador e fulminou-o mais uma vez com o olhar.

Dunford se juntou a eles cerca de quinze segundos depois, deu uma olhada no casal enfurecido e disse:

– Vou chamar minha carruagem.

Ele subiu os degraus da frente de dois em dois. Ao chegar diante da porta, se virou e perguntou:

– Ahn, por que vocês não esperam no saguão? Algumas festas devem estar acabando por agora e tenho certeza de que não querem que ninguém veja os dois parados na rua. Ainda mais com você usando, bem, essa fantasia, Emma.

Ela subiu direto os degraus.

– Eu com certeza não quero me ver envolvida em algum escândalo que acabaria me obrigando a casar com esse monstro.

Alex não disse nada, apenas subiu os degraus atrás dela. Quando os dois estavam em segurança no saguão da casa de Dunford, Emma olhou de relance para ele. O músculo da bochecha ainda pulsava e a tensão no maxilar e no pescoço era visível. Alex sem dúvida estava furioso. Talvez até mais furioso do que ela mesma. Mas Emma não entendia por que ele sequer se importava. Alex havia deixado muito claro na tarde anterior o desdém que sentia por ela, e vê-lo na casa de Woodside, aparentemente para salvá-la de algum perigo, era realmente estranho.

– A carruagem está pronta – disse Dunford com a voz calma, quando voltou ao saguão alguns minutos depois, as mãos atrás das costas.

Alex pegou novamente o braço de Emma. Antes de se virar, dirigiu-se a Dunford:

– Obrigado por toda a ajuda.

– Vai passar por aqui amanhã?

– Talvez ainda não tenha terminado com ela até amanhã.

Antes que Emma pudesse questioná-lo sobre aquela declaração soturna, Alex puxou-a pela porta e pelos degraus da frente. Depois de jogá-la dentro da carruagem sem a menor cerimônia, ele foi até o cocheiro, deu algumas instruções e subiu, sentando-se ao lado dela.

Emma cruzou os braços com uma expressão rebelde e afundou o corpo no canto do assento macio. Ele não arrancaria nem uma palavra dela, jurou silenciosamente para si mesma. Não conseguia imaginar por que Alex achava que tinha o direito de se meter na vida dela, de fazer as coisas do jeito dele e tratá-la como uma mala inconveniente. Ela bufou, furiosa, cerrou os lábios e ficou olhando com determinação pela janela. Depois de um minuto ou dois, no entanto, descobriu que não era mais capaz de conter a raiva que sentia e explodiu:

– Seu piolho autoritário! Não consigo acreditar no modo como agiu essa noite.

– Um rato, um monstro *e* um piolho. Tudo isso em apenas uma noite – zombou Alex. – Esse deve ser um dos meus bons dias.

– Imagino que sim – disse ela irritada, voltando a olhar pela janela. – O que é isso? – gritou subitamente, virando-se para encarar Alex. – Acabamos de passar pela minha casa. Para onde estamos indo?

– Para a *minha* casa.

– Outro exemplo da sua maldita arrogância! – falou ela, furiosa. – Que direito você tem de me tirar de casa?

– Caso não se lembre, eu não tirei você da sua casa, mas da casa de Woodside. E, acredite em mim, para você é muito melhor estar presa nas minhas garras do que nas dele.

– Exijo que mande esta carruagem dar meia-volta neste instante, e que me leve para casa.

– Sinceramente, não vejo como você possa exigir alguma coisa no momento, Emma.

Ela recuou.

– Está me ameaçando?

Alex se inclinou para a frente até o seu nariz quase tocar o dela.

– Estou.

Como se aproveitasse a deixa, a carruagem parou. Alex desembarcou rapidamente e, como Emma não se moveu do assento, ele se debruçou para dentro do veículo, puxou-a para fora e jogou-a por cima do ombro.

– Está dispensado! – gritou ele para o cocheiro.

Alex subiu os degraus com Emma chutando e grunhindo em seu ombro (ela teve presença de espírito suficiente para se dar conta de que gritar resultaria em vários espectadores, um escândalo enorme e, provavelmente, no casamento mais desprezível), entrou no saguão e fechou a porta com um chute.

– Pode me colocar no chão? – exigiu Emma finalmente.

– Ainda não – declarou Alex, subindo outro lance de escada.

– Para onde você está me levando? – perguntou ela, furiosa, tentando virar a cabeça para descobrir onde estava.

– Para um lugar onde possamos conversar.

– Onde possamos conversar ou onde você possa me dar um sermão?

– Está abusando da minha paciência, milady.

– É mesmo? – perguntou Emma em um tom sarcástico. – Estava torcendo para que já a tivesse esgotado.

Alex passou por outra porta, que também fechou com um chute, e finalmente jogou Emma em cima de uma cama grande de quatro colunas. Ela disparou em direção à porta na mesma hora, mas Alex bloqueou seu caminho, voltou a colocá-la em cima da cama, atravessou o quarto e trancou a porta com um clique ressoante.

– Por que você...

Ele jogou a chave pela janela.

– Você ficou maluco?

Emma correu até a janela e avaliou a distância até o chão.

– Você nunca vai conseguir descer por aí sem se machucar – falou Alex. – Agora você é minha audiência cativa, minha cara, e, acredite em mim, tenho algumas coisas para lhe dizer.

– Ótimo! – retorquiu Emma. – Também tenho algumas coisas para lhe dizer.

– Emma – falou ele com uma suavidade perigosa. – Você vai levar um susto.

– Muito bem – declarou ela, cruzando os braços. – Fale logo.

Alex examinou cuidadosamente as feições dela. Emma não parecia nem um pouco arrependida, mas ele estava tão furioso com ela que começou o sermão assim mesmo.

– Antes de mais nada... – esbravejou.

– Eu vou tirar o casaco, está bem? – interrompeu Emma em um tom sarcástico. – Parece que serei sua convidada aqui por algum tempo.

– Fique à vontade.

Ela desabotoou o casaco, despiu-o e deixou-o sobre uma cadeira próxima.

– Pelo amor de Deus, o que você está usando? – gritou Alex.

Emma abaixou os olhos para a calça que usava.

– Sinceramente, Alex. Eu não poderia sair por aí em um vestido de noite para invadir a casa de alguém.

Os olhos dele percorreram o corpo esguio, cada curva indecentemente marcada pela calça. Sentiu os músculos tensos e sua fúria ficou mais inflamada com a reação traiçoeira do próprio corpo a ela.

– Acaba de me dar mais um motivo para esbravejar com você – disse. – Não posso acreditar que o seu primo deixou que saísse de casa vestida assim.

– Ah, sinceramente – debochou Emma. – Você não disse nada a respeito no estúdio de Woodside. Eu não estava usando casaco quando você me encontrou lá – lembrou.

– Não reparei – retrucou Alex. – Estava escuro.

Ela deu de ombros.

– Termine logo o seu sermão, está certo? Tive um longo dia.

Alex respirou fundo. Tinha certeza de que ela estava tentando provocá-lo

235

deliberadamente. Poderia jurar que sim. Emma tinha todo o direito de estar furiosa pelo modo como ele se comportara na véspera. Mas aquilo não era desculpa para o óbvio desprezo pelo próprio bem-estar que ela demonstrara naquela noite.

– Você tem ideia do tipo de perigo em que se colocou hoje à noite? – perguntou Alex finalmente, tentando manter o tom calmo.

– Nosso plano era ótimo – retrucou Emma. – E obviamente funcionou.

– Ah, é mesmo? Conte mais sobre esse seu plano. O que pretendia fazer se Woodside voltasse para casa e a surpreendesse enquanto você estava invadindo o escritório dele?

– Belle o está mantendo ocupado no baile de lady Mottram. Ela prometeu que não o deixaria ir embora antes da meia-noite.

– E se ela não conseguisse? – indagou Alex. – O seu primo certamente não é forte o bastante para conter fisicamente um homem adulto.

– Ah, use a cabeça – retrucou Emma, irritada. – Woodside vem babando por Belle há um ano. Ele jamais deixaria um baile enquanto ela estivesse flertando com ele.

– Mas você não tinha como ter certeza disso. Ele poderia ter passado mal e precisado ir embora.

– Isso se chama risco calculado, Vossa Graça. Nós corremos riscos assim todos os dias de nossas vidas.

– Maldição, Emma! – explodiu Alex, passando a mão pelos cabelos. – Essa deve ter sido a coisa mais estúpida que você já fez! Se Woodside pegasse você, ele poderia jogá-la na prisão! Ou ter feito coisa pior! – acrescentou significativamente.

– Eu tinha que arriscar. Ned estava encrencado e precisava de ajuda. Eu não abandono as pessoas que amo – falou ela com rispidez.

Alex chegou ao limite naquele momento. Pegou Emma pelos ombros, sacudiu-a e se agarrou a ela como se estivesse se agarrando à própria vida.

– Tem ideia de como eu estava preocupado com você? Tem?

Emma sentiu a garganta apertada e fechou os olhos com força enquanto tentava sufocar as lágrimas que molhavam seu rosto há quase um dia inteiro. Precisava se recompor. Não podia permitir que Alex a visse chorar.

Alex parou de sacudi-la, mas não a soltou, e Emma achou o toque dele estranhamente reconfortante. O calor do corpo de Alex parecia atravessar a camisa que ele usava, e uma pequena parte de Emma desejou colar o corpo ao dele e se deixar envolver por seus braços fortes. Mas uma parte bem maior ainda estava profundamente magoada com o ataque brutal da véspera. A desconfiança de Alex causara uma ferida muito profunda.

– Eu não sabia que se importava, Vossa Graça – respondeu ela, bem baixinho.

– Ora, mas eu me importo! – foi a resposta acalorada de Alex, que deu as costas a Emma e bateu com as mãos na escrivaninha. – Eu me importo muito! Que inferno... Quase enlouqueci, hoje, sabendo que você estava envolvida em algum plano absurdo, e sem poder impedi-la.

– Como você soube? – perguntou Emma, sentando-se na beira da cama.

– Dunford ouviu uma conversa entre você e Belle, mais cedo, à tarde – explicou Alex. – Ele ouviu você dizer algo sobre como era importante que Belle se encontrasse com Woodside à noite, no baile de lady Mottram. Levando em conta o caráter de Woodside, eu e ele ficamos malucos.

– Eu teria imaginado que você ficaria satisfeito em me atirar aos lobos.

– Cometi um erro ontem – falou Alex, a voz rouca, ainda de costas para Emma. – Sinto muito.

Emma arregalou os olhos, chocada, ao ouvi-lo admitir aquilo. Alex era um homem orgulhoso, e ela acreditava que se desculpar não fosse uma coisa fácil para ele. Ali, apoiado contra a mesa, cada linha do corpo dele mostrava tensão e dor. Ela sabia que não estava sendo fácil. E Alex provavelmente estava devastado de culpa pelo comportamento que tivera. Emma sentiu o coração apertado por ele – não conseguiria evitar mesmo se tentasse, pois amava demais aquele homem. No entanto, nem os seus sentimentos mais ternos conseguiriam apagar a dor que Alex lhe causara.

– Aceito o seu pedido de desculpas – disse ela com uma dignidade tranquila.

Alex se virou, com a esperança e a dúvida colidindo em seus olhos.

– Mas isso não significa que vou ser capaz de esquecer – acrescentou Emma com tristeza. – Não vamos conseguir voltar ao ponto onde estávamos.

– Emma, se você precisava do dinheiro para ajudar Ned, poderia ter me pedido.

– O que eu deveria ter feito, Alex? Procurado você e pedido um empréstimo de 10 mil libras?

– Eu teria dado o dinheiro.

– Tenho certeza disso, mas eu não me sentiria confortável com a situação, e acho que Ned também não. Além do mais, pareceu tolice, já que tenho mais do que o suficiente. Tenho uma herança a receber bem aqui em Londres. Está depositada em um fundo até eu completar 21 anos.

Emma engoliu em seco, nervosa, desviou os olhos e fixou-os em uma tapeçaria medieval pendurada na parede.

– Ou até eu me casar.

– Entendo.

– Eu não pedi você em casamento só pelo dinheiro – disse Emma de supetão, em um tom apaixonado, ainda sem conseguir se virar e encontrar o olhar esmeralda dele. – Acho que foi isso que me deu a ideia de fazer o pedido, mas não foi esse o motivo. Foi uma desculpa, eu acho. Eu queria muito você e estava me sentindo encurralada. Os homens podem escolher com quem querem se casar e quando, mas as mulheres têm que ficar sentadas em casa, esperando um pedido. Tive medo de que você nunca fosse criar coragem de pedir a minha mão.

Alex suspirou. Se ela tivesse esperado mais três dias, toda aquela confusão teria sido evitada.

– O dinheiro foi só uma desculpa – continuou Emma, triste. – Acho que pensei que, se tivesse um motivo muito urgente, então eu poderia desafiar a tradição e eu mesma fazer o pedido em vez de esperar. Acho que não teria tido coragem se não precisasse do dinheiro para ajudar Ned.

Alex foi até a cama, se sentou ao lado de Emma e pegou a mão dela.

– Você consegue entender por que eu reagi daquela maneira? – pergun-tou enquanto acariciava a palma da mão dela com o polegar. – Passei toda a minha vida adulta sendo assediado por mulheres gananciosas, ansiosas por um título. Quando você disse que precisava de dinheiro… não sei o que aconteceu. Acabei perdendo o controle.

Emma levantou os olhos para ele, profundamente magoada.

– Só não entendo como você pôde pensar isso de mim. *Você não me conhece?*

Alex desviou os olhos, incapaz de pensar em qualquer palavra que pudesse expressar o remorso que estava sentindo.

O silêncio pareceu interminável até Emma finalmente dizer:

– Você devia ter confiado em mim.

– Eu sei. Sinto muito.

– Consigo entender que você tenha chegado à conclusão errada – falou ela, a voz falhando. – Mas você nem sequer parou para pensar. Você me tratou como uma meretriz qualquer, me jogou para fora da sua casa. Você nem sequer pediu uma explicação.

Alex não conseguiu olhá-la nos olhos.

Emma enxugou uma lágrima que ameaçava escorrer pelo seu rosto.

– Achei que você me conhecesse o suficiente para perceber que eu não sou uma "megerazinha gananciosa".

Ele se encolheu quando ela repetiu as palavras cruéis que ele havia soltado no momento da raiva.

– Eu sei que errei, Emma. Acredite em mim, não demorei muito para perceber que havia me enganado em relação a você.

– Não sei. Eu me sinto muito desconfortável sabendo que você não confia em mim.

– Mas eu confio. Agora eu confio.

Emma abriu um sorriso triste.

– Isso é o que você diz. E tenho certeza de que acredita no que está falando, mas eu não tenho certeza de que não tiraria a mesma conclusão precipitada outra vez. Você passou dez anos odiando as mulheres. Não é fácil se livrar de uma emoção tão forte nutrida durante uma década.

– Eu não odeio as mulheres, Emma.

– Ódio, desconfiança... Dá no mesmo.

– Admito que não tinha a maioria das mulheres na mais alta conta – disse Alex, apertando a mão dela com mais força. – Eu não conhecia nenhuma, a não ser as da minha família, que fosse digna do meu respeito. Mas você mudou isso. Você acabou com as ideias preconcebidas que eu tinha em relação às mulheres.

Emma umedeceu os lábios enquanto se lembrava da terrível cena na sala de recepção de Alex.

– Obviamente isso não é verdade.

– Pelo amor de Deus, Emma, me dê uma chance! – disse Alex, colocando-se de pé, subitamente nervoso. – Você tem razão! Eu me comportei como um idiota ontem, porque não confiei nos meus instintos. Eu sabia que você era tudo o que eu queria em uma mulher, mas tive medo de admitir. Está satisfeita?

Alex atravessou o quarto, respirando fundo várias vezes. Então ficou parado, as mãos na cintura, olhando para a mesma tapeçaria que havia capturado o olhar de Emma minutos antes. E não se virou para ela quando finalmente voltou a falar:

– Mas agora você está fazendo a mesma coisa comigo. Não confia em mim o suficiente para acreditar que eu aprendi alguma coisa depois da cena de ontem.

– Ah, Alex – disse Emma em um gemido, escondendo o rosto nas mãos. – Eu estou tão confusa... Acho que estou confusa desde o momento em que nos conhecemos.

– *Você* está confusa? – falou Alex, virando-se para ela, os lábios torcidos em um sorriso sarcástico. – Você virou a minha vida de cabeça para baixo. Tem ideia do número de malditos bailes aos quais compareci nos últimos dois meses?

Emma o encarou perplexa enquanto ele continuava:

– Mais do que nos últimos dez anos! Não gosto de festas. *Detesto* festas. Mas fui a todas elas... de bom grado! Só para estar perto de você.

Emma continuou a fitá-lo com os olhos marejados.

– Gostaria de saber o que fazer – disse ela com tristeza. – Você poderia... poderia só...

Emma mordeu o lábio enquanto tentava encontrar as palavras.

– Poderia me abraçar? Só um pouquinho?

Alex levantou a cabeça ao ouvir o pedido, e seu coração começou a bater muito rápido. Então sentou-se ao lado de Emma e passou os braços ao redor dela, pousando os lábios na pele delicada perto da sua orelha.

Emma fechou os olhos, perdida no conforto e no aconchego dos braços dele. Quando voltou a falar, sua voz saiu muito baixa e abalada.

– Acho que, se você continuar me abraçando, talvez eu consiga esquecer como estou magoada.

Alex abraçou-a com mais força.

– Sinto muito, Emma – murmurou. – Sinto tanto...

Emma assentiu, finalmente deixando as lágrimas que vinha contendo escorrerem por seu rosto.

– Eu sei. E sinto muito por ter deixado você tão preocupado hoje à noite. Embora não sinta por ter feito o que fiz – acrescentou, com uma fungada e um sorriso tímido. – Mas sinto muito por ter preocupado você.

Alex puxou-a contra o peito.

– Ah, Emma, meu Deus – disse com a voz rouca. – Por favor, nunca mais me coloque em uma situação como essa.

– Não vou fazer isso de novo. Ou ao menos vou tentar não fazer.

Alex se afastou para conseguir ver o rosto dela.

– Eu fiz você chorar – sussurrou, tocando o rosto dela. – Sinto tanto.

Dentro do abrigo quente dos braços de Alex, Emma chorou todas as lágrimas que vinha guardando dentro de si nos últimos dois dias, que vinha tentando corajosamente esconder dos olhos preocupados dos parentes. A cada lágrima que caía, tinha a sensação de tirar um peso da alma, e lentamente ela sentiu a tensão começar a deixá-la. Em algum momento, as lágrimas cessaram, e Alex pousou o corpo adormecido de Emma sobre a cama enorme. Com um sorriso satisfeito no rosto, ele descalçou os sapatos dela, cobriu-a bem e lhe deu um beijo de boa-noite.

CAPÍTULO 19

Poucas horas depois, Emma abriu as pálpebras lentamente e olhou ao redor, atordoada. Respirou fundo, bocejou e deixou escapar um som semelhante a um ronronar. Então piscou algumas vezes enquanto seus olhos se ajustavam à escuridão. O ar cheirava levemente a musgo, e ela respirou fundo, já que não estava acostumada àquele aroma. Depois de sentir o perfume mais uma vez, voltou a bocejar e fechou bem os olhos enquanto se virava para o outro lado. Deixou escapar um leve suspiro e abriu novamente os olhos. Então arregalou-os ao se descobrir a poucos centímetros do rosto de Alex.

Foi quando se deu conta de que o peso em cima dos seus quadris era a perna dele. Ela prendeu o ar, chocada com a intimidade da cena.

– Ai, meu Deus – sussurrou, mantendo-se absolutamente imóvel para não acordar o homem que dormia ao seu lado.

Emma não tinha nenhuma experiência com aquele tipo de situação. Se fizesse qualquer movimento, provavelmente o acordaria. Por outro lado, seu coração estava batendo tão rápido que ela sabia não haver a menor possibilidade de voltar a dormir.

Emma achava que talvez devesse gritar. Ou desmaiar. Isso, imaginou, era o que uma dama bem-nascida deveria fazer em uma situação como aquela. Mas a verdade era que uma dama bem-nascida não deveria *estar* naquela situação. De qualquer modo, sabia que gritar não resolveria. E desmaiar parecia um esforço tolo – não se pode *fazer* nada enquanto se está inconsciente e, quando acordasse, estaria no mesmo lugar de antes. Além do mais, pensou Emma com ironia, ela não era muito boa em desmaiar sem receber um golpe forte na cabeça.

Haveria um escândalo, imaginou, a não ser que Alex e a família dela se comportassem com a máxima discrição. Na verdade, havia uma boa chance de o tio e a tia ainda nem terem notado sua ausência. Quando saíram para o baile de lady Mottram, Emma os levara a pensar que estava indo se deitar mais cedo por causa de uma dor de cabeça. Os dois estavam preocupados com a sobrinha, que parecera muito deprimida e cansada nos últimos dois dias. Disseram a Emma para descansar, e ela teve certeza de que não a incomodariam quando voltassem. Ned saberia, é claro. E Belle também, porque quase com certeza arrancaria a informação do irmão no minuto em que chegasse em casa.

Não teria problemas desde que voltasse para casa antes do nascer do sol, momento em que os criados começavam suas tarefas diárias. Os primos provavelmente deixariam a porta aberta para ela. Emma deu um sorriso irônico. Belle e Ned quase com certeza estariam esperando na saleta da frente, revezando-se na janela para abrir a porta para ela. Não iriam querer perder a história que Emma contaria para explicar sua longa ausência.

Ela virou a cabeça e estreitou os olhos para tentar ver as horas no relógio na mesa de cabeceira de Alex. Três e quarenta e cinco da manhã. Henry, Caroline e Belle provavelmente já tinham retornado do baile de lady Mottram. Ela ainda tinha muito tempo. Não faria diferença se partisse naquele momento ou dali a meia hora. Fosse qual fosse o dano com o qual teria de arcar, já estava feito.

Tendo justificado devidamente o seu silêncio, Emma ficou satisfeita em permanecer deitada na cama grande, examinando o rosto de Alex. Dormindo, ele parecia um menino. Os cílios escuros eram pecaminosamente longos e Emma se viu desejando, não pela primeira vez, ter cílios como aqueles. Os cabelos de Alex estavam desarrumados e seus lábios, ligeiramente entreabertos enquanto ele ressonava.

Alex tirou o braço de debaixo das cobertas e Emma pôde ver o topo do seu peito. Ela nunca o vira sem camisa antes e se pegou flexionando a mão, desejando pousá-la no peito dele só para saber qual seria a sensação. O olhar de Emma continuou a descer pelo corpo de Alex até o limite das cobertas. Ele havia tirado a camisa... E a calça? Ela prendeu a respiração. Santo Deus, será que Alex estava *nu*?

A perna por cima dos quadris dela subitamente pareceu muito estranha. Emma mordeu o lábio inferior enquanto tentava descobrir um modo de sair de debaixo de Alex sem acordá-lo. Ele murmurou no sono enquanto mudava de posição, rolando na direção dela e prendendo-a com mais firmeza sob a perna. Parecia só haver um modo de verificar o estado de nudez dele. Ela respirou fundo e enfiou a mão embaixo das cobertas até tocar os pelos macios nos joelhos dele. E recolheu rapidamente a mão. Alex com certeza não estava usando calça.

Se ele não estava usando camisa nem calça, só havia um único lugar que poderia ter permanecido vestido, para proteger a virtude dela. Emma engoliu em seco. Ela certamente não iria deslizar a mão por debaixo das cobertas e tocá-lo *ali*. Não tinha nem certeza do que esperar.

Emma tentou uma tática diferente. Ergueu as cobertas muito lenta e cuidadosamente para não perturbar Alex. Quando a coberta já estava acima dos seus olhos, ela espiou, mas não conseguiu ver nada em meio às sombras. Emma reuniu toda a sua coragem e enfiou a cabeça embaixo das cobertas, ainda segurando-a erguida, contando com a ajuda da luz da lua. Mais ainda estava escuro demais. Ela fez uma careta e se resignou à derrota. Não poderia enfiar mais a cabeça embaixo das cobertas sem correr o risco de esbarrar em alguma coisa, e certamente não queria isso. Emma desdobrou o corpo devagar e voltou a cabeça à posição original, sobre o travesseiro ao lado de Alex.

Os olhos dele estavam abertos.

Emma prendeu a respiração e examinou mais atentamente a expressão dele. Com certeza os olhos de Alex estavam abertos e, mesmo na escuridão do quarto, ela pôde ver o humor cintilando nas profundezas verdes.

– Não tirei minha roupa de baixo, se era isso que você estava tentando descobrir – falou ele, e Emma poderia jurar ter ouvido um sorriso em sua voz. – Não sou um completo cafajeste – continuou.

– Obrigada – disse Emma com sinceridade.

– Você pegou no sono e eu não tive coragem de acordá-la. Você fica linda dormindo.

– Você também – disse Emma, sem conseguir se conter.

– Obrigado – respondeu ele, com a mesma sinceridade. – Há quanto tempo está acordada?

– Não muito.

– Está aquecida?

– Ah, sim – falou Emma, tranquilamente, encantada com o absurdo da situação.

Ali estava ela, deitada ao lado de um homem, na cama *dele*, perto das quatro da manhã, e eles estavam conversando polidamente como se estivessem em um salão de visitas. Ela suspirou e deixou o olhar se perder no teto.

– Teremos que ser muito cuidadosos quando você me levar para casa – disse, por fim. – Se formos bem silenciosos, talvez ninguém acorde e possamos evitar o escândalo.

– Não se preocupe – disse Alex, subitamente. – Vou cuidar de tudo.

Emma se virou de costas. Alex não fez qualquer tentativa de mover a perna, que acabou acomodada no espaço entre o quadril e a perna dela.

– Está tão aconchegante aqui... – comentou ele. – Não estou acostumado a dividir esta cama com ninguém.

– Ah, por favor, Alex – zombou Emma. – Você já teve um monte de amantes. Todo mundo sabe disso.

Ele abriu um largo sorriso.

– Está com ciúmes, é? Bom sinal.

– Não estou com ciúmes.

– A propósito, não tive *um monte* de amantes. Não tenho energia suficiente para isso. Admito que não vivi como um monge, mas já faz algum tempo que não tenho uma amante.

Emma se virou para encará-lo com uma pergunta nos olhos.

– Já faz pelo menos dois meses agora, eu acho.

Aquele era aproximadamente o tempo pelo qual se conheciam. Emma ficou absurdamente satisfeita.

– E – continuou ele – eu com certeza nunca trouxe nenhuma delas aqui. Você, minha querida, é a primeira a embelezar a minha cama.

– Você fala como se tivéssemos feito algo que não fizemos.

Alex preferiu não comentar, apenas esticou o braço e puxou-a para junto de si.

– Você está muito longe...

Emma arquejou quando se viu pressionada contra a extensão firme do corpo masculino. A pele de Alex estava muito quente por ter ficado embaixo das cobertas, e aquele calor atravessava a roupa dela.

– Talvez, mas acho que agora estou um pouco perto demais.

Ignorando o comentário, Alex suspirou e enfiou as mãos nos cabelos cheios dela.

– Seu cheiro é delicioso, sabia?

– Sabonete de rosas – falou ela, com a voz trêmula.

– Acho que adoro sabonete de rosas.

Ele pressionou os lábios contra a ponta do nariz dela.

– Também acho que você está vestida demais.

– *Isso* não é verdade.

– Pode ficar quietinha?

Alex moveu os lábios pelo rosto de Emma e beijou os olhos dela para fechá--los. Ela se sentiu derreter, e se deu conta de que queria tanto ser seduzida quanto ele queria seduzi-la. Enquanto Alex continuava a espalhar beijinhos por seu rosto, Emma tentou racionalizar a posição em que se encontrava. Sabia que o que estava fazendo era errado. Ou ao menos era o que todos falavam. Mas algo dentro dela lhe dizia que aquilo era muito certo, que ela pertencia àquele lugar, com Alex, deitada nos braços dele. Era como se ele tivesse dentro de si todo o calor do mundo e como se esse calor cintilasse em seus olhos cor de esmeralda. Será que Emma seria mesmo uma pecadora por amá-lo tanto? Achava que não. E achava que merecia aquele momento de felicidade. Decisão tomada, Emma respirou fundo e levantou o rosto para Alex, entreabrindo ligeiramente os lábios quando a boca dele pousou sobre a dela.

Alex percebeu a mudança em Emma quase instantaneamente, e o desejo que quase temera sentir disparou por todo o seu corpo quando se deu conta de que ela não iria rejeitá-lo.

– Ah, Deus, Emma. Eu quero tanto você – disse ele com um gemido. – Eu quero você há tanto tempo.

Quando começou a desabotoar a camisa masculina que ela ainda usava, reparou que seus dedos estavam trêmulos e deu um sorriso tímido, sentindo-se um menino inexperiente. A cada botão que abria, Alex tinha a sensação de estar expondo um tesouro delicado. Ele ficou sem fôlego ao perceber que nunca havia sentido aquele tipo de nervosismo, aquela empolgação, aquela ansiedade. Quando o último botão foi aberto ele afastou a camisa para o lado, revelando uma camisa de baixo de seda que mais mostrava do que escondia.

Alex pousou as mãos fortes no abdômen de Emma e levantou lentamente a camisa de baixo, a seda roçando de modo sensual contra a pele luminosa dela. Emma estremeceu, sem conseguir e sem desejar conter a própria reação à estranha e bela sensação das mãos de Alex através da seda final da sua camisa de baixo. Santo Deus, como ela o desejava, como desejava aquilo. Todo o seu corpo parecia inflamado, ardendo pelas semanas de desejo acumulado.

Alex parou quando a camisa de baixo chegou à altura dos seios dela. Ele ergueu os olhos, dando a Emma uma última chance de impedi-lo, mas só o que viu nos olhos cor de violeta foi desejo e confiança.

– Sente-se por um momento – falou ele com a voz rouca.

Emma se sentou e ele tirou a camisa de baixo pela cabeça dela, prendendo novamente o ar quando os seios fartos finalmente foram revelados.

– Você é tão linda – murmurou, fitando-a com reverência. – Tão linda.

Emma enrubesceu sob o olhar intenso dele, a pele vibrando de expectativa. Quando Alex pousou a mão ao redor de um seio ela perdeu o ar, mal capaz de compreender as sensações que disparavam por seu abdômen. Então, quando ele apertou a carne macia, ela soube que estava perdida.

– Ah, Alex – gemeu, inundada de prazer. – Me beije. Por favor, me beije.

Ele deu uma risada rouca.

– Como quiser, minha querida.

Alex se abaixou, capturou entre os lábios o bico rosado do outro seio e começou a sugá-lo gentilmente enquanto continuava a massagear o que tinha na mão.

Emma quase gritou.

– Ah, meu Deus! – falou. – Não foi isso que eu quis dizer.

– Hum, eu sei, mas é muito gostoso, não é?

Emma não podia negar, por isso enfiou as mãos nos cabelos dele, puxando-o com força contra si. Se o abraçasse com bastante força, pensou, descontrolada, Alex jamais pararia de fazer todas aquelas coisas deliciosas que estava fazendo.

Ele sorriu enquanto seus lábios traçavam uma trilha até o abdômen dela, parando para correr a língua ao redor do umbigo.

– Acho que precisamos fazer alguma coisa em relação a essa calça inconveniente.

Ele abriu os botões e abaixou a calça lentamente pelas pernas dela.

– Não que você não esteja adorável com ela, é claro, mas acho que não vou permitir que saia de casa vestida assim de novo.

Com um último puxão, a calça que Emma usava se juntou à camisa e à camisa de baixo no chão, e Alex se colou ao corpo dela, de modo que seus narizes se tocassem.

– Acho que mais ninguém precisa saber como o seu traseiro é adoravelmente arredondado.

Como se para provar o seu ponto de vista, ele segurou o traseiro dela, apertou-o e puxou-a com mais força contra o corpo.

– Ah, meu Deus – sussurrou Emma.

Ela agora estava quase nua, a não ser pela roupa de baixo, e Alex parecia muito quente e firme contra ela. Timidamente, Emma acariciou as costas dele, ansiosa para explorar seu corpo, mas sem saber como fazer.

– Vo-você gosta disto?

– Santo Deus, Emma – falou Alex, a voz muito rouca. – Só olhar para você já me faz desejá-la. Você não tem ideia do que acontece quando me toca.

Emma enrubesceu, mas não parou de acariciar as costas dele, e quando Alex despiu a última peça dela, não fez qualquer tentativa de detê-lo.

– Você também vai ter que tirar a roupa – disse Emma, impressionada com a própria ousadia. – Posso ser nova nisso, mas até eu sei que não vai dar certo se você estiver vestido.

Alex soltou uma gargalhada e quase deixou escapar quanto a amava. Mas conteve-se, porque ainda não estava pronto para confessar seu sentimento antes que ela o fizesse. Em vez disso preferiu resolver o problema mais premente, despindo a roupa de baixo e cobrindo o corpo de Emma com o dele.

O coração de Emma começou a bater a mil quando os lábios de Alex se colaram aos dela. As mãos dele pareciam estar por toda parte, acariciando, provocando, apertando, mas ela queria mais. Por fim, a mão dele pousou na parte mais íntima do corpo dela, e Emma quase saltou da cama diante do prazer que o toque causou. Embora Alex já a tivesse acariciado ali e ela soubesse o que esperar, por algum motivo tudo parecia muito mais íntimo agora que estavam na cama, a pele nua dele colada à dela. De repente, Emma sentiu o indicador dele penetrá-la e cada músculo do corpo dela ficou tenso.

– Shhh – murmurou ele. – Só quero garantir que você esteja pronta para me receber. Sou maior do que o meu dedo, não quero machucá-la.

Emma relaxou um pouco, e Alex continuou com os movimentos sensuais, acariciando com o polegar o ponto que parecia concentrar todo o prazer dela. Ondas de satisfação dispararam por todo o corpo de Emma, que se sentiu umedecer de desejo e gemeu, contorcendo instintivamente o quadril sob o corpo dele.

Alex usava todo seu autocontrole para não penetrá-la imediatamente e se perder na maciez de sua carne. Estava determinado a tornar aquela experiência perfeita para Emma. Ele sabia que seu próprio prazer seria vazio se ela não chegasse ao clímax. Em algum momento ao longo do caminho, a felicidade dela se tornara muito mais importante do que a dele.

Emma sentiu o corpo arquear com aquelas sensações ardentes.

– Alex, por favor – implorou. – Por favor, eu preciso de você.

O desespero de Emma foi a perdição de Alex, e ele se posicionou rapidamente em cima dela para penetrá-la.

– Está pronta? – perguntou, em um tom ardente.

Febril de desejo, Emma assentiu e Alex enfim arremeteu e se deu conta de quão apertada ela era.

– Shhh – disse, mais para acalmar a si mesmo do que a ela. – Vou fazer tudo bem lentamente. Quero que você tenha a chance de se acostumar comigo.

E com um gemido que era em parte de prazer, em parte de frustração, ele recuou um pouco, então voltou a investir, muito lentamente.

Naquele momento, Emma teve certeza de que estava prestes a morrer. Simplesmente não havia como seu corpo suportar mais aquela pressão que vinha crescendo dentro dela.

– Por favor – gemeu, virando a cabeça de um lado para o outro. – Eu quero… preciso… Meu Deus, eu não sei o que eu quero!

– Shh, meu bem, eu sei. Mas você ainda não está totalmente pronta. Você é tão pequena… Estou com medo de machucá-la.

Alex pensou que não poderia haver afrodisíaco maior do que a visão de Emma se contorcendo na cama dele, totalmente consumida pela paixão. Mas manteve o desejo sob controle, obrigando-se a fazer movimentos lentos. Então, quando estava certo de que não conseguiria mais se conter, chegou ao ponto que guardava a virgindade dela.

– Emma? – disse Alex, a voz ainda mais rouca de paixão.

Emma estava tão perdida na própria bruma de prazer que não o ouviu.

– Meu bem? – chamou de novo, um pouco mais alto dessa vez.

Emma levantou a cabeça, os olhos mal conseguindo manter o foco.

– Meu bem, talvez isso doa um pouco, mas eu prometo que vai ser só dessa vez.

– Como assim?

Ele fez uma careta enquanto se apoiava nos cotovelos. Santo Deus, ninguém explicara isso a ela?

– Você é virgem e eu estou prestes a tirar a sua virgindade. Isso pode doer, mas prometo que vai passar e você não sentirá dor na próxima vez.

Emma fitou-o. Alex parecia tão preocupado com ela, com a testa franzida e os olhos do verde mais suave que já vira.

– Eu confio em você, Alex – falou baixinho, e passou os braços ao redor dele.

Os últimos resquícios de controle de Alex desapareceram naquele momento e ele arremeteu. Emma deixou escapar um gritinho, mas achou a dor mínima e ela logo foi substituída pelo prazer absurdo de fazer amor com Alex. A cada arremetida, Emma sentia uma onda urgente de calor disparar por todo o corpo até que, subitamente, as sensações foram além do que conseguia suportar. Foi como se todos os seus músculos se contraíssem e quase congelassem. Ela não conseguia se mover, não conseguia respirar, até que finalmente o mundo inteiro explodiu e ela entrou em colapso, completa e absolutamente exaurida.

Um espasmo ardente de prazer fez todo o corpo de Alex estremecer quando sentiu os músculos ao redor do seu membro se contraírem. O ritmo primitivo da penetração ficou mais rápido, mais frenético, então ele arremeteu uma última vez, dominado pelo êxtase, e se derramou dentro dela.

Emma o ouviu gritar no momento em que chegou ao clímax. Ele desabou sobre ela e, enquanto ainda se recuperava do próprio êxtase, Emma pensou que nunca se sentira tão absolutamente satisfeita.

– Estou me sentindo bem – declarou com um suspiro.

Alex deu uma risadinha e rolou para o lado.

– Eu também, meu bem, eu também.

– Se eu soubesse que seria tão bom assim, talvez não tivesse expulsado você do meu quarto no dia em que nos conhecemos.

Alex segurou o rosto dela entre as mãos.

– Não teria sido tão lindo. Ainda não nos gostávamos naquela época.

Emma se aconchegou mais a ele ao ouvir as palavras carinhosas. Com certeza agora ele diria que a amava, certo? Mas Alex não fez isso. Emma suspirou. Estava feliz demais para se preocupar com isso no momento. Ele não teria feito amor com ela como acabara de fazer sem amá-la ao menos um pouquinho, não é mesmo?

Os dois permaneceram naquela posição por vários minutos, com Emma aconchegada em Alex enquanto ele acariciava distraidamente os seus cabelos. Por fim, ela levantou a cabeça e fez a temida pergunta.

– Que horas são?

Alex olhou por cima da cabeça de Emma para o relógio na mesa de cabeceira.

– Quase quatro e meia.

– Tenho que ir para casa – disse ela em tom de lamento.

Era péssimo pensar no mundo real, mas teria que voltar para casa mais cedo ou mais tarde. De preferência mais cedo.

– Os criados já devem estar de pé e em plena atividade a esta altura. E, como você sabe, eles são tão habilidosos em espalhar fofocas como a aristocracia. Se uma criada me vir, a cidade toda vai ficar sabendo hoje mesmo.

– E quem se importa?

Emma virou a cabeça rapidamente para encará-lo, e o choque e a irritação eram evidentes em seus olhos.

– Como assim "quem se importa"? Prefiro que a minha reputação não seja arrastada na sarjeta, obrigada.

Alex a encarou com perplexidade.

– Que história é essa de sarjeta? Estaremos casados na semana que vem. Daqui a duas semanas, todo o furor por causa de um casamento apressado terá acabado e o único adjetivo atribuído a nós será "românticos".

Uma indignação irracional começou a arder dentro de Emma diante da atitude autoritária de Alex. Era bem típico dele declarar que os dois iram se casar na próxima semana sem nem se dar o trabalho de consultá-la.

– Isso supostamente foi um pedido de casamento? – perguntou ela, com dureza na voz.

Alex a encarou, sem entender.

– Nós *vamos* nos casar, não vamos?

– Eu definitivamente não sei. Ninguém pediu a minha opinião.

– Pelo amor de Deus, Emma. Agora temos que nos casar.

– Não tenho que fazer nada que eu não queira, Vossa Graça – declarou Emma, afastando-se dele na cama e prendendo a coberta embaixo dos braços.

– Emma, foi *você* quem *me* pediu em casamento dois dias atrás.

– E, caso não se lembre, você recusou – falou ela, mal-humorada.

– Que inferno, mulher, vamos voltar a isso mais uma vez?

Emma não respondeu.

– Que maravilha – resmungou Alex. – Era disso que eu precisava. Uma mulher nervosinha.

– Não fale assim comigo!

Os olhos de Alex cintilaram com arrogância.

– Eu não estava falando com você, minha cara, estava falando sobre você. E, se não estivesse agindo como uma boba, eu a estaria beijando.

Emma saiu da cama de um pulo diante do insulto, levando a coberta com ela.

– Não tenho que ficar aqui ouvindo você me difamar!

Emma tropeçou na coberta enquanto tentava pegar as roupas no chão. As peças tinham sido jogadas de lado no auge da paixão, por isso ela precisou atravessar o quarto várias vezes para pegar tudo, dolorosamente consciente de como devia estar parecendo tola em sua tentativa de manter o corpo coberto com a colcha pesada.

Alex tentou uma abordagem diferente.

– Emma – falou em um tom suave –, depois de tudo o que vivemos juntos, você não quer se casar? Vou enlouquecer se não puder ter você em meus braços toda noite.

– Você é desprezível! – esbravejou Emma, furiosa, o rosto rosado de fúria. – Não consigo acreditar no seu atrevimento. Como ousa tentar me seduzir para me fazer casar com você?

– Bem, pareceu estar funcionando – comentou Alex, com um sorriso malicioso.

– Aaaah! Eu seria capaz de... de... Aaaaah!

A raiva de Emma havia atingido uma proporção que já não cabia em seu vocabulário.

– De me matar? Eu não faria isso se fosse você. Faria uma sujeira terrível.

A atitude imperturbável tirou Emma do sério de vez. Ela ergueu um vaso acima da cabeça, pronta para jogar em cima dele.

– Por favor – pediu Alex, em uma voz estrangulada. – O vaso Ming, não.

Emma abaixou os braços, examinou o vaso com um olho treinado, então devolveu-o a seu lugar em cima da mesa. Em seguida, pegou a caixa de rapé.

– Que tal isso?

Alex fez uma careta.

– Bem, se você quer mesmo...

A caixa de rapé passou raspando pela cabeça dele.

– Destruir meus pertences não vai resolver nada – disse Alex, saindo da cama, nem um pouco preocupado com a própria nudez. – Você *vai* se casar comigo.

– Já lhe ocorreu pedir alguma coisa que você queira em vez de exigir? – perguntou Emma.

Fervendo de raiva, ela tentava vestir a roupa de baixo sem deixar cair a coberta. Sua raiva só aumentou ao ver os lábios de Alex se curvarem em um sorriso diante do apuro em que ela se encontrava.

– Ah, peço que me perdoe, Vossa Graça – falou Emma, a voz carregada de um sarcasmo gelado. – Esqueci. Um duque não tem que pedir nada. Ele não precisa passar nenhuma vontade. É direito dele ter tudo o que deseja.

Emma virou a cabeça para ele quando disse as últimas palavras, e ficou espantada com a expressão irada no rosto de Alex. Horrorizada, ela recuou um passo, ainda segurando nervosamente a coberta que a protegia do olhar furioso dele.

– Emma – falou ele, muito tenso –, você vai se casar comigo?

– Não!

Ela mal conseguia acreditar que dissera aquilo, mas a palavra saíra como se tivesse vida própria.

– Chega! – explodiu Alex.

Ele atravessou o quarto em passadas rápidas e irritadas e arrancou a coberta da frente do corpo de Emma. Ela tentou desesperadamente se cobrir, mas logo descobriu que aquilo não era necessário, já que Alex parecia determinado a vesti-la o mais rápido possível.

– Eu cansei dessas suas pirraças – disse ele, enfiando a camisa de baixo pela cabeça dela. – Se você queria provar que não é uma dama frágil, que ninguém manda em você, fique tranquila. Você conseguiu. Agora pare de agir feito uma criança e aceite o inevitável. Você *vai* se casar comigo, e vai fazer isso com um sorriso no rosto.

Emma o encarou com um sorriso falsamente doce.

– Assim está bom, Vossa Graça? Não iríamos querer que pensassem que o grande duque de Ashbourne teve que forçar uma mulher a se casar com ele.

Ela se arrependeu das palavras no instante em que saíram da sua boca, ciente no mesmo instante de que fora longe demais. O rosto de Alex era uma máscara de fúria mal contida.

– Desculpe – disse ela em uma voz estrangulada, sem conseguir encará-lo.

Alex a soltou com uma expressão desgostosa no rosto. Foi até a cadeira em que deixara as roupas de noite mais cedo, pouco antes de se enfiar na cama com Emma. Ele se vestiu com movimentos bruscos e Emma não pôde fazer nada além de fitá-lo, espantada e muda diante do esforço dele para controlar o próprio temperamento.

Quando terminou de se vestir, Alex jogou o casaco de Emma para ela,

253

foi até a porta do quarto e puxou-a com força. A porta não se moveu e Alex praguejou fortemente quando se lembrou de que a havia trancado na noite anterior.

– A chave – sussurrou Emma, horrorizada. – Você jogou pela janela.

Ele a ignorou enquanto desaparecia dentro do quarto de vestir. Segundos depois, abriu a porta pelo lado de fora. Os ombros largos de Alex ocupavam quase todo o espaço da porta.

– Vamos – falou com a voz seca.

Emma teve o bom senso de escolher não esbravejar por ele tê-la deixado pensar que estavam presos no quarto na noite anterior, e não perdeu tempo em seguir o comando dele – em parte, por medo da fúria evidente, embora controlada, em parte porque se deu conta de que queria mesmo ir para casa, portanto estava conseguindo o que queria. Ela desceu rapidamente a escada e esperou no saguão da frente enquanto Alex acordava um dos criados e pedia que aprontasse uma carruagem.

– Vai levar alguns minutos – disse ele quando retornou, desafiando-a silenciosamente a protestar. – Lamento, mas meus criados não estão acostumados com atividade na casa a esta hora da manhã.

Emma engoliu em seco e assentiu, mantendo os olhos fixos no chão. Estava começando a se sentir um pouco envergonhada pelo ataque de fúria que tivera. Provavelmente era natural que Alex presumisse que se casariam, agora que tinham dormido juntos. Mas nada parecia provocar mais a ira dela do que os modos autoritários dele, e algo dentro de Emma se descontrolara quando ele simplesmente anunciara as núpcias. Olhando com hesitação para a expressão ainda furiosa dele, Emma se deu conta de que, apesar de toda a sua franqueza, ela não era corajosa a ponto de se aventurar a dizer alguma coisa.

Dez minutos depois ela foi levada rapidamente para dentro de uma carruagem, e percebeu com preocupação que os primeiros raios da aurora começavam a iluminar o céu. Os criados na casa Blydon já teriam começado suas tarefas matinais. Perceberiam sua chegada nada convencional e contariam aos amigos que trabalhavam em outras residências, que por sua vez contariam aos patrões. Emma suspirou, exausta. Não havia como evitar o escândalo.

A distância até a casa dela não era longa, mas quando a carruagem parou diante da mansão Blydon o sol já nascera, e Londres despertava. Alex desceu rapidamente e praticamente arrastou Emma com ele.

– Não há necessidade de ser rude, Vossa Graça – disse ela, indignada, enquanto subia os degraus aos tropeções atrás dele.

Alex se virou e ergueu a cabeça de Emma, forçando-a a olhar para ele.

– Meu nome é Alex – falou irritado. – Como nos casaremos neste fim de semana, eu gostaria que você se lembrasse disso.

– Neste fim de semana? – repetiu ela, com um fiapo de voz.

Alex não respondeu, apenas começou a bater furiosamente na porta.

– Pelo amor de Deus, Alex! Eu tenho a chave!

Emma agarrou os braços dele, tentando parar o barulho. Tirou a chave do bolso e eles entraram.

– Pode ir embora agora? – pediu. – Posso ir sozinha para o meu quarto.

Alex abriu um sorriso perverso.

– Henry! – chamou ele. – Caroline!

– O que está fazendo? – sibilou Emma. – Seu objetivo é me arruinar?

– Meu objetivo é me casar com você.

– O que está acontecendo aqui?

Emma levantou os olhos. Henry e Caroline desciam a escada às pressas, olhando para o casal no saguão com uma mistura de choque e confusão.

Alex levou as mãos à cintura.

– Comprometi totalmente a reputação da sobrinha de vocês – declarou. – Poderiam fazer a gentileza de insistir para que ela se case comigo?

Caroline nem piscou.

– Isso é bastante peculiar – anunciou.

CAPÍTULO 20

Emma mordeu o lábio e se esforçou para manter a postura ereta. Seus joelhos tremiam, a pulsação estava acelerada e sua mente era dominada pela autorrecriminação. Fechou os olhos, angustiada. Dessa vez realmente passara do limite.

O tio parecia prestes a explodir.

– Vá para o seu quarto *imediatamente* – falou ele, furioso, sacudindo o indicador na direção de Emma.

Ela arregalou os olhos e subiu correndo a escada, sem ousar sequer olhar para trás.

No andar de cima, postada ao lado de Ned, Belle ficou sem ar ao ver a prima passar voando. Ela jamais, jamais, vira o pai furioso daquele jeito.

– E você – disse Henry, voltando sua fúria na direção de Alex e ignorando completamente o título do rapaz, mais importante do que o dele –, para o meu escritório. Cuidarei de você assim que conversar com a minha esposa.

Alex assentiu brevemente e saiu do saguão.

– E quanto aos meus dois filhos obedientes – voltou a falar Henry sem se virar. – Sugiro que os dois sigam para seus quartos também e meditem sobre o motivo de não terem nos informado do paradeiro da sua prima na noite passada.

Belle e Ned obedeceram na mesma hora.

Quando Henry finalmente ficou a sós com a esposa (até os criados haviam tido o bom senso de deixar a cena), ele se virou para ela e disse, com um suspiro:

– E então, minha cara?

Caroline deu um sorriso cansado e abraçou o próprio corpo.

– Não posso negar que estava torcendo para que isso acontecesse. Só que depois de um casamento.

Henry se inclinou e beijou a esposa, sentindo parte da fúria inicial ceder.

– Por que não sobe para cuidar de Emma? Eu tomo conta de Ashbourne.

E, com isso, ele voltou a suspirar e caminhou lentamente até o escritório.

Quando chegou lá, viu Alex parado perto da janela, os braços cruzados, observando as faixas laranja e cor-de-rosa que coloriam o céu no início da manhã.

– Não sei se devo jogá-lo pela janela ou apertar a sua mão e parabenizá--lo – falou Henry com a voz cansada.

Alex se virou, mas não disse anda.

Henry foi até a garrafa que estava sobre uma mesa lateral.

– Aceita uma dose de uísque? – perguntou, olhando de relance para o relógio e se encolhendo ao ver que eram apenas cinco e vinte da manhã. – Sei que está um pouco cedo, mas estamos tendo uma manhã bem fora do comum, não acha?

Alex assentiu.

– Um drinque seria muito bem-vindo, obrigado.

Henry serviu o uísque e entregou a ele.

– Por favor, sente-se.

– Prefiro ficar de pé, obrigado.

Então Henry também se serviu de um copo.

– E eu prefiro que você se sente.

Alex se sentou.

Um leve sorriso curvou os lábios de Henry.

– Imagino que você seja pelo menos uns cinco quilos mais pesado do que eu, portanto acho que vou dispensar a ideia da janela.

– Eu teria dificuldade em fazer isso se estivesse no seu lugar – comentou Alex baixinho.

– É mesmo? Bom saber. Mas temo que a idade nos deixe mais mansos. Não sou tão feroz quanto costumava ser. No entanto, parece que a honra da minha sobrinha foi comprometida na noite passada. – Henry pegou o uísque e encarou Alex. – E parece ter sido você o responsável. Não posso parabenizá-lo por isso.

– Pretendo me casar com ela. – O tom de Alex era determinado.

– E ela pretende se casar com você?

– Ainda não.

– Você acha que ela *quer* se casar com você?

– Ela diz que não, mas quer, sim.

Henry pousou gentilmente o copo, cruzou os braços e apoiou o corpo contra a beira da escrivaninha.

– Isso é um pouco condescendente da sua parte, não acha?

Alex enrubesceu.

– Dois dias atrás, Emma apareceu na minha casa... desacompanhada... e me pediu em casamento – disse Alex, ligeiramente na defensiva.

Henry ergueu uma sobrancelha.

– É mesmo?

– Eu aceitei.

– Posso ver que vocês estão em excelentes termos, agora – comentou Henry com ironia.

Alex ajeitou o corpo na cadeira, sentindo-se desconfortável e repetindo para si mesmo sem parar que, como tio de Emma, Henry tinha direito a algumas respostas. Ainda assim, a cena era muito humilhante.

– Tivemos um mal-entendido. Eu... eu rompi com ela, mas na noite passada resolvemos tudo.

– Muita coisa pode acontecer em 24 horas.

Alex se perguntou em que momento teria perdido o controle daquela conversa. Respirou fundo e continuou, sentindo-se como um colegial sendo repreendido.

– Dessa vez, eu a pedi em casamento, mas Emma se recusa porque é muito cabeça-dura.

Taciturno, Alex xingou baixinho e se afundou na cadeira.

– Emma é uma pessoa difícil de controlar, posso garantir, mas o pai dela a confiou aos meus cuidados. Levo muito a sério as minhas responsabilidades em relação à minha família. E, mais importante do que isso, amo Emma como uma filha – disse Henry, e então ergueu o copo no ar. – Posso propor um brinde às suas núpcias iminentes, Vossa Graça?

Alex o encarou, surpreso.

– Mas saiba que não estou dando a minha bênção porque você seduziu Emma, nem porque está dizendo que é o que ela quer. Estou fazendo isso porque realmente acredito que esse casamento é a melhor coisa para a minha sobrinha. Acho que você é um dos poucos homens que conheço que está à altura dela, e acho que Emma será uma boa esposa para você.

Então, como se acabasse de lhe ocorrer, acrescentou:

– Também acho que Emma realmente quer se casar com você, mas, como você mesmo disse, ela pode ser cabeça-dura, por isso talvez tenhamos certa dificuldade para lembrar o fato a ela. Pelo seu bem, espero que consigamos, porque não vou forçar minha sobrinha a subir ao altar com uma pistola apontada para as costas dela.

Alex deu um sorrisinho e tomou o resto do uísque.

⌒

Emma estava olhando pela janela quando Caroline entrou no quarto, mas seus olhos se recusavam a se concentrar na cena.

– Você se meteu em uma bela confusão – comentou Caroline enquanto fechava a porta com um clique alto.

Emma se virou lentamente, os olhos cintilando com lágrimas não derramadas.

– Sinto tanto, tia Caroline. Nunca tive a intenção de envergonhar a senhora ou a sua família. Por favor, acredite nisso.

Caroline respirou fundo. Emma precisava de conforto e de apoio naquele momento, não da repreensão que obviamente esperava.

– Que história é essa de *minha* família? Eu só vejo a *nossa* família.

Emma deu um sorrisinho trêmulo. Caroline se sentou na cadeira diante da penteadeira da sobrinha.

– Tenho a impressão de que você vai ter que tomar algumas decisões sérias bem rapidamente.

– Eu não quero me casar com ele, tia Caroline – apressou-se a dizer Emma.

– Não? Tem certeza?

Emma deu de ombros.

– Acho que não.

– *Acho* é muito diferente.

Emma se afastou da janela, tirou os sapatos e se sentou na cama.

– Não sei o que fazer...

– Por que não me conta o motivo de não querer se casar com Ashbourne?

– Alex é dominador demais. Acredita que ele nem sequer me pediu em casamento? Simplesmente declarou que nos casaríamos e pronto. Ele nem me consultou!

Caroline respirou fundo, percebendo que a sobrinha havia recuperado um pouco do espírito combativo usual.

– Isso foi antes ou depois de você ter sido, hum, comprometida?

Emma desviou os olhos.

– Depois.

– Entendo. E você não acha que foi uma conclusão bastante lógica da parte de Ashbourne presumir que você, uma jovem bem-nascida, iria querer se casar com ele depois que vocês tiveram relações íntimas?

– Ele poderia ter me perguntado.

Emma cerrou os lábios em uma atitude desafiadora, mas se encolheu por dentro ao se dar conta de como parecia birrenta.

– Sim, isso com certeza foi um descuido da parte dele, mas não sei se é uma razão boa o bastante para que você recuse o pedido – disse Caroline, que fez uma pausa e se inclinou para a frente. – A menos, é claro, que você tenha outro motivo para rejeitá-lo.

Emma engoliu em seco e mordeu o lábio inferior.

– Você tem?

Quando Emma finalmente falou, mal se ouvia a sua voz.

– Não.

– Bem, já é um começo – declarou a tia em um tom animado, levantando-se e indo até a janela diante da qual Emma estivera parada pouco antes.

– Mas a verdade é que não deve-se casar só por não ter motivo para não fazê-lo. É preciso haver algumas razões para que *deva* se casar, não acha?

Assumindo o silêncio de Emma como concordância, Caroline continuou:

– Há alguma razão pela qual se casar com Ashbourne poderia ser uma escolha muito inteligente? E por inteligente eu quero dizer que seria o passo lógico para garantir a sua felicidade no futuro.

Emma piscou algumas vezes sob o olhar atento da tia e assentiu.

– Foi o que pensei – disse a tia, cruzando os braços, e então, sem rodeios, perguntou: – Você ama Ashbourne?

Emma assentiu e uma lágrima escorreu pelo seu rosto.

– Você está percebendo quão perto chegou de arruinar suas chances de se casar com o homem que ama?

Emma assentiu de novo, sentindo-se ligeiramente nauseada.

– Muito bem, então talvez seja melhor você domar essa teimosia e esse orgulho – aconselhou Caroline, sentando-se ao lado da sobrinha e puxando-a para um abraço maternal. – Embora eu não ache que deva domá-los totalmente. Você vai precisar de um pouco de ambos em um casamento com um homem como esse.

– Eu sei – falou Emma, fungando.

Caroline deu um beijo na testa dela.

– Agora enxugue essas lágrimas, meu bem. Vamos ter que descer e informar sua decisão aos homens.

Caroline se levantou e foi até a porta.

– E quanto ao meu pai? – perguntou Emma subitamente. – Não posso me casar sem a permissão dele. E a empresa...

Emma se deu conta de que aquilo era uma desculpa boba, considerando que ela havia sido a primeira a fazer o pedido de casamento, um fato que sem dúvida logo seria do conhecimento de Caroline.

– Acho que você sempre soube que o Estaleiro Dunster não era o seu destino. E quanto ao seu pai... bem, lamento, mas ele vai ter que confiar em nossas decisões. Não temos muito tempo.

Os olhos de Emma se arregalaram de horror enquanto ela abaixava a cabeça automaticamente para a barriga. Deus, ela nem sequer havia considerado a possibilidade de conceber um bebê.

– Você entendeu o que eu quis dizer.

Quando as duas entraram no escritório de Henry, alguns minutos depois, o dono da casa e Alex estavam sentados em um silêncio amigável, cada qual com seu copo de uísque. Emma estreitou os olhos ligeiramente ao ver a cena. Não parecia que o tio estivera gritando com Alex por causa da virtude perdida dela. Ela suspirou baixinho. Ah, bem, era melhor mesmo começar um casamento em um ambiente pacífico.

– Você quer nos dizer alguma coisa? – perguntou Henry com uma sobrancelha erguida.

Emma engoliu em seco, se adiantou e virou-se para encarar Alex.

– Seria uma honra me casar com Vossa Graça – disse, e então fez uma pausa e levantou ligeiramente o queixo. – Se achar conveniente fazer o pedido.

Caroline gemeu e Henry revirou os olhos, mas Alex não pôde evitar que um sorrisinho dançasse em seu rosto. Ele imaginava que, afinal, aquele era o motivo pelo qual a amava tanto.

– Gostaria que eu me ajoelhasse? – perguntou Alex, olhando no fundo dos olhos de Emma.

Ela umedeceu nervosamente os lábios. O tom dele era provocador, mas ela soube que Alex se ajoelharia se ela pedisse.

– Não – falou, sentindo-se arder sob o olhar intenso cor de esmeralda. – Não acho que seja necessário.

O sorriso de Alex se abriu um pouco mais quando fitou Emma. Ela ainda usava as roupas de Ned, e estava encantadora, parada ali com o queixo erguido enquanto tentava se agarrar ao próprio orgulho. Ele teve vontade de estender a mão e prender uma mecha dos cabelos muito vivos atrás da orelha dela, mas, ciente da presença de Henry e Caroline, apenas pegou a mão de Emma e levou aos lábios.

– Aceita se casar comigo? – perguntou baixinho.

Ela assentiu, sem confiar totalmente em sua capacidade de falar. Henry e Caroline, sentindo que seu dever tinha sido cumprido, saíram silenciosamente do escritório, deixando Emma a sós com Alex, a mão dela ainda colada aos lábios dele.

– Sinto muito por não ter feito isso direito da primeira vez – disse ele com a voz suave.

Emma sentiu um sorriso curvar seus lábios.

– Na verdade, acho que aquela foi a segunda vez.

Alex assentiu.

– Você tem razão, mas, caso não se lembre, eu também fiz tudo errado da primeira vez.

Emma suspirou, lembrando-se da cena terrível na sala de recepção de Alex. Santo Deus, aquilo havia sido apenas dois dias antes? Parecia que uma vida havia se passado desde então.

– É verdade – concordou ela, a voz tranquila. – Mas acho que devíamos deixar tudo isso para trás. Seria bom se pudéssemos começar nosso casamento com otimismo.

– Concordo – respondeu Alex, acariciando distraidamente a mão dela com o polegar.

Ele queria beijá-la apaixonadamente, mas estava com um pouco de medo... Não sabia exatamente de quê, mas por algum motivo sentia que toda a sua vida estava suspensa em um equilíbrio muito delicado e não queria estragá-lo. Por isso ficou parado ali, acariciando a mão de Emma, sem saber o que dizer e se sentindo um tolo por estar tão inseguro.

– Vou tentar não ser tão controlador – disse, por fim, em um tom grave.

Os olhos de Emma encontraram os dele. Alex parecia tão sério, tão ansioso, que era difícil não jogar os braços ao redor do pescoço dele.

– Vou tentar não ser tão teimosa – prometeu ela, por sua vez.

Um breve sorriso cruzou o rosto de Alex enquanto ele a tomava nos braços e a puxava com gentileza. Emma o abraçou pela cintura e pousou o rosto contra o peito dele. Ela suspirou baixinho, sentindo o calor delicioso que irradiava do corpo de Alex. O coração dele batia alto e forte e Emma decidiu que teria que ser Alex a eventualmente interromper aquele momento, porque nada no céu ou na terra a faria se mover por vontade própria.

Mas, por mais esplêndida que fosse a sensação, Emma não conseguia afastar da mente a impressão de que estava se casando com um homem que gostava dela, mas que não confiava completamente nela. Alex disse que sabia que ela era diferente das damas da sociedade que o perseguiam incansavelmente, mas Emma tinha medo de que algumas cicatrizes antigas fossem profundas demais. Ela não estava certa de que algum dia ele conseguiria confiar completamente em uma mulher.

Também havia o fato, é claro, de Alex não ter dito que a amava. Emma enrijeceu ligeiramente o corpo, mas logo lembrou a si mesma que ela também não confessara seus sentimentos.

Alex sentiu a mudança na postura dela e deu um beijo rápido no topo de sua cabeça.

– Algum problema, querida?

Emma se permitiu relaxar de novo e desfrutar o calor do abraço dele.

– Não, não há problema algum. Eu só estava pensando, só isso.

– Em quê?

– Em nada especial, na verdade. Só detalhes do casamento – mentiu ela. – Imagino que não tenhamos muito tempo para cuidar de tudo.

Alex recuou lentamente e conduziu-a até um sofá próximo, onde os dois se sentaram.

Com carinho, Alex levou dois dedos ao queixo de Emma e inclinou a cabeça dela para trás, para conseguir olhar dentro dos seus olhos.

– Você queria um casamento grandioso? – perguntou.

– Não. Conheço muitas pessoas aqui em Londres, mas só de vista. São poucas as que conheço bem, por isso não vou sentir falta delas na celebração. Mas gostaria de um vestido especial – acrescentou ela, um pouco melancólica. – E realmente gostaria que meu pai estivesse presente, para me entregar a você.

Alex manteve os olhos fixos nos dela, buscando algum sinal de que ela realmente queria um casamento suntuoso, mas só viu a sinceridade mais clara e transparente.

– Sinto muito por não podermos esperar pelo seu pai, mas quero que estejamos casados o mais rápido possível. Eu preferiria não ter que esperar minha mãe e sua tia confabularem sobre arranjos de flores.

Emma deixou escapar uma risadinha.

– Você sabia que foi exatamente por causa de arranjos de flores que nós nos conhecemos, Vossa Graça?

– Não me chame de "Vossa Graça" – alertou Alex.

– Desculpe, saiu sem querer. Acho que fui muito bem treinada nos modos da aristocracia.

– Mas conte por que devo a minha suprema boa sorte a arranjos de flores.

– Foi por causa deles que eu estava indo ao mercado vestida de criada quando salvei Charlie da carruagem. Tia Caroline queria que eu a ajudasse com arranjos de flores para o baile, então Belle e eu fugimos para a cozinha, para escapar dela, e nos vestimos com as roupas das nossas camareiras porque não queríamos sujar nossos vestidos – explicou Emma, acrescentando: – Eu realmente *detesto* fazer arranjos de flores.

Alex deu uma gargalhada.

– Eu prometo, meu bem, que, em homenagem ao nosso primeiro encontro, teremos uma enorme quantidade de flores no nosso casamento, mas você não vai precisar cuidar de nenhuma delas.

Emma olhou de relance para o perfil de Alex, que ria com vontade. Ele não poderia tratá-la com tanta ternura se não a amasse ao menos um pouquinho, não é? Ela deixou as dúvidas de lado. Se ele ainda não a amava, com certeza a desejava, isso já estava bem claro. E também gostava muito dela. Certamente era um bom começo. Emma respirou fundo ao sentir sua conhecida teimosia começar a emergir. Conseguiria fazer aquele casamento funcionar. *Faria* aquele casamento funcionar. Precisava fazer.

Os dias se passaram em um turbilhão de atividades. Alex tentou impor seu desejo inicial de que o casamento fosse realizado naquele fim de semana, mas, depois de cinco minutos de "debate" com Caroline, concordou com relutância em adiar por uma semana. Emma se manteve sabiamente longe da discussão.

– Uma semana e meia ainda é terrível – comentou Caroline. – Mas pelo menos vou conseguir organizar uma cerimônia bonita. Em dois dias teria sido impossível.

Uma hora depois de Alex finalmente partir naquela manhã, a duquesa viúva de Ashbourne chegou à residência dos Blydons, insistindo em participar dos preparativos do casamento. Ninguém lembrou a ela que eram sete e meia da manhã. Eugenia parecia encarar as núpcias iminentes do filho como nada menos do que um milagre, e o mero fato de estar cedo demais para os padrões de etiqueta não iria impedi-la de se certificar de que o casamento ocorreria sem qualquer problema. Depois de cerca de cinco minutos com Eugenia e Caroline, Emma finalmente jogou os braços para cima, pediu às duas damas que por favor a consultassem antes de tomarem qualquer decisão de maior importância, subiu e se jogou na cama. Não dormira muito na noite anterior.

Quando acordou, cerca de seis horas depois, estava faminta. Alguém tinha conseguido se afastar dos preparativos pelo tempo necessário para lembrar de pedir que uma bandeja fosse levada ao quarto dela. Emma engoliu rapidamente a fatia de torta de carne e o suco que foram deixados em cima da cômoda, tomou um banho e se vestiu. Após um dia inteiro usando roupas masculinas, achou seu vestido de caminhada verde-jade um tanto claustrofóbico, mas concluiu que realmente não poderia ficar andando de calça por aí. Depois de pronta, Emma se sentou diante da escrivaninha e escreveu uma carta ligeira para o pai, explicando as circunstâncias e prometendo escrever uma carta mais longa em breve, contando tudo sobre Alex e o casamento.

Quando finalmente desceu a escada às três da tarde, Caroline e Eugenia estavam exatamente onde ela as deixara, jogando nomes de um lado para o outro enquanto preparavam a lista de convidados. Belle e Sophie tinham se juntado ao grupo e estavam tendo um debate acalorado sobre o buquê. Quando viram a noiva chegar, as duas imediatamente deixaram a escolha nas mãos dela.

– Ah, rosas, eu acho – disse Emma. – Concordam?

As duas mulheres reviraram os olhos.

– Sim, é claro, mas de que cor? – perguntou Belle.

– Ah. Bem, acho que isso vai depender da cor que vou escolher para os vestidos das damas.

Belle e Sophie a encararam com ansiedade aparente e Emma se deu conta de que teria que tomar uma decisão.

– Bem, como vocês duas serão as minhas únicas damas, que cor gostariam de usar?

– Pêssego.

– Azul.

Emma engoliu em seco.

– Entendo. Bem, talvez possamos escolher apenas rosas brancas para o buquê, por enquanto. Branco combina com tudo. Especialmente comigo! – acrescentou com um sorriso animado, mas rapidamente lhe ocorreu perguntar: – Eu *posso* me casar de branco, não posso? Sei que não está no auge da moda, mas tenho uma amiga em Boston que usou branco no casamento e ficou tão lindo...

– Você pode se casar usando a cor que quiser – respondeu a tia. – Sua primeira prova de roupa é hoje à noite. Madame Lambert ficará aberta até mais tarde para que o vestido fique pronto a tempo.

– É muito gentil da parte dela – disse Emma, se perguntando quanto Caroline oferecera pagar a mais para convencer a modista. – O que mais vocês decidiram?

– Vamos realizar o casamento em Westonbirt, se você não se importar – disse Caroline. – Já está muito em cima para conseguir horário em qualquer uma das grandes catedrais aqui em Londres.

– Sei que o costume é que o casamento aconteça na casa da noiva – comentou Eugenia. – Mas você mora em Boston, e Westonbirt fica muito mais perto de Londres do que a casa de campo dos seus primos.

– Não, não, está ótimo – falou Emma. – Westonbirt é linda. E, afinal, logo será a minha casa.

Os olhos de Eugenia estavam marejados quando ela pegou as mãos de Emma.

– Estou tão feliz por você estar se juntando à nossa família.

– Obrigada – disse Emma, apertando carinhosamente as mãos de Eugenia. – Também estou muito feliz.

– Muito bem – falou Caroline, animada. – De volta à lista de convidados. E quanto ao visconde Benton?

Emma arquejou. Anthony Woodside?

– Não! – gritou.

Caroline e Eugenia se voltaram para ela, com a mesma expressão confusa.

– Eu realmente não gosto dele – apressou-se Emma em explicar. – E acho que ele deixa Belle desconfortável.

Belle assentiu.

– Muito bem, então – concordou Caroline, já riscando o nome dele da lista que estava fazendo.

– Acho que a maioria das pessoas não vai conseguir comparecer – disse Emma, um tanto esperançosa. – Afinal, estamos fazendo o convite de última hora, para um local a três horas de Londres.

As outras quatro mulheres se viraram para ela, chocadas.

– Está louca? – perguntou Belle, por fim. – As pessoas vão tropeçar umas nas outras para chegar lá. O duque de Ashbourne está se casando, Emma. O duque do "não tenho interesse em me casar" está se casando. E com uma mulher relativamente desconhecida vinda das Colônias, nada menos. Esse vai ser o evento social da estação.

– E a pressa em organizar o casamento só vai instigar ainda mais o interesse das pessoas – completou Sophie. – Acrescenta um toque de escândalo e intriga. E romance, é claro.

– Entendo – disse Emma em uma voz muito fraca. – Mas acho que Alex queria um evento pequeno.

– Ah, que besteira – falou Eugenia, descartando a possibilidade. – Sou mãe dele e não me importa o que ele quer. Meu filho só vai se casar uma vez na vida, e pretendo aproveitar a ocasião.

Eugenia se recostou na cadeira, e Emma se deu conta de que não havia por que protestar.

Na verdade, ela não protestou em relação a nada ao longo da semana seguinte, deixando-se levar pela onda dos preparativos do casamento. O único descanso que conseguiu – além das horas de sono, que estavam sendo bastante insuficientes – foi quando Ned entrou pisando firme na sala de estar e arrancou-a da companhia das parentes atuais e futuras.

– Vamos dar um passeio – anunciou.

Emma ficou profundamente feliz por poder fugir um pouco de tudo aquilo e os dois foram de carruagem até uma casa de chá muito popular.

– Quero contar o que aconteceu com Woodside – falou Ned assim que eles foram acomodados em uma mesa.

– Ai, meu Deus – sussurrou Emma. – Quase esqueci desse assunto! O que aconteceu?

– Ele tentou cobrar a dívida na sexta-feira, no White's.

– E?

– E eu disse que com certeza não pagaria uma dívida duas vezes.

Emma levou a mão à boca.

– Ah, Ned, você não fez isso!

– Fiz. Ele ficou muito vermelho e começou a fazer uma cena até eu sacar a promissória do bolso. Então eu ergui as sobrancelhas e perguntei a Woodside como era possível que eu estivesse de posse da promissória se não tivesse pagado a dívida.

– Ele deve ter enlouquecido de raiva.

– Isso, minha cara prima, é um eufemismo. Achei que o homem fosse explodir. E todos ao redor viram o que aconteceu. Acho que ele não será aceito em um jogo de cartas respeitável por anos.

– Ah, isso é brilhante – disse Emma. – Sabe, acho que devo estar desenvolvendo um traço vingativo, porque estou adorando saber que causamos esse transtorno.

– Isso não é nada feminino da sua parte – brincou Ned. – Mas, falando sério, Emma. Ele parecia realmente furioso. Acho que é melhor ficarmos atentos. Certamente ele vai querer vingança.

Emma tomou um gole de chá.

– Sinceramente, Ned, o que ele pode fazer conosco? Espalhar boatos? Ninguém vai acreditar nele.

– Não sei. Só acho que devemos ser cuidadosos.

– Cuidadosos, talvez. Mas preocupados? Acho que não. Ele não é exatamente do tipo homicida.

– Será?

Emma sacudiu a cabeça e levantou os olhos para o teto.

– Woodside é um grande covarde.

CAPÍTULO 21

Antes que Emma pudesse recuperar o fôlego, se viu em Westonbirt, assistindo a mais de uma centena de operários e criados darem os toques finais no que certamente eram os preparativos de casamento mais rápidos em décadas. Caroline e Eugenia estavam amando aquilo tudo, e Emma teve que admitir que haviam operado um verdadeiro milagre. Caroline repetia com frequência que poderia ter conseguido um resultado melhor se tivesse tido um pouco mais de tempo, o que fez Emma rir porque os preparativos excederam qualquer coisa que ela poderia ter sonhado em Boston.

Depois de alguns desacordos amigáveis entre Sophie e Belle em relação à cor do vestido das damas – se pêssego ou azul –, Emma finalmente declarou que o verde-menta seria a cor do dia, o que acabou se mostrando uma sábia decisão, porque as duas ficaram maravilhosas em seus vestidos.

Mas seria a noiva que conquistaria o coração de todos. Na última prova do vestido de noiva, Belle arquejara e dissera que nunca vira Emma tão linda. O vestido era em um modelo ligeiramente antiquado, com a cintura bem marcada em vez de seguir a última moda, que era logo abaixo do busto. Emma gostava do novo estilo, e tinha vários vestidos desse modelo, mas achava que não serviria para um vestido de noiva. Madame Lambert concordara na mesma hora e criara um vestido suntuoso de seda marfim, com um decote discreto que mal roçava os ombros de Emma, mangas longas e justas, e camadas de saias que faziam o vestido ondular graciosamente a partir da cintura. Emma decretara que o vestido deveria ser relativamente simples, e por isso não havia pedrarias nem laços.

O resultado era de tirar o fôlego. O corte favorecia o corpo pequeno de Emma, destacando a cintura fina e a linha elegante do pescoço. Mas a cor da seda foi o maior acerto. Emma começara com o branco em mente, mas Madame Lambert se recusara e insistira no marfim. E estava absolutamente certa – a cor do tecido combinava perfeitamente com o tom da pele de Emma, que parecia cintilar.

269

Embora pudesse ser apenas amor.

Ainda assim, Emma achou que o vestido ajudava.

Finalmente, o dia do casamento havia chegado e Emma acordou com a sensação de que umas trinta borboletas batiam asas em seu estômago. Como se aproveitasse a deixa, Belle entrou no quarto e perguntou, sem preâmbulos:

– Nervosa?

– Terrivelmente.

– Ótimo. Todos esperam que você fique nervosa. Afinal, o casamento é um grande passo. Provavelmente é o maior acontecimento da vida de uma mulher. Depois de nascer, é claro, e morrer, suponho, mas...

– Chega! – pediu Emma.

Belle deu um sorrisinho travesso.

– Sua diabinha – murmurou Emma, e jogou um travesseiro na prima.

– Pedi que trouxessem chocolate quente para o seu café da manhã. Achei que você não iria querer comer nada muito substancial.

– Não mesmo – concordou Emma baixinho, olhando pela janela.

Belle percebeu a expressão séria da prima e perguntou na mesma hora:

– Você não mudou de ideia em relação ao casamento, não é?

Emma saiu do devaneio.

– Não, é claro que não. Amo Alex, você sabe. Não sei se já disse isso, mas amo.

– Eu sabia!

– Só queria que meu pai pudesse entrar ao meu lado. Sinto falta dele. E agora vou morar tão longe...

Belle deu uma palmadinha carinhosa na mão de Emma para consolá-la.

– Eu sei. Mas você tem a nós, no fim das contas. E a família Ashbourne a adora. E seu pai virá visitá-la, tenho certeza disso. Mas não diga ao meu pai quanto você sente falta do tio John. Ele está praticamente explodindo de orgulho diante da ideia de levar você ao altar.

Elas ouviram batidas na porta, em seguida Sophie entrou no quarto, ainda de camisola.

– Interceptei a criada na escada e ela voltou para a cozinha para pegar mais um chocolate quente – falou. – Espero que não se importe. Ela deve estar de volta logo.

– É claro que não – disse Emma com um sorriso. – Quanto mais chocolate, maior a alegria.

– Não consigo acreditar na agitação em que está esta casa – continuou Sophie. – Vocês já foram lá embaixo?

Emma e Belle balançaram a cabeça, negando.

– Parece um hospício. Eu quase atropelei um criado. E os convidados já começaram a chegar!

– Você está brincando! – disse Belle. – As pessoas devem ter se levantado às quatro da manhã para já estarem aqui.

– Bem, Alex quase virou um bicho quando a mamãe sugeriu que convidássemos todos para passar a noite. Só alguns poucos eleitos tiveram permissão para vir na noite passada, e Alex insistiu para que absolutamente *todos* partissem até a noite de hoje.

Emma enrubesceu.

– Você já o viu?

– Não – disse Sophie, pegando uma das xícaras de chocolate que a criada acabara de trazer. – Mas Dunford já está andando por aí. Ele disse que Alex está quase subindo pelas paredes. Imagino que esteja bastante ansioso para acabar logo com essa história de casamento.

– Bem, ele não é o único – disse Emma, perguntando-se quando seu estômago pararia de dar cambalhotas.

O casamento estava programado para começar ao meio-dia em ponto e, às onze e meia, Emma espiou pela janela o espetáculo montado no gramado sul de Westonbirt.

– Santo Deus, deve ter umas duzentas pessoas lá embaixo.

– Eu diria que há cerca de quatrocentas – falou Belle, juntando-se à prima na janela. – A mamãe teria preferido uma lista de seiscentos convidados, mas...

– Mas não houve tempo suficiente – completou Emma. – Eu sei.

Ela continuou olhando para o jardim e balançou a cabeça diante da grandeza da cerimônia. Havia tendas alegremente listradas espalhadas pelo jardim, protegendo as hordas de convidados do sol do início de julho. Como Alex prometera, havia mais arranjos de flores do que Emma era capaz de contar.

– Ai, meu Deus – sussurrou ela. – Eu jamais devia ter permitido que a tia Caroline organizasse um casamento tão grandioso. Não conheço nem metade dessas pessoas.

– Mas todas conhecem você! – comentou Sophie, entusiasmada.

– Você consegue acreditar que vai ser uma duquesa? – perguntou Belle.

– Não. Para ser sincera, não – falou Emma baixinho.

Então, antes que ela se desse conta, já era meio-dia e estava parada na entrada da tenda, tão nervosa que mal conseguia ouvir o quarteto de cordas tocando sua peça preferida de Mozart.

– Boa sorte – disse Sophie pouco antes de entrar na tenda. – Irmã.

Belle seguiu Sophie alguns minutos mais tarde, mas não antes de apertar com carinho a mão da prima, para tranquilizá-la.

– Amo você, Emma Dunster.

– Essa é a última vez que alguém vai me chamar assim – sussurrou Emma.

– Emma Ridgely também soa bem para mim – disse Henry, pegando o braço dela. – Ainda mais com o título "duquesa de Ashbourne" ao final.

Emma deu um sorriso nervoso.

– Você vai se sair bem – disse tio Henry, e acrescentou com carinho: – Sei que vai ser muito feliz.

Emma assentiu, piscando para afastar as lágrimas.

– Obrigada por tudo, tio Henry. Por tudo. O senhor sabe quanto o amo.

Henry tocou o rosto da sobrinha.

– Eu sei – disse ele, a voz rouca de emoção. – Vamos em frente? Acho que o seu duque vai acabar vindo até aqui e arrastando-a para o altar se não chegarmos logo lá.

Emma respirou fundo e deu o primeiro passo. Quando viu Alex esperando no altar, todos os seus medos e ansiedades começaram a desaparecer. A cada passo, a alegria em seu peito crescia e ela nem reparou nas centenas de pessoas que haviam se virado no assento para ver a noiva radiante atravessando a nave.

Alex prendeu a respiração no instante em que Emma entrou na tenda. Ela estava tão linda que ele não sabia como descrever. Era como se a beleza acumulada dentro dela agora irradiasse por cada poro. Tudo em Emma parecia cintilar, da pele sedosa aos olhos violeta até a cor intensa dos cabelos, que se destacavam mesmo sob o véu delicado.

Finalmente, Henry e Emma chegaram até Alex, e Emma não conseguiu evitar sorrir quando o tio pousou sua mão sobre a do futuro marido. Ela buscou os olhos de Alex e encontrou um carinho inegável, além de uma imensa ansiedade, possessividade e, sim, amor. Ele talvez nunca dissesse as palavras, mas Emma viu claro como o dia em seus olhos: Alex a amava.

Ele a amava e, subitamente, a vida pareceu duas vezes mais luminosa do que parecia minutos antes.

O restante da cerimônia passou tão rapidamente que, mais tarde, Emma só conseguiu se lembrar de breves trechos. Charlie muito orgulhoso por estar segurando a almofadinha com as alianças; o calor das mãos de Alex quando ele colocou a aliança no dedo dela; os sorrisos atrevidos de Dunford e Ned ao verem Alex beijar a noiva um tanto apaixonadamente demais quando o vigário os declarou marido e mulher; a imagem do rosto úmido de lágrimas de Caroline quando os recém-casados desceram a nave ao fim da cerimônia.

A festa se estendeu pelo resto da tarde e noite adentro. Emma se viu sendo parabenizada por centenas de desconhecidos e centenas de conhecidos. Alex ficou o máximo possível ao lado dela, mas mesmo quando eram socialmente forçados a se separarem, Emma sentia os olhos dele nela, e mal conseguia conter o arrepio de amor e desejo que disparava por seu corpo.

Por fim, depois de danças e de dezenas de brindes, Alex puxou Emma de lado e sussurrou em seu ouvido:

– Sei que ainda é cedo, mas poderíamos, por favor, sair daqui? Quero você só para mim.

– Achei que você nunca pediria… – respondeu Emma com um suspiro, o sorriso mais largo a cada segundo.

Os dois acenaram para os convidados em despedida e pararam ao lado de Eugenia antes de partirem.

– Quero todos fora daqui hoje mesmo – falou Alex com firmeza. – Não me importo se só vão chegar em casa ao amanhecer. É o que normalmente acontece de qualquer modo.

– Posso presumir que essa rigidez não se estende aos membros da sua família? – perguntou Eugenia com uma expressão muito divertida.

– É claro que não. Terão até amanhã de manhã – disse Alex, dando um beijo no rosto da mãe. – Gostaria de um pouco de privacidade com a minha mulher, se não se importa.

– Fique tranquilo, até o meio-dia já teremos ido embora – garantiu Eugenia. – Imagino que não planejem sair do quarto antes disso, certo?

Emma enrubesceu até a raiz dos cabelos.

– Não mesmo – afirmou Alex sem o menor constrangimento. – Embora eu agradeça se puder pedir para alguém nos levar o desjejum amanhã de manhã.

– Não se preocupe, filho querido, tomarei conta de tudo – disse Eugenia, e seus olhos ficaram marejados quando ela levou a mão ao rosto dele. – Estou muito feliz por você.

Alex e Emma sorriram em despedida para Eugenia e desceram o longo corredor que levava à suíte principal. Emma quase precisou correr para acompanhar as longas passadas de Alex, e quando ele começou a puxá-la escada acima ela parou para recuperar o fôlego.

– Por favor – pediu ela, rindo o tempo todo. – Só um instante.

Alex parou na mesma hora e segurou o rosto dela entre as mãos. Seus olhos estavam cheios de uma mistura curiosa de intensidade e divertimento.

– Não posso esperar – disse apenas.

Emma deixou escapar um gritinho quando Alex ergueu-a nos braços e carregou-a pelo resto do caminho até o quarto.

– Enfim sós – disse ele dramaticamente, fechando a porta com um chute, para não precisar colocá-la no chão. – Se importa se eu a beijar?

– Não.

– Ótimo.

E, quando o beijo terminou, Emma estava sem fôlego e aquecida.

– Nervosa? – perguntou Alex.

– Não. Hoje de manhã eu estava, mas agora não estou mais.

Os olhos de Alex cintilaram quando entendeu o que isso queria dizer, mas ainda assim não quis apressá-la. Tinham a noite toda – a semana toda, na verdade. Ele pegou a mão de Emma e andou pelo quarto com ela.

– Este é o seu novo quarto – falou, indicando o ambiente com um gesto.

Emma olhou ao redor. A decoração era totalmente masculina.

– Você pode redecorar, se quiser – garantiu Alex. – Nada muito cor-de--rosa, eu espero.

Emma conteve um sorriso.

– Acho que podemos chegar a um acordo.

Alex pegou a mão dela de novo.

– Há um cômodo anexo que é oficialmente o quarto da duquesa, mas prefiro que você passe a maior parte do tempo aqui.

– Ah, é mesmo? – brincou Emma.

– Poderíamos transformar o quarto da duquesa em uma sala de estar para você, como todas as bugigangas femininas que quiser – disse ele, ansioso. – Mas não acho que seja preciso manter a cama que está lá. Estou pensando em pedir que a levem para os aposentos da Sra. Goode. Ela já está conosco há muitos anos e acho que seria um belo presente. Muito mais confortável do que a cama que ela tem agora.

– Acho uma ideia brilhante – falou Emma com tranquilidade, parando perto dele.

– Ah, Emma, estou tão feliz por você ser finalmente minha.

– E eu estou feliz por *você* ser *meu*.

Alex deu uma gargalhada.

– Chegue um pouco mais perto para que eu finalmente possa despir esse seu lindo vestido, Vossa Graça.

– Emma – retrucou ela em um tom firme. – Não quero mais ouvi-lo me chamando de "Vossa Graça".

– É uma dama impagável, Vossa Graça.

Alex passou os braços ao redor dela e começou a abrir os minúsculos botões que desciam pelas costas do vestido de noiva. Os gestos eram de uma lentidão agoniante e uma pontada quente de desejo descia pela coluna de Emma a cada toque.

Ela deixou escapar um gemido baixo e pousou as mãos nos ombros de Alex para se equilibrar. Todo o quarto parecia flutuar em uma névoa de sensualidade e ela mal conseguia se manter de pé.

As mãos de Alex ficaram imóveis quando alcançaram o meio das costas dela.

– Hum, acho que está na hora de soltarmos os seus cabelos.

Com dedos habilidosos, ele tirou os grampos que mantinham as mechas presas no alto da cabeça de Emma.

– Embora eu goste desses fiozinhos que ficam soltos quando eles estão presos assim.

Alguns segundos depois, toda a massa ruiva de cabelos desceu pelas costas dela e Alex levou alguns cachos macios ao rosto, beijando-os e sentido o perfume inebriante.

– Adoro seus cabelos – murmurou, correndo os dedos por eles. – Já disse que quero uma filha com cabelos exatamente dessa cor?

Emma balançou a cabeça sem dizer nada. Eles nunca haviam conversado sobre filhos. Ela presumira que Alex iria querer um herdeiro – todos os homens queriam –, mas nunca sonhara que o marido fosse querer uma menininha que se parecesse com ela.

– De minha parte, andei pensando em um menininho com cabelos escuros e olhos verdes – disse Emma, hesitante.

As mãos de Alex voltaram aos botões nas costas do vestido dela.

– Ora, teremos que trabalhar com dedicação até termos o que ambos desejamos, não acha?

Alex abriu os botões com toda a rapidez e, em poucos segundos, o vestido caiu no chão, deixando Emma apenas com a camisa de baixo, de seda fina.

Ele começou a afastar a camisa de baixo dos ombros dela, mas Emma o deteve.

– Shhh... Minha vez agora.

Ela levou a mão à gravata dele e desfez lentamente as dobras intrincadas. Depois passou à camisa branca engomada, apreciando cada centímetro de pele que revelava até ter aberto todos os botões. Alex só conseguiu suportar aquela tortura maravilhosa por um instante até que, com um gemido, ergueu Emma nos braços e a carregou para a enorme cama de dossel.

– Ah, Deus, você é tão linda – disse com reverência, tocando o rosto dela. – Tão linda.

Emma se entregou à paixão do momento e passou os braços ao redor de Alex quando ele se juntou a ela na cama. Mesmo enquanto se livrava das peças de roupa restantes, Alex não conseguia parar de tocá-la, e o calor das suas mãos, combinado com o toque sensual da seda contra a pele, estava deixando Emma fora de si. Ela repetiu o nome dele em um gemido várias vezes, mal percebendo as palavras.

– Shhh, estou aqui, meu bem – murmurou ele.

Era verdade, tranquilizou-se Emma, sentindo a nudez gloriosa de cada centímetro do corpo dele pressionada contra ela. Mas a camisa de baixo ainda era um empecilho, e Emma começou a puxá-la para cima com pressa, pois não queria nada separando os corpos.

– Cuidado – disse Alex, contendo as mãos dela. – Acabei me apegando muito a essa peça de roupa.

Ele levou as mãos aos quadris de Emma, ainda cobertos pela seda da roupa de baixo, e começou a deslizá-la para cima, deixando rastros de fogo até revelar os seios. Alex deixou escapar um murmúrio e se inclinou lentamente para beijar os mamilos escuros. Emma se contorceu de prazer e agarrou a nuca dele para mantê-lo onde estava.

– Hum, lembro que você gostou disto – falou Alex com uma risadinha, encantado com a natureza espontânea da esposa.

– Alex, tire logo minha camisa de baixo – exigiu Emma, em um tom ardente.

– Muito bem – brincou ele, finalmente tirando a camisa pela cabeça dela e jogando-a no chão.

Emma levantou os olhos para o marido. Ele ainda parecia controlado demais. Será que não estava louco de paixão como ela? Com um sorrisinho diabólico, Emma se inclinou e começou a beijar os mamilos dele da mesma forma. A reação de Alex foi instantânea e mais intensa do que Emma imaginara.

– Meu Deus, Emma, onde você aprendeu isso?

Ela deixou a boca subir até encontrar a dele.

– Com você. Quer me ensinar mais alguma coisa?

– Talvez na semana que vem – gemeu Alex. – Acho que não conseguiria aguentar muito mais por esta noite.

Ela riu, satisfeita, enquanto ele se dedicava a beijá-la com ardor. Naquele momento, todas as brincadeiras cessaram, e restaram apenas dois corpos famintos buscando um ao outro, cheios de paixão e desejo.

Emma parecia incapaz de parar de tocá-lo. Suas mãos subiram pelas coxas musculosas, passaram pelo peito até chegarem aos ombros. Cada toque inflamava a paixão de Alex, que correu as mãos por toda a extensão do corpo dela até encontrar os cachos macios que protegiam sua região mais íntima. Emma arquejou de desejo e agarrou-se a ele, tentando puxá-lo mais para perto. Alex abriu lentamente as dobras da carne dela e deslizou um dedo para dentro. Emma estava mais do que pronta para recebê-lo.

– Você está tão molhada – disse ele com a voz carregada de desejo. – Tão molhada, tão quente, tão pronta para mim.

– Por favor, Alex... – implorou Emma.

Ele se posicionou acima dela e encaixou apenas a ponta do membro. Era uma tortura não penetrá-la completamente e sentir seu doce calor, mas Alex sabia que o corpo dela ainda não estava habituado e queria lhe dar tempo para que se ajustasse ao seu tamanho.

Mas Emma queria mais.

– Ah, Alex, por favor. Eu quero mais – disse em um gemido, agarrando os quadris dele e tentando puxá-lo para mais perto.

Alex não conseguiu resistir ao apelo e arremeteu com um grito rouco, preenchendo-a completamente. A respiração dele saía em arquejos e foi preciso fazer um esforço para manter o ritmo compassado enquanto a penetrava e recuava, acariciando-a intimamente.

Emma teve a sensação de estar em uma espiral em direção ao paraíso. Ela lutou para retardar o clímax, querendo prolongar a perfeição daquele momento, mas logo se viu arrastada para aquela sensação de liberdade absoluta que apenas Alex conseguia lhe proporcionar. Emma soube que a batalha estava perdida quando ele deslizou a mão entre os corpos dos dois e tocou-a intimamente. Então, ciente de que em um instante seu mundo explodiria em sensações, ela deixou escapar em um grito estrangulado:

– Alex... Alex... eu amo tanto você!

Ele ficou paralisado.

– O que você disse? – perguntou ele com a voz abalada.

Emma se sentiu pairando à beira do precipício. Precisava que ele continuasse a se mover.

– Por favor, Alex. Por favor, não pare agora.

– O que você disse? – repetiu ele, sentindo cada músculo do corpo retesado.

Os olhos violeta de Emma encontraram o verde dos olhos dele, a alma exposta.

– Eu amo você.

Alex sustentou o olhar dela por mais um instante antes de arremeter novamente, dessa vez com um novo senso de urgência. Aquilo era tudo de que Emma precisava, e ela sentiu que perdia totalmente o contato com a realidade. Arqueando o corpo na cama com a força do êxtase, Emma gritou o nome do marido e tudo colapsou em um prisma de luz e paixão. A tensão dos músculos internos de Emma ao redor de sua ereção acabou com os últimos vestígios de controle de Alex, e ele soltou um grito rouco de triunfo enquanto explodia dentro dela.

Muitos minutos mais tarde, os dois entrelaçados, braços e pernas jogados em uma deliciosa bruma de satisfação, Alex deixou escapar um suspiro profundo e enterrou o rosto na curva macia do pescoço de Emma.

– Tive medo de nunca ouvir aquelas palavras – disse ele baixinho.

Emma enfiou os dedos nos cabelos cheios e escuros dele e os acariciou.

– Eu ainda tenho medo de nunca ouvi-las.

Alex se afastou e segurou o rosto dela entre as mãos.

– Eu amo você, Emma Elizabeth Dunster Ridgely – disse ele em um tom solene. – Amo você com todo o meu coração, com toda a minha alma. Amo você como nunca sonhei ser possível amar uma mulher. Amo você como...

– Pare! – pediu Emma, os olhos marejados.

– Por que, meu bem?

– Estou feliz demais – disse ela com a voz embargada.

– Você nunca vai estar feliz demais. Na verdade, pretendo passa o restante da vida devotado a garantir que cada dia da sua vida seja mais feliz do que o anterior.

– Acho que isso não será muito difícil, desde que você esteja ao meu lado.

Alex sorriu.

– Como se eu fosse capaz de abandoná-la.

– Ótimo! – disse ela, em um tom atrevido.

– Como se você fosse deixar que eu a abandonasse – brincou ele. – Minha deliciosa duquesa americana. Você provavelmente iria atrás de mim com uma espingarda.

Emma se sentou e o acertou com um travesseiro.

– Seu bruto!

Rindo, feliz, ela deixou que o marido a deitasse de novo na cama.

– Além do mais, nem sei como usar uma espingarda – falou Emma enquanto recuperava o fôlego.

– Como assim? A minha duquesa que sobe em árvores, que sabe pescar, não sabe atirar com uma espingarda? Estou desapontado.

– Bem, sou melhor do que a média com uma pistola.

Alex se inclinou para beijá-la.

– Isso se parece mais com você.

– Alex?

– Hum?

– Não precisamos voltar correndo para Londres, precisamos?

– Não, acho que não. Por que pergunta?

– Acho que estou me afeiçoando a Westonbirt.

Alex fingiu estar amuado.

– A Westonbirt ou a mim?

– A você, seu bebezão. Mas em Londres nunca vou conseguir ver você, porque as pessoas exigem tanto do seu tempo. Acha que podemos passar uma temporada aqui?

Alex aconchegou a esposa junto ao peito, feliz com o amor recém-descoberto que brilhava em seu coração.

– Acho que podemos dar um jeito.

CAPÍTULO 22

As semanas que se seguiram ficaram entre as mais felizes que Emma já vivera. Ela parecia flutuar pelos dias, envolta em uma bruma de felicidade, exibindo o sorriso constante de uma mulher que ama e é amada. A vida dela com Alex entrou em uma confortável rotina. Eles faziam todas as refeições juntos – embora muitas fossem levadas ao quarto em uma bandeja. Saíam a cavalo todas as tardes, pegando caminhos diferentes a cada vez, e Westonbirt era grande o bastante para que, depois de três semanas, Emma ainda não tivesse conhecido toda a propriedade. Toda noite, depois do jantar, eles se demoravam na nova sala íntima, lendo, jogando xadrez ou apenas desfrutando a companhia um do outro.

E as noites, é claro, não eram reservadas apenas para o sono.

Emma logo aprendeu a fazer bom uso do tempo que não passava com Alex. Ele tinha negócios a tratar e com frequência passava algum tempo em seu escritório, lidando com cartas e documentos importantes. Ainda havia quatro propriedades além de Westonbirt que exigiam cuidadosa administração, e Alex não gostava de deixar todos os detalhes a cargo dos supervisores. Os arrendatários mereciam mais do que um senhor de terras ausente, e ele tinha cadernos e mais cadernos de anotações nos quais tentava manter o registro do progresso dos arrendatários e de suas necessidades.

Assim, enquanto Alex se ocupava com o trabalho, Emma se dedicou a conhecer sua nova casa. Sua primeira tarefa foi fazer com que a cama da duquesa fosse levada embora. Uma rápida ida a Londres para visitar a família e comprar móveis resultou na redecoração da sala íntima em tempo recorde. Então ela tratou de aprender sobre a administração da residência ancestral dos Ashbournes. Depois de conhecer todos os criados, Emma passou algum tempo com os que ocupavam uma posição mais alta na hierarquia doméstica, fazendo perguntas sobre o gerenciamento das tarefas. Foram reuniões duplamente bem-sucedidas, porque, além de aprender mais sobre o funcionamento interno de Westonbirt, Emma estabeleceu uma relação de confiança com os criados. Todos apreciaram sinceramente o interesse da nova patroa pelo bem-estar geral e ficaram lisonjeados por ela procurá-los para pedir orientações em seu novo papel de senhora de Westonbirt.

Mas havia um limite para o tempo que se passava redecorando a casa e conversando com os criados, e Emma logo se viu com pouco que fazer. A eficiente equipe de criados garantia que a casa funcionasse com a precisão de um relógio, quase sem nenhuma intervenção da parte dela. Assim, certa manhã, cerca de três semanas depois do casamento, Emma tomou a iniciativa de bater na porta do escritório de Alex.

– Entre.

Emma enfiou a cabeça pela porta.

– Incomodo?

Ele pousou na escrivaninha os papéis que estava lendo.

– Não, de jeito nenhum. Já está na hora da refeição?

Emma balançou a cabeça.

Alex olhou pela janela.

– Está um dia lindo. Que tal pedirmos à Sra. Goode que nos prepare um piquenique?

– Seria maravilhoso. Mas na verdade só passei para ver como você está. O que são esses papéis que você estava lendo?

Alex franziu o cenho diante do inesperado interesse da esposa.

– São a respeito de uma participação que eu tenho em uma plantação de açúcar no Caribe.

– Ah. Posso dar uma olhada?

– Com certeza – disse ele, e entregou os papéis a ela. – Mas acredito que você não vai achá-los muito interessantes. Além do mais, estão em francês.

Emma pegou os documentos e examinou-os. Seu francês não era tão bom quanto o de Alex, mas era bom o bastante para que ela tivesse uma ideia geral do que diziam as cartas do administrador da plantação. Uma estação ruim havia resultado em uma colheita ruim. Alex provavelmente não veria o retorno do investimento que fizera por mais um ano. Ela devolveu os papéis a ele.

– Isso não é bom – comentou.

– Subestimei seu francês.

Emma sorriu.

– Aprendemos uma coisinha ou outra nas Colônias.

– Nos Estados Unidos – corrigiu Alex.

– *Touché*. Estou na Inglaterra há tempo demais.

Alex se levantou, passou os braços ao redor dela e lhe deu um beijo casto no nariz.

– Sim, bem, você é inglesa agora.

Ela suspirou satisfeita, desfrutando o calor do abraço.

– Alex? – disse contra o peito dele.

– Hum?

– Andei pensando. Passei as últimas três semanas conhecendo todos os criados e aprendendo como administrar a casa, mas agora que já fiz tudo isso realmente não me restou muita coisa para fazer.

Alex levantou o rosto dela para que o encarasse.

– Eu não a mantenho ocupada? – perguntou com a voz rouca.

Emma enrubesceu. A paixão que compartilhavam ainda a deixava um pouco constrangida quando discutida à luz do dia.

– Você mantém minhas noites ocupadas. E minhas refeições. E temos nosso passeio diário a cavalo, é claro. Mas a verdade é que não tenho nada para fazer enquanto você está trabalhando.

– Entendo... Bem, não vejo por que você não poderia cuidar da contabilidade da casa. Afinal, era você que cuidava disso na empresa do seu pai. Tenho certeza de que está à altura da tarefa. Norwood vem fazendo isso há anos, mas não acho que ele goste muito da função. Ele prefere ser apenas um velho mordomo.

Emma se animou consideravelmente.

– Isso seria fantástico, Alex. Vou procurá-lo agora mesmo – disse Emma, e em seguida se inclinou e beijou o rosto do marido. – E vou pedir à Sra. Goode que prepare aquela cesta de piquenique. Que tal nos encontrarmos no saguão à uma da tarde?

Alex assentiu e Emma saiu do escritório para ir em busca de Norwood. Ela o encontrou em uma pequena sala de refeições, inspecionando a prataria que fora recentemente polida por uma criada contratada havia pouco tempo.

– Ah, Norwood! – chamou Emma, ao ver o topo da cabeça calva dele antes de entrar no cômodo.

O mordomo endireitou o corpo na mesma hora.

– Sim, duquesa?

– Estou planejando assumir a contabilidade da casa. Sua Graça me disse que você não gosta muito da tarefa, e devo admitir que adoro trabalhar com números.

– Sim, duquesa. E, perdoe-me a ousadia, mas gostaria de lhe agradecer. Meus olhos já não são mais como antes e aqueles numerozinhos são um desafio.

Emma deu um sorriso luminoso para o homem.

– Então tudo saiu melhor do que o planejado! E você não precisa me pedir perdão. Não fui criada na Inglaterra, não estou acostumada a tanta formalidade. Não hesite em me procurar se houver algum problema, certo?

– Obrigado, duquesa.

– Você deveria ter comentado com Sua Graça sobre a sua visão – acrescentou Emma, balançando a cabeça. – Ele teria entregado a contabilidade a outra pessoa.

Norwood abriu um pequeno sorriso – o primeiro que Emma via naquele homem de postura tão solene.

– Isso pode ser verdade, duquesa, mas ele nem sempre foi tão, vamos dizer, acessível.

Emma fez uma careta.

– Suponho que não. Mas não deixe que isso o aborreça, certo? É tudo fachada. Basta ver como ele cuida dos arrendatários. Ainda assim, concordo que não é muito agradável ser o alvo do temperamento dele.

Norwood, que não estava acostumado a ter longas conversas com os patrões, teve o bom senso de não perguntar à patroa como sabia tanto sobre o temperamento de Sua Graça.

– De qualquer modo, gostei muito da nossa conversa – continuou Emma. – Vamos agora pegar os livros de contabilidade? Gostaria muito de saber como você vem trabalhando.

Norwood levou Emma para um pequeno escritório perto da cozinha. Foram necessários apenas alguns minutos para que ela descobrisse que, por mais escrupuloso que fosse em seus cálculos, o mordomo vinha usando o sistema de contabilidade mais confuso que ela já vira. Depois de agradecer profusamente a Norwood pelo excelente trabalho realizado, Emma atacou os livros, examinando com cuidado todas as contas para que pudesse encontrar a forma mais eficiente de manter o registro das despesas. No entanto, antes que se desse conta da passagem do tempo, já era quase uma da tarde, e ela precisou correr até o saguão de entrada, onde se encontrou com Alex para saírem para o piquenique que haviam combinado.

– Na verdade, não posso demorar muito – disse ela, sem preâmbulos. –

Norwood é um amor, mas ele fez uma confusão nos livros de contabilidade, e estou ansiosa para arrumar tudo.

Alex sorriu, satisfeito com o interesse dela pela casa.

– Pensei em irmos até o bosque do outro lado do riacho – sugeriu ele.

Emma franziu o cenho.

– Vamos levar pelo menos vinte minutos caminhando até lá, e outros vinte para voltar. Não posso gastar todo esse tempo se ainda formos sair a cavalo por volta das quatro. Por que não comemos em um dos pátios?

– Eu estava querendo um lugar mais reservado...

Emma enrubesceu fortemente.

– Tenho certeza de que seria, bem, interessante, mas realmente quero voltar para os livros de contabilidade.

Alex suspirou, aceitando a derrota, e se encaminhou para a porta que levava ao pátio ao norte da casa.

– Precisamos fazer alguma coisa a respeito desse receio que você tem da luz do dia – disse ele. – As pessoas também fazem bebês quando o sol está brilhando, sabia?

Emma não pensou que isso era possível, mas seu rosto ficou ainda mais quente.

– Mas é meio esquisito tirar a roupa no meio do... ah, não sei!

– É esse o problema? – perguntou Alex tranquilamente, com um brilho travesso nos olhos. – Ora, com certeza não é necessário tirarmos *toda* a roupa, embora eu deva dizer que seria divertido.

⁓

Depois do piquenique, Emma voltou à sua tarefa com os livros de contabilidade, que acabaram exigindo muito menos do seu tempo do que ela imaginara a princípio. No entanto, quando terminou, percebeu que, por mais que fosse precisar fazer entradas mais frequentes em seus novos registros, realmente não havia necessidade de fazer o somatório das contas mais do que uma vez por mês. Ela suspirou. Ora, agora só tinha que se preocupar em arrumar uma forma de se ocupar por trinta dias naquele mês. Fevereiro seria uma bênção, imaginou.

Mas não ia reclamar com Alex. Ele era um homem ocupado demais para passar o dia inteiro entretendo a esposa. Além do mais, não queria dar a ele a impressão de que estava infeliz com o casamento. Assim, decidiu seguir o exemplo de Belle e tomar o caminho do aprimoramento intelectual. Por isso, no dia seguinte, Emma subiu em uma escada de madeira na biblioteca e pegou uma cópia de *Tudo está bem quando termina bem*.

Três dias depois, já estava lendo *Cymbeline* e pronta para seguir adiante. E convencida de que precisava de óculos. Shakespeare era muito bom, mas não o bastante para que lesse mais de duas peças por dia. Emma esfregou os olhos e deixou o livro de lado. Depois foi novamente até o escritório de Alex e bateu com firmeza na porta.

– Entre.

Emma entrou e fechou a porta. Alex estava, como sempre, sentado atrás da enorme escrivaninha com um maço de papéis nas mãos.

– Mais sobre a plantação de açúcar? – perguntou ela, educadamente.

– O quê? Ah, não, isso é um relatório de algumas terras que eu tenho em Yorkshire. O que a traz aqui esta tarde?

Emma respirou fundo.

– Bem, a questão é que estou entediada, Alex.

Ele a encarou, espantado.

– O quê?

– Não com você – apressou-se em dizer Emma. – Mas você passa a maior parte do dia trabalhando, e está se tornando realmente um desafio me manter ocupada.

– Entendo.

Ele se recostou na cadeira, a expressão um tanto perplexa.

– E quanto ao trabalho que eu lhe passei?

– É muito interessante – respondeu Emma. – E me ensinou muito sobre Westonbirt, mas realmente não preciso fechar as contas mais do que uma vez por mês.

– Ah. Bem, tenho certeza de que ainda há muito a fazer. E quanto aos cardápios? Sempre me pareceu que as mulheres passam grande parte do tempo decidindo cardápios.

– Não sei quais são as mulheres que você vem observando, mas eu raramente levo mais de dez minutos para decidir todos os cardápios do dia com a cozinheira.

– Um hobby, talvez.

– Alex, detesto aquarelas, sou péssima no piano e, se ler outro livro, vou precisar de óculos com lentes realmente grossas. Não quero reclamar, mas preciso encontrar alguma coisa com a qual me ocupar.

Alex suspirou. Ainda tinha muito a fazer naquela tarde. Estava atrasado com tudo. O tempo que passara cortejando Emma o afastara dos negócios e exigira alguma energia, e agora ele tentava recuperar o atraso. Para piorar, o administrador das terras em Yorkshire acabara de escrever informando que uma doença misteriosa estava abatendo uma grande quantidade de ovelhas. A interrupção da esposa não viera em bom momento.

– Não sei, Emma – disse Alex, passando as mãos pelos cabelos. – Faça o que quer que as mulheres casadas fazem o dia todo. Tenho certeza de que vai conseguir se manter ocupada.

Emma ficou irritada e endireitou o corpo. Ouvira um tom de condescendência na voz do marido? Alex não poderia ter escolhido um comentário melhor para irritá-la, nem se tentasse. Ela abriu a boca para dizer alguma coisa, mas se conteve.

– Entendo. Bem, obrigada. Se me der licença, vou tentar me ocupar.

E, com isso, deu as costas a ele e saiu. Alex balançou a cabeça e voltou ao trabalho.

Vinte minutos mais tarde, Emma reapareceu na porta usando um vestido verde-escuro de viagem. Alex ergueu as sobrancelhas diante da mudança de roupa, mas lhe ofereceu um sorriso gentil assim mesmo.

– Achei que você deveria saber – avisou ela enquanto calçava um par de luvas – que estou indo visitar a sua irmã. Vou passar uma semana com ela.

Alex deixou cair os papéis que segurava.

– O que... por quê?

– Parece que preciso descobrir o que as mulheres casadas fazem o dia todo para poder seguir o seu conselho.

E, com isso, ela se virou e se encaminhou para a porta da frente, onde os criados já colocavam um baú na carruagem.

– Emma, volte aqui imediatamente! – chamou Alex, chegando até ela em segundos. – Você está exagerando e sabe muito bem disso. Não há razão alguma para você me deixar.

Eles voltaram ao escritório.

– Alex, não estou deixando você – falou Emma em um tom doce, erguendo o corpo e beijando-o no rosto. – Estou só indo visitar a sua irmã.

– Maldição, Emma – insistiu ele. – Não quero que você vá.

Ela precisou de toda a força de vontade que possuía para não se jogar nos braços do marido e dizer a ele que também não queria ir. Mas, embora aquela visita a Sophie tivesse começado com a intenção de ensinar uma lição a Alex, ela se dera conta de que realmente precisava aprender o que as mulheres casadas faziam com o tempo livre, caso contrário ficaria louca.

– Alex – começou a dizer Emma –, vou sentir muito a sua falta...

– Então não vá.

– Mas eu realmente preciso ir. Estou tendo um pouco de dificuldade em me ajustar à vida de casada.

– Isso não é verdade! – disse Alex, indignado.

– Não a *esse* lado da vida de casada – ressaltou Emma. – Mas preciso encontrar um modo de ocupar os meus dias. Preciso me sentir útil e me recuso a apelar para o bordado. Você consegue entender?

Alex suspirou, desanimado. Ele entendia, mas não gostava nada daquilo. Havia se acostumado a ter Emma por perto. Westonbirt pareceria insuportavelmente vazia sem ela.

– Eu poderia ordenar que você ficasse, sabia? Legalmente.

Emma ficou rígida enquanto o choque causado pela frase parecia estrangular seu coração.

– Você não faria isso – sussurrou ela.

Alex deixou os braços caírem junto ao corpo, derrotado.

– Não, eu não faria.

Eles ficaram se encarando por um longo instante até Emma finalmente ficar na ponta dos pés e beijá-lo.

– Agora preciso ir, meu bem. Quero chegar lá antes que escureça.

Alex seguiu-a pela casa.

– Sophie está esperando por você?

– Não, pensei em fazer uma surpresa a ela.

– Quantos criados vão com você?

– Dois.

– Acho que não são o bastante. É melhor levar um terceiro.

– Dois são suficientes, meu bem. Terei o cocheiro comigo também.

Ele a ajudou a subir na carruagem.

– Parece que vai chover – comentou Alex, examinando o céu carregado de nuvens escuras.

– Não vou derreter, Alex.

Ele ficou emburrado e, naquele momento, Emma soube exatamente como ele havia sido quando criança.

– Você estará de volta em uma semana?

– Uma semana.

– Você sabe que pode voltar mais cedo. Não *precisa* ficar lá por uma semana.

– Eu volto em uma semana, Alex.

Ele ergueu o corpo e deu um último beijo na esposa – tão apaixonado que todos os criados viraram discretamente a cabeça. Era bom mostrar a ela o que estaria perdendo. Viu que sua tática havia funcionado porque, quando finalmente se afastou, Emma estava vermelha e com os olhos desfocados, mas infelizmente ele teria que lidar com o desconforto de uma ereção. Alex murmurou as últimas despedidas, fechou a porta da carruagem com relutância e observou a esposa desaparecer no caminho de acesso à casa.

Ele enfiou as mãos nos bolsos e voltou, chutando sem piedade as pedras no chão. Talvez fosse passar a semana em Londres. Talvez não sentisse tanta falta de Emma lá.

❧

A gravidez de Sophie tinha começado a se tornar mais evidente, por isso ela deixara a casa de Londres e se mudara para a propriedade Wilding, em East Anglia. Infelizmente, East Anglia sempre parecia ser a parte mais chuvosa da Inglaterra e, quando a carruagem de Emma parou diante da casa de campo da amiga, caía um temporal.

– Ah, meu Deus! – exclamou Sophie ao ver a cunhada à sua porta. – O que está fazendo aqui? Vocês brigaram? Ah, meu Deus, isso é péssimo, é terrível! Ele vai ter que rastejar...

– Rastejar realmente não será necessário – interveio Emma. – Se eu puder entrar e me aquecer, conto tudo que aconteceu.

– Ah, é claro! Desculpe! Entre, entre – disse Sophie, conduzindo a cunhada rapidamente até uma saleta. – Para sua sorte, acabei de pedir para Bingley acender a lareira. Sente-se aqui perto do fogo. Eu vou buscar algumas mantas.

Emma tirou as luvas e esfregou as mãos perto das chamas, estremecendo enquanto o calor levava embora parte da umidade que a envolvia.

– Aqui estão! – anunciou Sophie, entrando na sala com os braços carregados de mantas. – Também pedi para servirem chá. Nada como um chá para aquecer.

– Obrigada.

– Tem certeza de que não quer se trocar? Posso pedir para alguém passar um dos seus vestidos imediatamente, ou você pode pegar um dos meus emprestado. Talvez se sinta mais aquecida depois de tirar essas roupas molhadas.

– Não estão molhadas, só um pouco úmidas – explicou Emma. – E quero estar aqui quando o chá chegar ainda quente. Nunca consegui entender como vocês, ingleses, esperam para tomar o chá morno.

Sophie deu de ombros.

– Imagino que você esteja se perguntando por que apareci sem avisar.

– Bem, sim.

– Na verdade, não é por nenhum problema com o seu irmão. Muito pelo contrário. Estou muito feliz com o nosso casamento.

– Eu sabia que se sentiria assim.

– O problema é que não tenho nada para fazer o dia inteiro enquanto Alex está ocupado. Antes do casamento eu tinha os compromissos sociais, mas realmente não quero voltar para aquela agitação neste momento. Além disso, a temporada social está chegando ao fim.

– Hum, e você não é muito boa com instrumentos musicais, não é mesmo?

– Sophie – disse Emma com toda a seriedade. – Evito me aproximar do piano por compaixão a Alex, a todos os criados, na verdade a todas as criaturas vivas que possam ouvir o que se passa em Westonbirt.

Sophie abafou uma risada.

– E, de qualquer modo, não quero me dedicar a um hobby. Quero fazer alguma coisa útil. Em Boston, eu ajudava meu pai a administrar o estaleiro. Cuidava de toda a contabilidade, e ele me consultava em quase todas as decisões importantes que precisava tomar. Eu passava muitos dias no escritório e no estaleiro. E adorava. Na verdade, relutei muito diante da ideia de vir para a Inglaterra porque não queria deixar o negócio.

– Bem, confesso que fico muito feliz por você ter perdido a batalha – brincou Sophie. – Mas entendo o que quer dizer. Infelizmente, aqui na Inglaterra é bastante incomum que uma mulher da alta sociedade administre um negócio.

– Também é bastante incomum em Boston – comentou Emma, desanimada.

– Por mais odioso que isso seja, acho que a maioria das pessoas não a levaria a sério. E, se ninguém a levar a sério, você estará, é claro, condenada ao fracasso, já que ninguém estará disposto a comprar qualquer produto ou serviço que estiver oferecendo. Então, é claro, depois que você fracassar, todos vão dizer "Eu avisei" e "Foi por isso que eu não a apoiei desde o começo".

– Eu sei. Foi exatamente por isso que o meu pai quis que eu viesse para a Inglaterra. Ele sabia que o negócio afundaria se eu assumisse a administração, embora eu seja capaz de fazer um trabalho melhor do que a maioria dos homens.

Sophie esfregou o queixo.

– Mas você sabe que uma mulher da alta sociedade *pode* administrar uma instituição de caridade.

– Uma instituição de caridade?

– Sim. Se você fizer a coisa do jeito certo, não vejo como uma instituição de caridade seria muito diferente de administrar um negócio.

– Você está certa – disse Emma lentamente, os olhos começando a se iluminar. – Primeiro é preciso angariar fundos, depois recolhê-los. E então cuidar para que o dinheiro seja administrado corretamente e os fundos, aplicados com sabedoria.

Sophie sorriu, sentindo que realmente fizera uma boa ação naquele dia.

– E se a pessoa responsável pela ação de caridade resolvesse, vamos dizer, construir uma escola, ou um hospital, então essa pessoa teria que supervisionar os operários e as despesas. Seria muito estimulante. Isso sem mencionar quanto beneficiaria a comunidade.

– Excelente – disse Sophie, batendo palmas. – Serei a primeira a apoiar qualquer obra que deseje fazer. Fará isso perto de Westonbirt, não é? Seria muito conveniente, na verdade, se você começasse uma ação na região. Acho que os arrendatários gostam muito de mim, eu sempre levava cestas para eles na Páscoa e no Natal... Sei que no momento não posso fazer muita coisa – disse, dando uma palmadinha na barriga –, mas posso ajudar com o planejamento e tudo o mais, assim que você começar, e...

– Sophie. – Emma interrompeu a tagarelice da cunhada em uma voz risonha. – Você será a primeira que vou chamar.

– Ótimo. Vou esperar ansiosamente.

Sophie serviu uma xícara de chá para Emma.

– Agora me diga, quanto tempo pretende ficar? Imagino que esteja ansiosa para voltar para perto do meu irmão agora que solucionou seu problema, mas realmente não acho que deveria pegar a estrada hoje à noite. Está ficando tarde e parece que a chuva não vai dar trégua.

Emma tomou um gole de chá, deixando que o líquido quente aquecesse sua garganta.

– Na verdade, eu disse a Alex que passaria uma semana aqui.

– Santo Deus, por quê? Vocês só estão casados há um mês. Com certeza você não quer ficar uma semana longe dele, quer?

– Não – disse Emma com um breve suspiro. – Mas ele foi absurdamente condescendente quando eu disse que me sentia entediada e…

– Não precisa dizer mais nada – falou Sophie, levantando a mão. – Sei exatamente do que você está falando. Não precisa ficar uma semana, mas talvez queira tentar aguentar uns quatro dias. Alex precisa aprender a não subestimar você.

– Sim, acho que sim, mas…

A voz de Emma se perdeu e ela levantou os olhos para a cunhada. Era como se todo o sangue tivesse fugido do rosto de Sophie, que deixou a xícara cair ruidosamente sobre o pires.

– Sophie?

Emma virou a cabeça para acompanhar o olhar da cunhada. Um homem atraente, com olhos castanhos cálidos e cabelos claros, estava na porta.

– Oliver? – disse Sophie em um sussurro. – Oliver, meu amor! Senti tanto a sua falta!

Emma piscou para conter uma lágrima inesperada enquanto via a cunhada se jogar nos braços do marido. Discreta, manteve o olhar baixo enquanto o casal se beijava e se abraçava e diziam com palavras e olhares quanto haviam sentido falta um do outro durante os últimos meses.

– Sophie – disse Oliver finalmente, afastando-se, mas se recusando a soltar a mão da esposa –, talvez você deva me apresentar a sua amiga.

Sophie riu, feliz.

– Ah, Oliver, você não vai acreditar, mas Emma não é só minha amiga, ela é minha cunhada. Alex se casou!

Oliver ficou boquiaberto.

– Você está brincando…

Sophie balançou a cabeça, e Emma abriu um sorriso tímido.

– Ora, ora, não acredito. Ashbourne se casou. Deve ser uma dama e tanto, Vossa Graça.

– Ah, por favor, me chame de Emma.

– E americana! – acrescentou Oliver, reparando no sotaque dela.

Emma trocou algumas amabilidades com o conde de Wilding, mas, por mais que o casal tentasse esconder, era óbvio que queriam ficar a sós. Por isso Emma murmurou qualquer coisa sobre estar profundamente cansada da viagem e pediu que lhe servissem o jantar no quarto. Emma deu boa-noite ao casal e seguiu para se recolher, parando antes na biblioteca para pegar um exemplar de *Hamlet*.

Na manhã seguinte, Emma colocou mais uma vez o vestido de viagem, já lavado e passado. Sophie apareceu de roupão na mesa do café da manhã, os olhos um tanto turvos, mas parecendo absurdamente feliz.

– Diante das circunstâncias, acho que vou encurtar a minha estadia e passar algum tempo com os meus primos – avisou Emma.

– Você não precisa fazer isso, querida – apressou-se em dizer Sophie, abafando um bocejo.

Emma deu um sorriso de quem sabia o que estava acontecendo. Sophie não dormira muito naquela noite.

– Não, acredite em mim, prefiro assim. Você merece algum tempo a sós com o seu marido e o seu filho. Mas agradeceria muito se pudesse mandar um mensageiro levar este bilhete a Alex informando-o da mudança de planos.

– Ah, sim, com certeza, mas certifique-se de não voltar antes de quatro dias. E, se puder, tente ficar cinco.

Emma apenas sorriu e comeu a omelete à sua frente.

CAPÍTULO 23

O céu havia clareado consideravelmente desde a noite anterior, por isso Emma abriu as janelas da carruagem a caminho de Londres. A viagem foi bastante rápida, já que Wilding ficava muito mais perto de lá do que Westonbirt, e Sophie fora generosa, emprestando o exemplar de *Hamlet* que Emma começara a ler na véspera.

Ela acabou bastante envolvida na história, parando apenas ocasionalmente, com o barulho ritmado dos cascos dos cavalos embalando-a em um estado quase de devaneio.

– Construir um hospital ou não, eis a questão – disse em voz alta em uma dessas ocasiões, acrescentando: – Isso foi péssimo.

Passava um pouco do meio-dia quando a carruagem finalmente chegou a Londres e, ao dobrar a última esquina antes da casa dos primos, Emma colocou a cabeça para fora da janela, animada. À distância, viu Belle descendo os degraus da frente da mansão Blydon. Um cocheiro a ajudou a entrar em uma carruagem fechada.

– Ah, Belle! Belle! – chamou Emma, acenando com um lenço.

– Acho que ela não vai conseguir ouvi-la, Vossa Graça – disse Ames, um dos criados.

– Parece que você tem razão.

Era um longo quarteirão, e Emma teria que gritar muito alto para ser ouvida acima do barulho das carruagens.

Ela franziu a testa. Havia algo estranho no modo como o cocheiro ajudara Belle a entrar na carruagem. Ele praticamente a colocara lá dentro. Emma sentiu a primeira pontada de preocupação.

– Gostaria de ir atrás dela? – perguntou Ames.

– Sim, acho que sim… Ah! – exclamou Emma subitamente, sentindo-se profundamente aliviada. – Sei aonde ela está indo: para a reunião do Clube Literário para Damas. Belle vai ao encontro todas as quartas-feiras, à tarde. Eu a acompanhei algumas vezes. As reuniões acontecem na casa de lady Stanton, que não é muito longe. Siga a carruagem. Vou fazer uma surpresa a ela.

294

O criado assentiu e a carruagem de Emma passou direto pela mansão Blydon, seguindo a de Belle pelas ruas de Londres. Emma se recostou no assento, observando as belas casas passarem pela janela.

– Ora, mas...

Emma ficou perplexa quando passaram por uma mansão conhecida. Ela enfiou a cabeça para fora da janela mais uma vez, para falar com Ames.

– Aquela era a casa de lady Stanton.

– Talvez a sua prima esteja indo fazer alguma outra coisa hoje, Vossa Graça. Talvez não compareça à reunião literária.

– Não – retrucou Emma, balançando a cabeça de forma enfática. – Ela nunca perde uma reunião quando está na cidade.

Ames deu de ombros.

– Quer continuar a segui-la?

– Sim, sim – disse Emma, distraidamente. – Embora, agora que estou pensando a respeito, esteja me dando conta de que não reconheço o cocheiro. Achei que ele estava tratando Belle de forma um pouco bruta... Talvez tenham contratado um novo cocheiro, mas ainda assim me pareceu suspeito.

– O que está dizendo, Vossa Graça? Acha que alguém está tentando raptar a sua prima?

Emma empalideceu.

– Ames – pediu, preocupada. – Afaste-se um pouco por um momento.

O criado inclinou o corpo para trás, e Emma esticou mais a cabeça para fora da janela, examinando melhor o veículo.

– Ah, meu Deus. Aquela não é uma de nossas carruagens. Poderíamos ter contratado um cocheiro novo, mas comprado uma carruagem nova? Eu saberia disso.

Ames se virou para ela.

– Não acha que a sua prima teria percebido que estava entrando em uma carruagem diferente?

– Não, Belle não enxerga muito bem. Ela lê muito, sabe? Mas se recusa a usar óculos.

Emma engoliu em seco de medo.

– Ames, faça o que for preciso, mas não perca essa carruagem de vista!

Emma se recostou mais uma vez no assento e fechou os olhos, angustiada. Havia algo de podre na cidade de Londres.

Enquanto isso, em Westonbirt, Alex tentava sem sucesso se concentrar no trabalho. Norwood, o único criado que entrava no escritório quando o patrão estava lá, levou uma refeição para ele em uma bandeja.

– Não estou com fome, Norwood – grunhiu Alex.

O mordomo ergueu as sobrancelhas e deixou a bandeja em cima da mesa assim mesmo. Alex ignorou a comida e foi até a janela. Ficou olhando emburrado para o gramado. Ela realmente não precisava ter partido. Ao menos não por uma semana. Ele reconhecia que Sophie talvez soubesse um pouco mais do que ele sobre atividades para mulheres casadas, mas certamente Emma não levaria uma semana para aprender.

Maldição, o lugar dela era ao lado dele. Demorara uma eternidade para a cama ficar aquecida na noite anterior. Ele ficara deitado sozinho, esfregando os pés contra os lençóis, na esperança de gerar algum calor, mas tudo que conseguira foi sentir pena de si mesmo. Não teria sentido tanto frio se Emma estivesse ali ao seu lado.

Alex imaginara que sentiria falta dela, mas não tinha esperado sentir tanta. Inferno, Emma partira havia menos de 24 horas. Sua presença, no entanto, parecia pairar por todos os lados. Seu perfume impregnava o ar e, para onde quer que se virasse, Alex via algum cantinho que guardava a memória de um beijo clandestino.

Ele suspirou. Seria uma longa semana.

Talvez ele *devesse* ir a Londres. A casa lá não estava tão cheia de lembranças de Emma. Alex se encolheu ao lembrar como a rejeitara brutalmente naquele lugar. Bem, não havia lembranças boas na casa de Londres, e ele poderia simplesmente fechar a porta da saleta de recepção. Além do mais, tinha carinho pelo lugar, afinal vivera ali por praticamente dez anos, e sabia que era provável que logo vendesse a casa, já que ele e Emma com certeza se instalariam na mansão Ashbourne, em Berkeley Square, quando estivessem em Londres.

Alex, no entanto, sabia que provavelmente devia ter levado mais a sério o que a esposa dissera sobre estar se sentindo entediada. Devia ter dado mais atenção ao problema dela. Nunca havia parado para pensar no que as mulheres casadas faziam com o tempo, e Emma não era como as outras mulheres casadas, pensou Alex, com mais do que um toque de orgulho. Pelo amor de Deus, ela praticamente administrara um negócio.

Talvez fosse disso que Emma precisava. Ele estava soterrado em papéis e documentos relacionados às muitas terras e aos diversos negócios que possuía. Talvez devesse deixar a administração desses negócios nas mãos dela. Emma com certeza conseguiria dar conta do trabalho. E os supervisores que ele empregava eram bons homens – ouviriam Emma se Alex deixasse claro que era ela quem estava no comando dali em diante. Ele sorriu, satisfeito com o plano.

Seu momento de autocongratulação foi interrompido por batidas na porta. Norwood entrou carregando uma bandeja de prata com um bilhete dobrado.

– Chegou uma mensagem para o senhor, Vossa Graça. Da sua esposa.

Alex atravessou rapidamente o estúdio e pegou o pedaço de papel da mão do mordomo.

Querido Alex,

Lorde Wilding retornou inesperadamente do Caribe, por isso decidi passar o restante da semana visitando meus primos. Sinto desesperadamente sua falta.

Com todo o meu amor,
Emma

Ela sentia falta dele desesperadamente? Se era assim tão desesperador, por que não deu meia-volta e veio para casa, que era o lugar dela?

Sim, ele com certeza iria para Londres. E enquanto estivesse lá, apareceria para uma visita aos Blydons. E arrastaria a esposa de volta para casa. Bem, talvez não. Emma não era exatamente o tipo de mulher que um homem arrastava por aí. No entanto, poderia convencê-la a voltar com a promessa de começar imediatamente a administrar a maior parte das terras dele. E, se isso não funcionasse, sempre poderia seduzi-la.

Em meia hora, Alex estava a caminho de Londres.

⁓

Emma seguia na carruagem que abria caminho lentamente pelas ruas de Londres, quase paralisada de preocupação com a prima. Conforme as ruas ficavam cada vez mais vazias, eles precisavam se distanciar da carruagem que levava Belle. Ela não queria que ninguém no veículo à frente desconfiasse e, mais importante ainda, a carruagem em que estava tinha o brasão facilmente reconhecível dos Ashbournes. Qualquer um que tivesse dedicado tempo e esforço para raptar Belle saberia da ligação dela com Alex e Emma.

Era Woodside. Só podia ser. Emma quase saltou do assento quando se deu conta disso. O visconde era louco por Belle. Passara o ano todo atrás dela e dissera a Emma que planejava se casar com ela. O fato de Belle não retribuir seu interesse não parecera afetar em nada seus planos.

– Santo Deus – sussurrou Emma. – Ele vai forçá-la.

Ela não tinha dúvida de que Woodside arrastaria Belle para o altar, amarrada e amordaçada se necessário. Emma nunca conhecera um homem tão obcecado com títulos e linhagens, e a linhagem de Belle era das melhores. E, mesmo se a prima conseguisse evitar o casamento, ainda assim estaria desonrada. Se Woodside conseguisse comprometer seriamente a reputação de Belle, ela *teria* que se casar com ele. Seria isso ou permanecer solteira para sempre, porque nenhum cavalheiro se casaria com ela se achasse que Woodside a possuíra primeiro.

O estômago de Emma ardia de medo e fúria à medida que se afastavam cada vez mais de Londres. Por fim, a carruagem de Belle saiu da estrada principal e, depois de cerca de cinco minutos em uma estrada menor, esburacada, entrou em um vilarejo de tamanho mediano, chamado Harewood. Conforme a velocidade da carruagem era reduzida para se adaptar às ruas mais movimentadas do vilarejo, Emma aproximou mais o rosto da janela aberta. Precisava ficar de olho no veículo à frente.

– Não chegue perto demais – alertou ao cocheiro.

Ele assentiu e puxou ligeiramente as rédeas.

À frente deles, a carruagem de Belle parou diante da The Hare and Hounds, uma taverna e estalagem bem rústica.

– Pare aqui! – ordenou Emma.

Sem esperar por ajuda, ela saltou da carruagem e ficou observando a cena na estalagem. Dois homens robustos descarregavam uma bolsa de lona grande.

– Ai, meu Deus! – sussurrou Emma. – Eles a colocaram em uma bolsa.

– Ela não parece estar se debatendo muito – comentou Ames, o cenho franzido. – Talvez a tenham drogado.

Emma respirou fundo, tentando controlar o pânico. Não havia como ela e seu pequeno grupo enfrentarem os captores de Belle. Quem poderia saber que tipo de armas carregavam? Onde estava Alex quando ela precisava dele?

– Muito bem, homens – falou Emma em um tom urgente. – Teremos que usar a inteligência e organizar um plano. Ames, você sabe montar a cavalo?

– Não muito bem, Vossa Graça.

Emma se virou para Shipton, o outro criado.

– Você sabe?

Ele balançou a cabeça, negando. Emma finalmente se voltou para o cocheiro, um homem magro demais, com cabelos castanhos ralos.

– Bottomley, por favor, não me diga que você também não sabe montar.

– Não farei isso.

– Não fará o quê?

– Não lhe direi isso. Monto a cavalo desde que comecei a andar.

Emma cerrou os dentes diante da tentativa inoportuna de Bottomley de fazer graça.

– Escute, Bottomley. Primeiro, quero que você encontre um lugar para esconder a carruagem. Um lugar o mais longe possível da vista da The Hare and Hounds. Então quero que pegue um dos cavalos, o que você considerar mais rápido, e vá até Westonbirt. Cavalgue como se a sua vida dependesse disso. Cavalgue como se a *minha* vida dependesse disso, porque talvez isso venha a ser verdade. Quando chegar lá, encontre imediatamente o duque e conte a ele o que está acontecendo. Vamos precisar da ajuda dele. Você entendeu?

Bottomley assentiu, parecendo um pouco mais sério do que parecia minutos antes.

– Shipton, vá com Bottomley, para que possamos saber onde ele deixou a carruagem, e depois nos encontre na rua principal. Ames, nós vamos às compras.

– Às compras, Vossa Graça? – perguntou ele, parecendo perturbado. – Não acho que este é o momento...

Emma o fuzilou com o olhar, mas se controlou.

– Não vou comprar futilidades, Ames. Vamos precisar de algumas coisas se pretendemos resgatar Belle.

– Algumas coisas? Que tipo de coisas?

– Ainda não sei bem, mas, se você me der um minuto, vou descobrir.

Emma levantou a cabeça. Bottomley e Shipton ainda não tinham se mexido.

– Vocês dois, vão logo! – falou, irritada. – Não temos nem um segundo a perder!

Depois que os dois homens saíram de vista, Ames se virou para ela e disse:

– Não se preocupe, Vossa Graça. Bottomley às vezes diz a coisa errada, mas tem a cabeça no lugar.

– Espero que esteja certo, Ames. Agora vamos dar uma olhada nessas lojas.

Emma examinou as vitrines até seu olhar pousar em uma loja de tecidos que exibia vestidos prontos. Aquilo poderia ser interessante. Ela se virou para Ames e pressionou uma moeda na mão dele.

– Consiga um pouco de fuligem e volte para cá o mais rápido possível.

– Fuligem, Vossa Graça?

– Para os meus cabelos. O ruivo chama muita atenção. Vou encontrar alguma coisa para usar. Até logo.

Emma entrou na loja e as quatro vendedoras ficaram sem ar ao mesmo tempo, porque era raro ver uma dama tão elegante no vilarejo de Harewood, e mais raro ainda que uma dessas damas entrasse na loja delas.

– Po-podemos ajudá-la, milady? – finalmente perguntou a mais corajosa delas.

– Sim, por favor – respondeu Emma, abrindo seu sorriso mais simpático. – Preciso de alguma coisa para vestir.

A chefe das vendedoras examinou o elegante vestido verde de Emma com uma expressão abatida. Sabia que não tinha como oferecer àquela cliente nada nos padrões do que ela estava usando.

– Na verdade, preciso de uma fantasia – apressou-se Emma. – Tenho um baile à fantasia muito elegante para ir hoje à noite e quero usar algo um pouco diferente.

– Ah. Bem, poderíamos tentar uma fantasia grega. Tenho um tecido encantador que poderíamos usar como túnica.

– Não, acho que não – disse Emma, sacudindo a cabeça. – Meus cabelos, sabe? Acho que os antigos gregos não tinham cabelos desta cor.

– Ah, não, é claro que não – concordou a vendedora na mesma hora, assentindo furiosamente com a cabeça.

– Estou pensando em alguma coisa simples. Talvez… uma criada?

– Uma criada?

– Sim, uma criada. Das que servem à mesa, por exemplo.

As vendedoras pareceram confusas. Ninguém se adiantou para ajudar Emma em sua cruzada.

– Quero uma fantasia de criada – declarou Emma, em um tom autoritário. – Não me digam que não providenciam esse tipo de roupa para nenhuma das casas da aristocracia local…

Duas vendedoras esbarraram uma na outra na pressa de ajudar Emma, e ela saiu da loja menos de dois minutos depois carregando um embrulho com uma roupa de criada. Um instante mais tarde, Ames voltou apressado.

– Conseguiu a fuligem?

– Melhor do que isso – disse ele, erguendo uma bolsa. – Uma peruca.

Emma espiou dentro da bolsa. Um tom improvável de loiro agrediu seus olhos.

– Bem, com certeza não vou me parecer comigo mesma. Agora, onde está Shipton? Precisamos agir. Só Deus sabe o que aconteceu com Belle…

Como se aproveitasse a deixa, Shipton dobrou a esquina e quase esbarrou neles.

– A carruagem está perto da igreja – disse, ofegante –, e Bottomley já partiu para Westonbirt.

– Ótimo – falou Emma. – Vamos.

Ela saiu caminhando rapidamente, guiando sua equipe improvisada até a The Hare and Hounds, onde pediu dois quartos.

– A senhora tem alguma bagagem, milady?

Ah, inferno, ela havia esquecido que uma pessoa precisava de bagagem quando se hospedava em uma estalagem.

– Meus criados trarão mais tarde. Ainda estão na carruagem.

– E por quantas noites deseja os quartos, milady?

Emma ficou confusa.

– Hum, não tenho certeza. Pelo menos uma, talvez mais.

Ela endireitou o corpo e adotou o olhar mais altivo de Alex.

– É necessário que eu lhe diga isso agora?

– Não, não, é claro que não – disse o homem, subitamente parecendo bastante desconfortável. – Se puder apenas assinar o registro…

Emma pegou a pena e assinou com um floreio. Lady Clarissa Trent.

– Pronto – murmurou baixinho –, ela sempre quis um título.

Assim que entrou em seu quarto no segundo andar, Emma vestiu a roupa de criada e colocou a peruca. Depois foi até a lareira, pegou um pouco de fuligem e esfregou entre as mãos até elas estarem todas cobertas por uma fina camada escura. Então Emma bateu gentilmente com as mãos no rosto, deixando um pouco da fuligem na pele. Uma olhada no espelho lhe garantiu que alcançara seu objetivo. Sua pele agora tinha um tom ligeiramente acinzentado que, combinado com a peruca amarela, a deixava com uma aparência horrível. Mas o mais importante era que não se parecia em nada consigo mesma.

Emma saiu do quarto e bateu na porta ao lado. Ames abriu e disse:

– Santo Deus, Vossa Graça, a senhora está *horrível*!

– Ótimo. Agora, um de vocês, vá pegar o meu baú antes que o estalajadeiro fique desconfiado. Vou tentar descobrir em que quarto Belle está.

Depois que os criados partiram, Emma desceu o corredor, olhando para um lado e para o outro, o tempo todo atenta ao som de passos. Quando se convenceu de que estava completamente sozinha, colou a cabeça à porta ao lado da dela. E ouviu um gemido apaixonado.

– Ah, Eustace. Ah, Eustace. AH, EUSTACE!

Emma se afastou de um pulo, como se tivesse queimado a orelha. Com certeza aquele não era o quarto de Belle. Então foi para o outro lado do corredor. E ouviu uma voz feminina.

– E mãos ociosas são apenas um convite para Satã. Satã, eu digo. Ele está à espreita em cada canto.

Emma balançou a cabeça e se afastou. Antes de tudo, os captores de Belle com certeza eram homens. Além disso, ela não achava que eles teriam conversas sobre o demônio com a prima. Emma desceu mais o corredor até a porta ao lado da do tal Eustace.

– Nem mais uma palavra, mocinha. Se der mais um pio, vou pegar esse cinto e…

– Cale a boca, seu asno. Você sabe que temos que entregar a moça sã e salva. Ele não vai nos dar o ouro se tocarmos nela.

Emma perdeu totalmente o fôlego. Belle devia estar naquele quarto e, pelo que acabara de ouvir, não parecia estar muito bem.

– Quanto tempo mais vamos ter que esperar?

– Ele disse que chegaria aqui quando anoitecesse. Agora cale a boca e me deixe em paz.

302

– Ela é uma belezinha. Talvez ele nem perceba se experimentarmos a moça rapidinho...

Emma sentiu o estômago afundar, mas se forçou a permanecer forte, porque sabia que, não importava como estivesse se sentindo, a situação de Belle era mil vezes pior.

– Você é idiota? É claro que ele vai perceber se tocarmos nela. Se você arruinar esse trabalho, eu acabo com a sua vida. Não pense que eu não faria isso.

Seguiu-se o som de briga. Ligeiramente em pânico, Emma bateu na porta.

– Que diabo você quer?

Um homem de cabelos despenteados abriu a porta em um movimento brusco. Belle estava sentada em uma cama junto à parede mais distante, perto do outro homem. Ao lado da cama havia uma janela aberta. Emma percebeu que a prima não estava movendo nem um músculo, e teve a forte impressão de que o homem ao seu lado tinha uma pistola apontada para as costas dela.

– Peço que me perdoe, senhor – apressou-se em dizer Emma, inclinando-se em uma cortesia. – Mas o estalajadeiro estava na dúvida se vocês gostariam de alguma coisa para comer. Ele achou que poderiam querer que a comida fosse servida no quarto.

– Acho que não.

O homem começou a fechar a porta na cara de Emma.

– Ei! Espere um minuto. Você pensou que eu posso estar com fome? – perguntou o outro, olhando com raiva para o parceiro.

– Está certo. Nos traga uma refeição. Torta de carne, se tiver. E cerveja.

– Pois não, senhor. Vou trazer tudo aqui em cima o mais rápido possível.

Emma se inclinou em outra cortesia, temendo ter exagerado no sotaque das classes trabalhadoras inglesas. Ficou parada um instante perto da porta tentando captar se os bandidos tinham desconfiado de alguma coisa. Os dois continuaram a discutir, então ela se convenceu de que mantivera bem o disfarce. Além do mais, nem Belle a reconhecera.

Emma voltou ao próprio quarto e pediu a Ames que fosse solicitar a torta de carne e cerveja ao estalajadeiro. Ele subiu com o pedido em uma bandeja dez minutos depois.

– Deseje-me sorte – sussurrou Emma, e desapareceu no corredor.

Ela respirou fundo e voltou a bater na porta.

– Quem é?

303

– Sou eu, senhor, com a sua torta de carne, exatamente como pediu.

A porta foi aberta.

– Entre.

Emma entrou, pousou a bandeja em cima de uma cômoda e foi servindo os pratos em uma mesa próxima. Precisava prolongar ao máximo os preciosos minutos dentro do quarto. Tinha que alertar Belle de que a ajuda estava a caminho. Mas a prima tinha o olhar fixo em uma das colunas da cama e não se movia.

– Viram que chuva terrível tivemos ontem? – perguntou Emma subitamente. – Eu poderia jurar que estava vindo uma tempestade e tanto, não acham?

O bandido perto da porta olhou para ela de um jeito estranho.

– Sim, acho que sim.

Emma colocou o terceiro e último prato em cima da mesa.

– E todo mundo ficou muito aborrecido. Da minha parte, achei que estavam fazendo muito barulho por nada, mas, sabem como é, algumas pessoas não escutam a voz da razão.

Ela se afastou da bandeja e pegou uma caneca de cerveja com as duas mãos. Pelo canto do olho, viu Belle estreitar os olhos.

– Mas tudo acabou bem. Não acham? E é isso que importa, certo? Tudo está bem quando termina bem, é o que eu sempre digo.

Agora não havia dúvida: Belle tinha, sim, desviado os olhos da coluna da cama e fitava Emma com curiosidade.

Emma, por sua vez, ainda segurava a segunda caneca de cerveja.

– Mas alguns camaradas simplesmente gostam de reclamar, e não há nada que se possa fazer. A minha irmã, Cymbeline, não para de falar sobre a chuva. Achei que o meu irmão, Julius, ia matá-la. Quando Julius vê Cymbeline choramingando é como se o diabo o possuísse.

Emma fez uma pausa e pousou a última caneca de cerveja na mesa.

– Mas a minha outra irmã, Emma, se meteu no caminho antes que Julius pudesse machucar a pobre Cymbeline e cuidou de tudo.

Belle começou a tossir descontroladamente. O ataque de tosse pareceu assustar os homens, até então quase hipnotizados pela estranheza da garçonete, e trazê-los de volta à realidade.

– Escute aqui, você – disse o homem que estava perto da porta. – Temos muito que fazer. Dê o fora.

– Como desejar.

304

Emma se inclinou em outra cortesia e se foi.

Do outro lado da porta, ela pôde ouvir os homens gritando com Belle.

– Qual é o problema com você? Não vai ficar doente agora, não é?

A tosse de Belle foi enfraquecendo até restarem apenas alguns pigarros.

– Deve ter sido a chuva.

Bottomley cavalgou como se o próprio demônio estivesse em seu encalço. Passou por vilarejos maiores e menores, levando o cavalo quase à exaustão. Se já não estivesse convencido da urgência da tarefa quando partiu, certamente se convenceu quando chegou a Westonbirt. O passo firme e incansável da sua montaria o levara a um estado cada vez maior de pânico até ele ter certeza de que nada menos do que o destino do mundo dependia de que conseguisse alcançar o duque.

Bottomley desmontou com as pernas fracas e entrou correndo na casa, gritando, ofegante:

– Vossa Graça! Vossa Graça!

Norwood apareceu na mesma hora, pronto para repreender o cocheiro por sua absoluta falta de decoro, para não mencionar o uso da porta da frente.

– Onde está Sua Graça? – perguntou Bottomley, arquejante, agarrando a camisa de Norwood. – Onde está ele?

– Controle-se – falou Norwood, aborrecido. – Isso certamente não é...

– Onde ele está? – indagou o cocheiro, sacudindo o mordomo.

– Santo Deus, homem. O que houve?

– É a duquesa. Ela está correndo perigo. Um perigo terrível.

Norwood empalideceu.

– Ele foi para Londres.

Bottomley arquejou mais uma vez.

– Que Deus nos ajude.

Imbuído da urgência de sua missão, ele endireitou a postura.

– Norwood, preciso de outro cavalo – disse no tom mais imperioso que já usara.

– Imediatamente.

O próprio Norwood disparou na direção dos estábulos e, cinco minutos depois, Bottomley estava na direção de Londres.

CAPÍTULO 24

Emma desceu o corredor pisando firme e entrou no quarto de Shipton e Ames.

– Eu a encontrei. Belle está no quarto número sete.

– Ela parece bem? – apressou-se em perguntar Ames.

Emma assentiu.

– Não está ferida. Ainda.

Emma respirou fundo e tentou acalmar a ardência em seu estômago.

– Está sob o poder de dois bandidos. Precisamos tirá-la daquele quarto.

– Talvez devêssemos esperar Sua Graça chegar – sugeriu Shipton em um tom esperançoso.

– Não temos tempo – disse Emma, andando de um lado para o outro. – Acho que ela foi sequestrada a mando de Woodside.

Diante dos olhares confusos de Ames e Shipton, ela explicou:

– É uma longa história, mas Woodside está obcecado por Belle, e acho que ele pode querer vingança contra a nossa família. Eu... eu o insultei certa vez.

Emma engoliu em seco ao se lembrar de como rira de Woodside quando ele lhe dissera que se casaria com Belle. E não havia dúvida de que o visconde estava furioso por ter perdido a promissória da dívida de jogo. Ned o acusara de tentar receber o pagamento duas vezes, e Woodside fora publicamente humilhado. Aquilo com certeza doía mais do que perder o dinheiro. Quanto mais Emma pensava a respeito, mais preocupada ficava.

– Temos que tirá-la daqui antes que ele chegue.

– Mas como? – perguntou Shipton. – Ames e eu não somos tão fortes quanto os dois bandidos.

– E eles estão armados – lembrou Emma. – Vamos ter que ser mais espertos do que eles.

Os dois criados a fitaram em expectativa. Emma retribuiu o olhar, nervosa.

– A janela do quarto está aberta – disse de repente, e então correu até a janela, abriu-a e enfiou a cabeça para fora. – Há uma cornija na parede!

– Santo Deus, Vossa Graça – disse Ames, horrorizado. – Não pode estar pensando em...

– Não há outra forma de entrar no quarto quando os homens não estiverem lá para abrir a porta. Não tenho escolha. E a saliência na parede não é muito estreita.

Ames colocou a cabeça para fora da janela.

– Está vendo? Deve ter uns 30 centímetros de largura. Vai dar certo. É só eu não olhar para baixo.

– Deus tenha piedade das nossas almas, Shipton – lamentou-se Ames, balançando a cabeça. – Porque o duque vai nos *matar*.

– Precisamos de uma distração. Algo que faça os dois saírem do quarto.

Os três ficaram sentados em silêncio por alguns minutos até Shipton finalmente sugerir:

– Bem, a senhora sabe que homens gostam de cerveja.

Um pequeno raio de esperança começou a cintilar no coração de Emma.

– Como assim, Shipton?

Shipton pareceu constrangido, já que não estava acostumado a ter suas ideias ouvidas com tanta atenção pela nobreza.

– Bem, só estou dizendo que homens gostam de cerveja. Só um tolo recusaria uma bebida de graça.

– Shipton, você é um gênio! – comemorou Emma, passando os braços espontaneamente ao redor do criado e dando um beijo estalado no rosto dele.

Shipton ficou roxo de vergonha e começou a balbuciar.

– Não sei, Vossa Graça, eu só...

– Quieto. Escutem bem o que vamos fazer. Um de vocês vai até a rua e vai começar a se gabar por ter acabado de ficar rico. Alguém morreu, ou alguma coisa assim, e você herdou algum dinheiro. Então vai começar a bradar que pretende pagar bebidas para a cidade inteira. Há uma taberna no andar de baixo. O outro vai ficar de guarda no corredor, esperando para ver se os homens saem do quarto. Se isso acontecer, vou me esgueirar pela cornija do lado de fora, entrar pela janela, pegar Belle e voltar para cá. De acordo?

Os dois assentiram, ambos parecendo inseguros.

– Ótimo. Então qual de vocês quer ser o que compra as bebidas?

Nenhum dos dois disse uma palavra. Emma fez uma careta.

– Muito bem. Ames, você é mais animado, então essa tarefa é sua.

Emma colocou várias moedas nas mãos dele.

– Agora vá.

Ames franziu a testa, respirou fundo e saiu do quarto. Poucos minutos depois, Emma e Shipton ouviram os gritos.

– Fiquei rico! Rico! Vinte anos de serviço e o velho finalmente bateu as botas e me deixou mil libras!

– Rápido, Shipton, vá para o corredor – sussurrou Emma com urgência enquanto corria para a janela e espiava do lado de fora.

Ela não tinha uma visão direta da rua, mas quando olhou para o beco viu Ames a caminho da entrada da estalagem.

– É um milagre! – gritou ele, rindo histericamente. – Um milagre! Um sinal de Deus! Não vou mais precisar servir a nenhum lorde ou dama arrogantes pelo resto dos meus dias.

Emma sorriu e resolveu esquecer o comentário sobre a arrogância. Se Ames tivesse sucesso em afastar os raptores de Belle, poderia passar o resto da vida sem precisar trabalhar graças à recompensa que os patrões arrogantes lhe dariam.

Ames caiu de joelhos e começou a beijar o chão.

– Bom Deus – disse Emma. – O homem revelou sua vocação. Ele deveria ser ator. Ou pelo menos um bom vigarista.

Naquele momento, um dos dois bandidos colocou a cabeça para fora, duas janelas abaixo. Emma recuou rapidamente e começou a rezar. Na rua, Ames continuou cumprindo seu papel.

– Quero pagar uma bebida para cada trabalhador aqui presente! Para cada homem que teve que labutar, usar as mãos para ganhar a vida. Todos para o The Hare and Hounds! Merecemos nossa recompensa!

Uma boa quantidade de aplausos seguiu a última declaração e Emma ouviu os sons de uma horda de pessoas entrando às pressas na estalagem. Enquanto esperava que Shipton a avisasse da saída dos dois bandidos, o impulso de prender a respiração era tão grande que ela precisou se lembrar de exalar o ar.

Uma eternidade se passou nos trinta segundos que Shipton levou para voltar correndo para o quarto.

– Morderam a isca, Vossa Graça! Saíram do quarto e desceram a escada. Pareciam muito empolgados.

O coração de Emma disparou no peito. Uma coisa era falar em se esgueirar por saliências nas paredes... outra muito diferente era fazer isso. Ela olhou para fora da janela. Era um longo caminho até o chão. Se a queda não a matasse, certamente quebraria vários ossos.

– Só não olhe para baixo – murmurou para si mesma.

Ela respirou fundo, subiu no parapeito da janela e se equilibrou na cornija. Felizmente a janela não dava para a rua. No beco, provavelmente ninguém perceberia a estranha cena de uma mulher com o corpo pressionado contra a lateral do prédio, dois andares acima.

Colada à parede, Emma deu pequenos passos, sussurrando um pedido de desculpas silencioso a Eustace e sua companheira ao passar pelo quarto deles. Finalmente, chegou à janela de Belle. Dobrou as pernas bem lentamente, concentrada em manter o equilíbrio, então ergueu o corpo para dentro da janela aberta, aterrissando um tanto dolorosamente no chão.

Belle deixou escapar um gritinho de surpresa quando Emma entrou voando no quarto, mas não foi um grito muito alto porque ela estava com uma mordaça apertada.

– Vou tirar você daqui em um instante – disse Emma rapidamente, engolindo a fúria que sentiu ao ver a prima presa à coluna da cama. – Maldição, esses nós estão apertados!

Belle fez um movimento brusco com a cabeça, tentando indicar a cômoda do outro lado do quarto.

– O que foi? Ah.

Emma correu e pegou uma faca que estava em cima da cômoda, perto da bandeja que ela mesma deixara ali um pouco mais cedo. Não era muito afiada, mas serviu, e em menos de um minuto ela já havia soltado Belle.

– Vou tirar a mordaça quando chegarmos no meu quarto – falou, em um tom urgente. – Quero sair daqui o mais rápido possível.

Emma enfiou a faca no bolso, agarrou a mão de Belle e puxou-a pela porta.

Quando as duas já estavam no quarto de Emma, Shipton saiu para ficar de guarda, e Emma rapidamente cortou a mordaça de Belle.

–Você está bem? – perguntou, preocupada. – Eles machucaram você?

Belle balançou rapidamente a cabeça.

– Estou bem. Eles não me tocaram, mas…

Ela respirou fundo, tentando se recompor, e caiu em lágrimas na mesma hora.

– Ah, Emma… Eu estava tão assustada. Acho que foi Woodside quem armou todo esse plano. Eu não conseguia parar de pensar nele me tocando. Isso fez com que eu me sentisse tão suja, e...

Os soluços não a deixaram continuar.

– Shh... – consolou Emma, abraçando a prima para acalmá-la. – Está tudo bem agora, Woodside nunca vai chegar perto de você.

– Eu só conseguia pensar que teria que me casar com ele, então a minha vida estaria arruinada para sempre.

– Não se preocupe – sussurrou Emma, acariciando os cabelos dela.

– Eu não poderia sequer me divorciar dele.

Belle soluçou alto e enxugou o nariz com o dorso da mão, sem se preocupar com a elegância.

– Tenho certeza de que eu não conseguiria me divorciar e, além do mais, seria banida da sociedade. Alex provavelmente nem deixaria mais você me ver.

– É claro que eu ainda poderia vê-la.

Mas Emma sabia que a maior parte do que Belle estava falando era verdade. Não havia lugar para uma mulher divorciada na sociedade de Londres.

– De qualquer modo, não importa. Você não vai ter que se casar com Woodside, portanto não há motivo para falar sobre divórcio. Infelizmente, estamos presas nesta estalagem porque só temos um cavalo no momento. Eu pedi para um dos criados perguntar por aí e não há um único cavalo ou carruagem para alugar em toda a cidade.

– E quanto à diligência?

Emma balançou a cabeça.

– Não passa por aqui. Lamento, mas vamos ter que esperar por Alex. Ele não deve demorar muito. Bottomley partiu para Westonbirt há mais de uma hora. Acho que não teremos que esperar muito mais do que isso.

Emma espiou pela janela, nervosa.

– Acho que será mais seguro permanecer aqui, atrás de uma porta trancada, do que se aventurar lá fora, a pé.

Belle assentiu, fungando alto. Então piscou algumas vezes, finalmente se lembrando de comentar sobre a estranha aparência da prima.

– Ah, Emma – falou, com uma risadinha. – Você está *horrível*.

– Obrigada! – disse Emma, entusiasmada. – É um disfarce brilhante, não acha? Você nem me reconheceu.

– E não teria reconhecido se você não tivesse começado a citar Shakespeare a cada frase que dizia. Por sorte aqueles dois são ignorantes. Tive que me controlar para não rir alto depois que percebi o que você estava fazendo. Mas o que fiquei me perguntando foi... como você chegou aqui?

– Ah, Belle, tivemos tanta sorte... Fui visitar Sophie ontem e decidi passar para ver você hoje. Por acaso eu estava dobrando a esquina no exato momento em que você era levada para dentro da carruagem. Quando vi que não estava indo para a reunião do Clube Literário das Damas, fiquei desconfiada.

Belle ficou séria ao perceber o papel que o destino tivera em seu resgate.

– E o que vamos fazer agora?

– *Eu* vou tirar esta fantasia horrível. Aqueles homens podem vir procurar por você, e é melhor que eu tenha a aparência da mulher que alugou este quarto algumas horas atrás – disse Emma, tirando a peruca e deixando os cabelos ruivos caírem pelas costas. – Pronto. Já me sinto melhor.

Se Bottomley estava cansado quando chegou a Westonbirt, ao chegar à casa de Alex, em Londres, três horas depois, mal conseguia se aguentar de pé. Nunca estivera na casa de solteiro do patrão, mas havia crescido em Londres, por isso conseguiu localizar facilmente o endereço que Norwood lhe passara.

Com os olhos cheios de desespero, subiu os degraus da frente e bateu à porta. Smithers atendeu quase na mesma hora.

– Entregas são feitas pelos fundos – disse o mordomo em um tom autoritário.

– Não é por isso que estou aqui. Eu...

– Assim como pedidos de emprego – disse Smithers, ainda mais frio.

– Pode calar a boca por um segundo? – explodiu Bottomley. – Eu trabalho para Sua Graça em Westonbirt. Sou o cocheiro da carruagem dele.

Bottomley se apoiou no batente da porta, com os joelhos bambos, e fez uma pausa, ainda respirando pesadamente.

– É a duquesa. Ela está em perigo. A prima dela foi raptada. Preciso falar com Sua Graça imediatamente.

– Ele não está aqui – disse Smithers, agora nervoso.

– O quê? Me disseram que ele estava vindo para Londres, e eu...

– Sim, o duque está em Londres. Ele só não está *aqui*. Foi ao White's. É melhor você ir procurá-lo imediatamente. Vou lhe passar o endereço.

Trinta segundos depois, Bottomley estava de volta ao cavalo, sentindo-se ainda mais cansado do que antes do breve descanso. Ele logo chegou ao White's, mas o homem na porta da frente se recusou a deixá-lo entrar.

– Você não está entendendo – implorou Bottomley. – É uma emergência. Tenho que ver Sua Graça imediatamente.

– Sinto muito, mas só é permitida a entrada de membros do clube – disse o porteiro, com desdém. – E *você* obviamente não é um membro.

Bottomley agarrou o homem pelas lapelas, os olhos ensandecidos de exaustão e pânico.

– Preciso ver o duque de Ashbourne *agora*!

O homem empalideceu diante da atitude desequilibrada.

– Posso mandar buscá-lo se você esperar só um...

– Isso também não serve. Ah, inferno.

Bottomley armou o golpe e acertou um soco no rosto do homem. Então passou por cima do corpo caído e entrou apressado nos sacrossantos salões do clube.

– Vossa Graça! Vossa Graça!

Então, ao se dar conta de que poderia muito bem haver várias "Vossas Graças" ali, ele começou a gritar:

– O duque de Ashbourne! Preciso falar com o duque imediatamente.

Vinte cabeças com cabelos elegantemente penteadas se voltaram na direção do cocheiro.

– Graças a Deus, aqui está o senhor, Vossa Graça – falou Bottomley, ofegante, deixando o corpo cair contra a parede.

Alex se levantou, o terror envolvendo lentamente o seu coração.

– Bottomley, pelo amor de Deus, o que aconteceu?

O cocheiro se esforçou para recuperar o fôlego.

– Uma emergência, Vossa Graça! É a duquesa. Ela...

Alex atravessou correndo o salão e sacudiu o criado pelos ombros.

– O que aconteceu? Ela está bem?

– Sim, está, Vossa Graça. Mas talvez não por muito tempo!

Pela quarta vez naquele dia, Bottomley se viu de volta em cima sela e, daquela vez, só teve forças para se agarrar ao pescoço do cavalo.

312

O vilarejo de Harewood raramente via membros da aristocracia passeando por suas ruas estreitas, e se todos os seus habitantes não estivessem aglomerados no The Hare and Hounds, aproveitando a oferta generosa de Ames, teriam ficado bastante surpresos ao verem a elegante figura de lorde Anthony Woodside, o visconde Benton, descendo de uma carruagem. A chegada de Emma já causara certo rebuliço, mas receber ali um elegante lorde era outra coisa.

Woodside estava, de um modo geral, muito satisfeito consigo mesmo. Raptar a bela lady Arabella tinha sido uma sacada de gênio. De uma tacada só, ele resolvera todos os seus problemas. Se vingara do irmão dela, conseguira a mulher que desejava e, em menos de uma hora, teria acesso à fortuna dos Blydons.

O visconde se encaminhou para a igreja local a fim de finalizar seu acordo com o vigário, que concordara em fazer um casamento às pressas e em passar por cima de trivialidades como o consentimento da noiva. Mas nem chegou a pisar na igreja, porque, ao dobrar a esquina que dava para o pátio, viu uma carruagem elegante, ainda mais elegante do que a dele. E como ele bem sabia, carruagens elegantes não eram comuns em Harewood. Afinal, aquela fora exatamente a razão que o levara a mandar Arabella para lá. Woodside apertou o passo, se aproximou do veículo indesejado e examinou o brasão.

Ashbourne.

Ou seja, o duque e a duquesa.

Ou seja, primos em primeiro grau de Arabella e amigos muito próximos dela.

Woodside deu meia-volta e seguiu na direção do The Hare and Hounds. Algo havia saído muito errado.

Ele chegou à estalagem dois minutos depois e encontrou uma enorme confusão. Era como se toda a cidade estivesse aglomerada na taberna e, ao que parecia, a maioria das pessoas ali já havia dado os primeiros passos em direção à embriaguez. No centro da multidão estava um homem animado, vestido com um uniforme de criado, bradando em alto e bom som sobre os dramas dos trabalhadores. Woodside se aproximou um pouco mais. A roupa do criado era muito distinta. Muito mais do que se esperaria em um vilarejo longe de tudo, como aquele. Na verdade, pensou Woodside, melancólico, era o tipo de uniforme que se encontraria na casa de um visconde... se esse visconde não estivesse com as economias perigosamente minguadas.

Ou poderia ser o tipo de uniforme que se encontraria na casa de um duque.

Woodside sentiu as entranhas se apertarem com uma mistura de pânico e fúria. Seu humor não melhorou quando percebeu que os dois bandidos que contratara para raptar Arabella estavam ali embaixo, bebendo, em vez de estarem guardando a dama. Alguém havia interferido nos planos dele, e Woodside apostaria a própria vida que havia sido aquela prima enxerida de Arabella, a nova duquesa de Ashbourne.

Maldita americana. Ela era uma ninguém. Não vinha de linhagem aristocrática.

Nem era parente de sangue do conde de Worth, apenas da condessa, e, se não lhe falhava a memória, lady Worth não havia nascido na nobreza.

Woodside saiu pisando firme da taverna e voltou para a recepção da estalagem. Empertigou o corpo o máximo que pode, foi até o balcão e tocou a campainha. Um homem robusto se adiantou para atendê-lo.

– Acho que minha esposa se registrou na estalagem mais cedo – falou Woodside, com um sorriso simpático. – Quero fazer uma surpresa a ela.

– Qual é o nome dela, milorde? Eu poderia checar nos registros.

– Bem, vou lhe dizer a verdade, duvido que ela tenha usado seu nome verdadeiro – disse ele, se inclinando para a frente, e então falou, em um tom de confidência: – Tivemos uma briguinha, e vim pedir perdão.

– Ah, entendo. Bem, então talvez o senhor pudesse descrevê-la para mim.

Woodside sorriu.

– Se ela estiver aqui, o senhor se lembrará dela. Pequena, com os cabelos cor de fogo.

– Ah, sim! – exclamou o homem. – Ela está aqui. No quarto número três. No andar de cima.

Woodside agradeceu e começou a se afastar, mas recuou depois de alguns passos.

– Na verdade, quero muito surpreendê-la. Poderia me dar uma cópia da chave do quarto?

– Não creio, milorde – falou o estalajadeiro, parecendo desconfortável. – Temos a política de não dar cópias extras de chaves. Por razões de segurança, entende?

Woodside sorriu de novo, os olhos de um azul pálido cintilando, animado.

– Isso realmente significaria muito para mim – insistiu o visconde, colocando algumas moedas sobre o balcão.

O estalajadeiro olhou para o dinheiro, então para Woodside, avaliando a possibilidade de dois aristocratas sem nenhuma ligação um com o outro aparecerem em Harewood no mesmo dia. Ele pegou o dinheiro e empurrou a chave por cima do balcão.

Woodside assentiu e guardou a chave no bolso, mas quando deu meia-volta para subir a escada já não havia simpatia em seus olhos. Tinham se transformado em duas pedras de gelo.

Emma e Belle estavam enfiadas no quarto havia cerca de quatro horas quando a fome ficou grande demais e pediram a Shipton que fosse até a cozinha buscar algo para comerem.

– Por que será que Alex está demorando tanto? – perguntou Belle, folheando distraidamente a cópia de *Hamlet* que Emma pegara emprestada de Sophie.

Emma voltou a andar de um lado para o outro, como vinha fazendo nas últimas horas.

– Não faço ideia. Ele deveria ter chegado há duas horas. Bottomley só levaria cerca de uma hora e meia até Westonbirt e mais uma hora e meia para voltar. Só consigo pensar que Alex não estava em casa. Talvez estivesse visitando os arrendatários. Só que Bottomley não deveria estar demorando tanto para encontrá-lo.

– Bem, ele logo estará aqui – afirmou Belle, com mais esperança do que certeza.

– Espero que sim. Já fiz a parte mais difícil resgatando *você*. O mínimo que ele poderia fazer era chegar logo aqui para *me* resgatar.

Belle sorriu.

– Ele virá. E, nesse meio-tempo, estamos sãs e salvas em um quarto com a porta trancada.

– Sim, mas eu não quero estar aqui quando Woodside chegar e descobrir que você escapou.

Emma suspirou e se sentou na cama ao lado de Belle.

Então, no silêncio que só era quebrado pelo som da respiração das duas, elas ouviram o barulho terrível da chave virando na fechadura. Emma prendeu a respiração, apavorada. Se fosse Alex chegando para salvá-las, ele com certeza não entraria sem avisar. Provavelmente derrubaria a porta, berrando com ela por ser tola e descuidada, mas não seria tão cruel a ponto de apavorá-la daquela maneira.

A porta se abriu, revelando Woodside, os olhos pálidos cintilando perigosamente.

– Olá, miladies – disse de um jeito monótono e ameaçador.

Havia uma pistola em sua mão direita.

Nem Emma nem Belle conseguiram encontrar palavras para expressar o medo que sentiam. As duas ficaram sentadas na cama, abraçadas e aterrorizadas.

– Foi tolice da sua parte, Vossa Graça, deixar sua carruagem na frente da igreja. Ou não se deu conta de que lady Arabella e eu estávamos planejando casar hoje à noite?

– Ela não estava planejando nada, seu maldito – disse Emma, com raiva. – E Belle nunca irá...

Woodside bateu a porta, atravessou o quarto e deu uma bofetada em Emma.

– Cale a boca, sua megerazinha! E jamais questione a minha legitimidade. Sou o visconde Benton e você é uma ninguém vinda das Colônias.

Emma levou a mão ao rosto, que já estava ficando vermelho com a marca da mão de Woodside.

– Sou a duquesa de Ashbourne – disse, incapaz de conter seu orgulho.

– Shh... – implorou Belle, pegando a outra mão da prima.

– O que você disse? – perguntou Woodside em uma voz suave.

Emma o encarou em silêncio.

– Você me responda quando eu lhe fizer uma pergunta! – ordenou ele, arrancando-a da cama e segurando-a com brutalidade pelos ombros.

Emma cerrou os dentes para não gemer de dor.

– Por favor, solte-a – implorou Belle, saltando da cama e tentando se colocar entre Woodside e a prima.

– Saia do caminho – falou ele, empurrando-a de lado. – Agora, Sua Sem Graça, repita o que disse.

Ele apertou os braços dela com mais força, machucando a pele delicada.

316

– Eu disse – arquejou Emma, erguendo o queixo em desafio – que sou a duquesa de Ashbourne.

Os olhos de Woodside se estreitaram, e ele acertou o outro lado do rosto dela com mais uma bofetada, que a derrubou no chão. Belle correu imediatamente para junto da prima, ajudando-a a se levantar e a voltar para a cama. Belle encarou Woodside com uma expressão acusadora nos enormes olhos azuis, mas não disse nada que pudesse provocá-lo.

Emma tentou engolir a dor que se espalhava por toda a face, mas não conseguiu evitar que duas lágrimas rolassem. Então enfiou a cabeça no colo de Belle, pois não queria que Woodside a visse vacilar.

– Ela me irrita – disse Woodside para Belle. – É difícil acreditar que vocês duas são parentes. Acho que teremos que amarrá-la.

Ele pegou a fantasia de criada de Emma, que estava jogada em cima da cômoda, e rapidamente rasgou-a em tiras, que estendeu para Belle.

– Amarre as mãos dela.

Belle o encarou, horrorizada.

– Você com certeza não está insinuando que eu...

– Não acha que eu mesmo vou fazer isso, acha? Ela não vai chutar e arranhar você.

– Seu covarde – sibilou Emma. – Com medo de uma mulher com metade do seu tamanho?

– Emma, eu imploro, por favor, fique quieta – pediu Belle.

Ela engoliu em seco, nervosa, enquanto passava uma tira de tecido ao redor dos pulsos da prima e amarrava com delicadeza.

– Mais forte – ordenou Woodside. – Acha que sou idiota?

Belle apertou com um pouco mais de força.

Furioso, Woodside arrancou as pontas do tecido das mãos de Belle e deu um puxão com força, amarrando as mãos de Emma bem apertadas atrás das costas. Depois pegou outra faixa de tecido e se abaixou na direção dos tornozelos dela.

– Não se atreva a tentar me chutar – avisou.

Emma ficou imóvel.

– Anthony – disse Belle, em um tom suave, tentando fazê-lo escutar a voz da razão –, talvez devêssemos nos dar mais tempo para nos conhecermos melhor. Não acho que um casamento feliz esteja fora de questão, mas um casamento forçado não será um bom começo para nós.

– Esqueça, milady – retrucou ele, com uma gargalhada. – Vamos nos casar esta noite, está decidido. O vigário daqui não tem as mulheres em alta conta, portanto não acha que o seu consentimento seja um pré-requisito indispensável para nos casar. Estou só esperando o sol se pôr para levá-la até a igreja. Não quero uma multidão de espectadores nos assistindo boquiabertos.

Emma olhou de relance para a janela. O sol estava baixo no céu, mas ainda não começara a se pôr. Ela e Belle provavelmente ainda tinham uma hora. Onde estava Alex?

Woodside jogou outra faixa de tecido para Belle.

– Amordace a sua prima. Não estou com a menor vontade de ficar ouvindo esse lamentável sotaque americano.

Belle passou a faixa de pano ao redor da cabeça de Emma e deixou a mordaça frouxa. Por sorte, Woodside estava olhando pela janela e não percebeu o tratamento gentil que Belle dispensava à prima.

– É bom que eu ainda tenha cerca de uma hora antes de irmos para a igreja – disse ele de repente, voltando o olhar perverso para Emma. – Isso vai me dar tempo de bolar um plano para arruiná-la completamente, minha duquesa americana. Sei que foi você quem roubou a promissória. Deixou um grampo em cima da minha escrivaninha.

Emma desviou os olhos, sem conseguir encarar o homem.

– Eu não precisaria ter raptado minha esposa se você não tivesse metido o nariz nos meus negócios… Olhe para mim quando falo com você!

Woodside foi rapidamente até a cama e levantou com brutalidade o queixo de Emma, forçando-a a olhar para ele.

– Blydon é um fraco – disse ele com desdém. – Ele jamais conseguiria o dinheiro, e eu já teria lady Arabella em minha cama há semanas.

Woodside soltou Emma bruscamente, fazendo com que a cabeça dela batesse na parede.

– Anthony, por favor! – implorou Belle.

Os olhos gelados dele cintilaram de desejo quando se voltaram para ela.

– A preocupação com a sua prima é tocante, minha cara, embora seja lamentável.

Emma mordeu o tecido que a amordaçava em um esforço para conter a raiva. Jamais se sentira tão impotente como naquele momento, mas seu único fio de esperança era saber que qualquer plano de Woodside para expô-la com certeza fracassaria. Porque Alex confiava nela. Emma agora sabia disso. O marido confiava nela e a amava, e nunca acreditaria mais na palavra de Woodside do que na sua.

Emma só desejava que ele chegasse logo, antes que Woodside pudesse colocar em ação mais um de seus planos nefastos.

CAPÍTULO 25

Alex só tivera presença de espírito suficiente para pegar Dunford no caminho, antes de seguir com Bottomley para Harewood. Bastou um olhar para o rosto do amigo para Dunford saber que alguma coisa estava terrivelmente errada. Ele pegou o casaco sem dizer nada e em minutos estava em cima de um cavalo.

Os três homens cavalgaram a uma velocidade inclemente, e a viagem até Harewood levou apenas 45 minutos. Os três pararam diante do The Hare and Hounds, e Alex quase voou de cima do cavalo, incapaz de conter o medo e a fúria que disparavam por seu corpo.

– Espere um instante, Ashbourne – alertou Dunford. – Temos que manter a cabeça no lugar. Bottomley, conte tudo de novo. Vamos precisar estar atentos a cada detalhe que tivermos.

Bottomley segurou as rédeas dos três cavalos, tentando se manter de pé, apesar do tremor nos músculos sobrecarregados.

– Estávamos indo visitar os primos da duquesa e, quando chegamos lá, lady Arabella estava saindo de casa. Nós a seguimos porque a duquesa disse que a prima estava indo a uma reunião de um clube de leitura que acontece toda quarta-feira.

– É o Clube Literário para Damas – murmurou Dunford. – Belle nunca perde uma reunião.

– Mas a carruagem dela passou direto pelo lugar da reunião. Então a duquesa reparou que lady Arabella havia entrado em uma carruagem estranha, por isso nós a seguimos até aqui. Dois grandalhões entraram na estalagem carregando uma bolsa grande, acho que a prima da duquesa estava dentro dela. Isso é tudo o que eu sei. A duquesa mandou que eu partisse imediatamente para chamá-lo, Vossa Graça.

– Obrigado, Bottomley – disse Alex. – Agora vá cuidar dos cavalos e depois descansar um pouco. Você merece. Vamos Dunford.

Os dois homens entraram na estalagem, onde uma multidão embriagada se derramava para fora da taberna, brindando alto a um homem junto ao balcão do bar. Dunford parou do lado de fora para dar uma olhada no sortudo. E piscou algumas vezes, surpreso, antes de pegar a mão de Alex.

– Ashbourne – disse de repente –, aquele não é seu criado?

Alex voltou para a porta da taberna.

– Santo Deus – sussurrou. – É Ames. Está conosco há anos.

– Bem, parece que ele está brindando ao seu recente falecimento, por isso talvez seja melhor você ficar fora da linha de visão dele.

O coração de Alex afundou no peito.

– Que Deus ajude a minha esposa se ela inventou outro de seus planos loucos, porque, se Emma sair dessa viva, vou matá-la.

Alex foi até o balcão da recepção e bateu furiosamente na campainha até o estalajadeiro assoberbado aparecer. O homem ficou sem ar, chocado, ao ver outro aristocrata em seu estabelecimento, dessa vez um ainda mais impressionante do que o anterior.

– Sim, milorde? – falou, hesitante, tendo o bom senso de se afastar um pouco do rosto furioso de Alex.

– Acredito que a minha esposa tenha se registrado aqui no início da tarde. Preciso vê-la imediatamente.

O estalajadeiro engoliu em seco, com um sentimento que evoluiu de confusão ao mais absoluto terror.

– Uma dama elegante realmente se registrou hoje, milorde, mas o marido dela já chegou, portanto ela não pode ser...

Rápido como um raio, Alex passou a mão por cima do balcão e agarrou o homem pelo colarinho.

– Como ela é? – indagou.

– Milorde...

O estalajadeiro começou a suar profusamente e olhou desesperado para Dunford em busca de ajuda. Dunford deu de ombros e começou a examinar as unhas.

Alex puxou o homem para cima, fazendo os pés dele saírem do chão, enquanto a beirada do balcão era pressionada dolorosamente contra o seu abdômen.

– Como ela é? – repetiu em um tom letal.

– Cabelos ruivos – falou o estalajadeiro, quase sufocando. – De um vermelho forte.

Alex o soltou tão rapidamente quanto o agarrara.

321

– Você descreveu a minha esposa.

– Quarto número três – disse o estalajadeiro o mais rápido que conseguiu. – Eu não a vejo desde que se registrou.

– E o outro homem? – perguntou Alex friamente.

– Subiu há cerca de meia hora.

Dunford se adiantou um passo.

– Poderia, por favor, descrever o cavalheiro?

– Ele tem mais ou menos a sua altura, mas é um pouco mais magro. Cabelos loiros e olhos azul-claros. Muito claros. Pareciam quase sem cor.

– É Woodside – disse Dunford, preocupado. – É melhor subirmos imediatamente.

Os dois homens subiram a escada correndo e quase derrubaram Shipton, que estava no topo.

– Vossa Graça! – gritou o homem, aliviado. – Graças a Deus está aqui.

– Onde está a duquesa? – perguntou Alex rapidamente.

– No quarto dela, com a prima. Elas me mandaram pegar alguma coisa para comerem, mas quando voltei a porta estava trancada e a prima dela gritou que eu deixasse a comida do lado de fora. Acho que aconteceu alguma coisa.

Dunford tirou os sapatos para poder andar sem fazer barulho.

– Vou ouvir atrás da porta, Ashbourne. Por que não vê se consegue descobrir mais alguma coisa com seu criado?

Enquanto Alex interrogava Shipton sobre Emma, Dunford desceu silenciosamente o corredor e colou o ouvido contra a porta. Ouviu a voz abafada de Woodside.

– Falta pouco para o sol se pôr. Está quase na hora do nosso casamento. Cuidarei de *você* mais tarde.

– Ela não pode ir conosco? – pediu Belle. – Não gostaria de me casar sem alguém da minha família presente.

– Esqueça. Essa criatura mal-educada já me causou muitos problemas por hoje. Vamos sair em alguns minutos.

– Depois podemos voltar para buscar Emma?

Houve uma longa pausa.

– Na verdade, acho que não. No estado em que está, alguém vai encontrá-la mais cedo ou mais tarde, e isso dará uma bela história para os fofoqueiros de plantão, não é mesmo? Talvez devêssemos acrescentar uma venda ao traje dela. Ou talvez seja melhor que ela não esteja usando traje algum.

Dunford voltou silenciosamente pelo corredor. Já ouvira o bastante.

– O que está acontecendo? – perguntou Alex.

– Parece que Woodside vai forçar Belle a se casar com ele. Está planejando levá-la até a igreja do vilarejo logo após o pôr do sol, o que deve acontecer em poucos minutos.

– E Emma?

Dunford fez uma pausa.

– Na verdade, ela não disse nada. Acho que Woodside a amarrou. Ele falou que ela já tinha causado problemas demais.

Um músculo começou a saltar espasmodicamente no pescoço de Alex, que precisou se esforçar para não invadir o quarto. A ideia de Emma amarrada e à mercê daquele desgraçado provocou nele uma onda tão grande de fúria que mal conseguia falar. Quando recuperou o autocontrole, sua voz saiu muito pausada.

– Não vou matá-lo – falou em um tom muito, muito frio. – Porque ele não vale os problemas que se seguiriam. Mas vou fazer esse desgraçado sofrer tanto que ele vai preferir ter morrido.

Dunford ergueu uma sobrancelha e deixou o comentário de Alex passar. Um homem tinha o direito de ficar furioso quando a esposa estava amarrada e à mercê de outro. Ainda assim, achou melhor tentar aplacar a raiva que exalava visivelmente do amigo.

– Fique grato por ela *estar* amarrada, ao menos Emma não vai conseguir agredi-lo e acabar machucada. Ainda assim, teremos que ser cuidadosos, Alex. Imagino que ele esteja armado. E a arma vai estar apontada para Belle.

Alex assentiu, a expressão sombria.

– Espere atrás da porta e acerte-o na cabeça. Eu vou atacar pela frente e tentarei tirar Belle do caminho. Shipton, espere aqui. Podemos precisar de você.

Shipton assentiu, e os dois homens caminharam silenciosamente pelo corredor, se posicionando um de cada lado da porta. Alex ficou um pouco mais para trás do que Dunford e encostou o corpo na parede. Woodside viria na direção dele quando aparecesse e Alex não queria ser visto até que Dunford entrasse em ação.

Depois de alguns minutos de espera aflita, as dobradiças rangeram e a porta foi aberta.

– Não quero ouvir nem um pio enquanto atravessamos a estalagem, você...

Dunford pulou com uma graça surpreendente nas costas de Woodside e acertou o cotovelo na cabeça do homem.

– Que diabo é isso?

O golpe desorientou Woodside, mas não foi o bastante para nocauteá-lo. No entanto, ele afrouxou a mão que segurava Belle, e ela voltou correndo para dentro do quarto.

Alex saltou, acertando um soco no estômago de Woodside que o deixou sem fôlego. No entanto, o homem deu um jeito de manter a mão no gatilho e um tiro explodiu no corredor. Alex desabou no chão, com o corpo desconjuntado. Shipton se adiantou na mesma hora, mas o criado não tinha experiência alguma com ferimentos à bala, e a visão do sangue vermelho vivo jorrando do ombro do patrão foi suficiente para fazê-lo desmaiar... e aterrissar bem em cima de Alex, prendendo o corpo do patrão contra o assoalho.

Vendada, Emma ouviu os sons da briga, depois o tiro, e seu coração disparou de terror. Ela cravou os dentes na mordaça, desesperada, e esperou, sentada na cama, arrasada, intuindo que o marido estava ferido, talvez morto. E ela não podia fazer nada para ajudá-lo. Não podia ajudar ninguém, nem a si mesma.

– Saia de cima de mim! – gritou Woodside, girando loucamente o corpo, tentando se livrar do braço que Dunford passara ao redor do seu pescoço.

Finalmente, em um último movimento desesperado, ele empurrou Dunford contra o batente da porta, com toda a força, e Dunford caiu. Infelizmente, a pistola também caiu e deslizou para dentro do quarto. Belle a pegou, horrorizada.

Um sorriso sinistro se abriu no rosto de Woodside quando ele ergueu a arma que ainda segurava e apontou-a para o peito de Dunford, na altura do coração.

– Você é um homem muito idiota – disse baixinho, o dedo pronto para apertar o gatilho.

– Não tanto quanto você.

Dunford arquejou ao ver Belle apontando a arma para Woodside.

– Se atirar nele, eu atiro em você – acrescentou ela, tentando manter a voz controlada.

Emma quase morreu naquele momento. Não sabia o que estava acontecendo, mas acreditava que Belle não fazia ideia de como usar uma pistola.

A expressão de Woodside exibiu cautela por um segundo, mas logo se desanuviou.

– Sinceramente, lady Arabella – falou em um tom condescendente, mantendo os olhos fixos em Dunford, caído diante dele. – Não acredito que uma dama bem-nascida como a senhorita, filha de um conde, seria capaz de atirar em um homem.

Belle atirou no pé dele.

– Acredite.

Woodside ficou sem ação por um instante. Dunford aproveitou o lapso de atenção e jogou o corpo para a frente com a intenção de derrubar Woodside e tirar a pistola da mão dele. Mas, antes que Dunford pudesse acertá-lo, outro tiro foi disparado, e Woodside tombou no chão, aterrissando em cima de Dunford. Mais abaixo no corredor, Alex deixou escapar um suspiro de alívio enquanto a pistola escorregava de seus dedos. Sob o peso de Shipton, perdera segundos preciosos até alcançar a pistola que carregava e que tinha ido parar a alguns metros dele.

Seu ombro latejava, o braço estava dormente, mas ainda assim ele conseguira impulsionar o corpo para a frente, cerrando os dentes para suportar a dor. Quando finalmente encontrou a arma, ele mirou e atirou na parte de trás dos joelhos de Woodside – sem ter ideia de que agira no momento mais oportuno.

Depois que Woodside e Dunford caíram, a cena ficou assustadoramente quieta, com apenas Belle parada, segurando uma pistola fumegante na mão. Ela estava com a boca ligeiramente aberta e seus olhos pareciam ter perdido a capacidade de piscar enquanto fitava o resultado da batalha travada por sua causa. O horror que havia conseguido engolir quando atirara em Woodside subiu novamente por sua garganta, e a arma escorregou de seus dedos, caindo com um baque no chão.

– Ai, meu Deus – sussurrou enquanto seus olhos percorriam a cena.

Alex estava preso embaixo de Shipton, e Dunford, embaixo de Woodside. Dois dos homens mais fortes da aristocracia inglesa haviam sido incapacitados pelo mero peso do corpo de outros homens. Teria sido engraçado se ela ainda não estivesse tremendo de terror. E, para culminar, Emma ainda estava amarrada e vendada na cama.

E não estava nem um pouco satisfeita com isso. Deduzindo que o perigo havia passado, Emma começou a se debater loucamente, emitindo grunhidos guturais para que alguém a soltasse. A agitação de Emma tirou Belle de seu torpor e ela correu para soltar a prima.

– Acalme-se – disse, tentando soar rígida.

Belle tirou a mordaça primeiro, e se arrependeu imediatamente de ter feito isso.

– O que aconteceu? O que está acontecendo? Alex está ferido? Não consigo ver nada! Você...

– Você simplesmente não suporta ser deixada de fora, não é? – comentou Belle, sacudindo a cabeça enquanto tirava a venda dos olhos da prima.

Emma piscou enquanto seus olhos se ajustavam à luz.

– Foram tantos tiros! Eu me senti tão inútil! Onde está Alex?

Belle cortou as amarras ao redor dos tornozelos de Emma e teve que correr atrás da prima, que disparou pelo corredor para encontrar o marido.

– Ah, meu Deus! Você levou um tiro!

Emma ficou paralisada, nauseada diante da visão do sangue de Alex. Ela chutou uma das pernas de Woodside para longe e se aproximou dele.

– Pode ir mais devagar? – pediu Belle. – Você não pode fazer nada para ajudá-lo se ainda estiver com as mãos atadas.

Emma se ajoelhou ao lado de Alex e pressionou o ouvido contra o peito dele. O coração ainda batia. Belle aproveitou o momento de imobilidade da prima para cortar as amarras de seus pulsos.

Finalmente livre, Emma segurou o rosto de Alex entre as mãos, louca de preocupação.

– Você está bem? – perguntou. – Por favor, diga alguma coisa.

– Tire... ele... de cima de mim!

Emma recuou, mais tranquila diante da veemência da voz. Com a força nascida do pânico que a dominara nos últimos minutos, ela empurrou Shipton e rolou-o para longe do corpo do marido.

Alex deixou escapar um suspiro de alívio.

– Vou ficar bem – falou com dificuldade. – Vá ver se Dunford está bem.

– Eu não sei – disse Emma, ainda preocupada.

Ela pegou o pedaço de tecido que até pouco tempo estava ao redor do seu pulso e pressionou-o contra o ferimento de Alex.

– Você perdeu muito sangue...

Emma lançou um olhar culpado para Dunford, a quem ignorara em sua ânsia de chegar até Alex.

– Fique com ele, eu cuido de Dunford – disse Belle.

Não demorou muito para que ela rolasse Woodside para longe das pernas de Dunford. Belle, então, se dedicou rapidamente à tarefa de amarrar o visconde – com as mesmas faixas de tecido que ele a obrigara a usar em Emma.

Dunford foi até Emma, que ainda estava ajoelhada ao lado de Alex, com uma expressão preocupada no rosto. Ela parecia não estar conseguindo estancar o sangue do ferimento.

– Deixe-me vê-lo – pediu Dunford. – Sei uma coisinha ou outra sobre ferimentos à bala.

Emma sabia que Dunford havia lutado na Guerra da Península com Alex, por isso se afastou na mesma hora.

Dunford examinou rapidamente o ferimento e se virou para Emma, com uma expressão visível de alívio.

– Ele perdeu muito sangue, mas não foi nada sério. Ficará furioso, mas vai sobreviver.

Emma deu um sorriso trêmulo enquanto se inclinava para a frente e depositava um beijo delicado nos lábios do marido. No entanto, quando já se afastava, Alex, com um movimento rápido do braço bom, segurou o queixo dela com força. Chocada, Emma arregalou os olhos e encarou o fundo dos olhos esmeralda do marido, que subitamente estavam muito claros, nem um pouco nublados pela dor.

– Vou manter… você… trancafiada.

– Ah, Dunford! – falou Emma, feliz. – Ele vai ficar bem!

Três dias depois, Alex já se sentia bastante recuperado, mas estava se divertindo tanto com os cuidados de Emma que não conseguiu se forçar a sair da cama. Ela permaneceu ao lado dele durante todo o primeiro dia e a primeira noite, limpando com cuidado o ferimento e, depois que começou a cicatrizar, certificando-se de que não voltasse a abrir acidentalmente. Ela sabia, por experiência própria, que Alex se debatia um pouco no sono, e não queria que ele perdesse mais sangue.

No segundo dia, ela também permaneceu ao lado dele. A não ser pelo tempo que passou dormindo profundamente. Emma tinha atravessado o país de um extremo ao outro, andara pela cornija no alto de um prédio, fora amarrada e amordaçada, e fizera 24 horas de vigília por Alex. Tudo isso em três dias. Ela adormeceu na cadeira, segurando a mão dele. Quando Alex acordou, sentiu a mão pequena da esposa enchendo-o de energia e de amor. Ele se virou para ela e achou-a tão adorável que saiu da cama, pegou-a no colo e a deitou ao seu lado. Seus movimentos foram desajeitados, já que ele ainda não podia fazer uso pleno do braço, mas Alex sentiu uma necessidade ardente de confortar a esposa. Além disso, sentira muito falta da sensação do corpo dela aconchegado ao dele.

Dunford chegou enquanto Emma estava adormecida, e Alex cobriu-a cuidadosamente com uma manta. O decoro mandava que os dois homens conversassem em outro lugar, mas Alex relutava em deixar a cama, e sabia que podia confiar em Dunford. Falaram aos sussurros sobre os eventos dos dias anteriores, e Alex soube que, diante da pressão de Dunford, Woodside saíra do país. Eles haviam considerado a ideia de entregá-lo às autoridades, mas Belle chegara à conclusão de que não queria um escândalo. Woodside era tão obcecado por títulos e pela aristocracia, ela dissera a Dunford, que a vida no interior da Austrália seria um castigo tão grande quanto qualquer cadeia. Depois de dez minutos, Dunford saiu do quarto e se encaminhou para os próprios aposentos, onde planejava dormir por uma semana. Alex não duvidou nem por um minuto que o amigo fosse capaz de fazer isso.

No terceiro dia, Emma acordou um tanto surpresa por se encontrar na cama e completamente nua.

– Você dormiu por quase um dia – falou Alex em um tom divertido.

Emma fechou os olhos.

– Que péssima enfermeira eu me saí.

– Acho você perfeita.

Ele deu um beijo no nariz dela, ao que Emma deixou escapar um suspiro de satisfação e se aconchegou mais ao corpo quente do marido.

– Como está se sentindo?

– Muito melhor. O ferimento não dói mais, a menos que alguma coisa esbarre nele sem querer.

– Que bom – murmurou Emma, passando a cabeça por baixo do braço bom do marido e pousando-a no peito dele. – Você me deixou muito preo-cupada, sabia? Você sangrou tanto...

– Querida, você não sabe o significado da palavra "preocupação", a menos que estivesse dentro da minha cabeça quando me dei conta de que Woodside estava com você dentro daquele quarto. E, logo depois, quando vi que você tinha sido amarrada... nunca mais quero me sentir assim – falou com intensidade.

Emma percebeu a tensão no corpo dele e pôde sentir em seus músculos a intensidade das emoções que o dominavam. Ela ficou com os olhos marejados, e virou de costas na cama, apoiando-se nos cotovelos para poder olhar dentro dos olhos do marido.

– Você jamais vai se sentir assim – garantiu com doçura. – Eu prometo.

– Emma?

– Hum?

– Não me deixe de novo.

– Eu não *deixei* você.

– Então não saia mais para visitar ninguém de repente. A casa fica muito vazia sem você.

Emma ficou impressionada com a força da emoção que a dominou diante das palavras simples de Alex, e precisou morder o lábio para se impedir de começar a chorar. Constrangida por estar sendo tão emotiva, ela se virou de lado novamente, aconchegando-se contra o peito de Alex.

– Andei pensando, Emma.

– Sim?

– Você estava certa sobre não ter muito que fazer por aqui. Estou envergonhado por não ter me dado conta disso antes. Acho que nunca me dei o trabalho de reparar no que as mulheres fazem o dia todo. Simplesmente presumi que você tinha o bastante com que se ocupar.

Alex fez uma pausa e acariciou os cabelos dela, encantado com a textura sedosa dos fios.

– E eu realmente tenho muito trabalho. Você sabe, possuo algumas outras propriedades além de Westonbirt.

Emma assentiu. Então assentiu mais uma vez só porque era bom demais sentir a pele quente do torso dele contra o seu nariz frio.

– Estava pensando que você poderia assumir a administração dessas propriedades. Vou pedir que monitore a contabilidade e você terá que viajar até elas de vez em quando, para se reunir com os supervisores. Além de se encontrar com os arrendatários, é claro. Acho que é muito importante que eles percebam que não queremos ser senhores ausentes.

Emma se afastou um pouco do corpo do marido e levantou o rosto para encará-lo, com os olhos violeta cintilando.

– Você irá comigo?

– É claro – disse ele, sorrindo. – A cama fica muito fria sem você. Eu não conseguiria dormir.

Emma abraçou o marido, esquecendo-se completamente do ferimento.

– Ah, Alex. Também senti a sua falta. Muito. Sophie me disse que eu deveria ficar longe de casa por cinco dias, para ensinar uma lição a você, mas eu não conseguiria. Minha intenção era passar o dia com os meus primos, depois voltar para casa. Eu não conseguiria evitar – disse ela, engolindo as lágrimas. – Eu amo tanto você.

– E eu amo você.

Alex passou os braços ao redor da esposa, sentindo-se imensamente satisfeito por ter o corpo quente dela contra o seu. Pela primeira vez em dez anos, sentia-se completamente em paz com o mundo. Visões do resto da sua vida passaram diante dos seus olhos, e as cenas eram todas lindas, cheias de filhos e netos de cabelos cor de cenoura. E, é claro, ao lado de uma esposa de cabelos cor de cenoura.

– Não é estranho? Estou realmente ansioso para ficar velho – comentou, a voz carregada de encantamento.

Emma abriu um sorriso trêmulo.

– Eu também.

EPÍLOGO

Emma decidiu deixar de lado os planos de construir um hospital até sentir que havia dominado completamente seus deveres como nova administradora das propriedades dos Ashbournes. No entanto, três meses depois, teve uma nova razão para adiar a construção: estava grávida.

Mas não deveria ter ficado tão surpresa, pensou. Afinal, da forma como ela e Alex vinham se comportando, um bebê era inevitável. Mas, quando suas regras não vieram no primeiro mês, a possibilidade da maternidade ainda lhe pareceu remota. Com toda a felicidade que o casamento trouxera para sua vida, desejar um bebê parecia ser esperar muito. Mas então percebeu ligeiras mudanças no corpo e passou a acordar de manhã sentindo-se um pouco enjoada. Não quis contar a Alex até ter certeza – não havia necessidade de os dois ficarem desapontados, caso fosse um alarme falso. No entanto, quando as regras não vieram pelo segundo mês seguido, ela soube que seus sonhos realmente haviam se tornado realidade.

Assim, certa manhã, quando Alex estava prestes a sair da cama para se vestir, ela pousou a mão no braço dele para detê-lo.

– O que foi, meu bem? – perguntou ele.

– Espere um pouquinho – pediu ela, em um tom gentil.

Alex sorriu, o amor cintilando em seus olhos, e voltou para debaixo das cobertas. Então puxou a esposa para um abraço e deu um beijinho no nariz dela, pensando que o prazer de abraçá-la certamente valia a perda de alguns minutos de trabalho.

– Tenho uma notícia importante – falou Emma.

– É mesmo? – sussurrou Alex, ocupado em enfiar o nariz na pele sedosa logo atrás da orelha dela.

– Hum – suspirou Emma, aproveitando a carícia. – Estou esperando um bebê.

– O quê? – perguntou Alex, afastando-a para que pudesse olhar em seus olhos. – Você disse...

Emma assentiu, brilhando de alegria.

– Um bebê – falou ele, encantado. – Um bebê. Imagine só.

– É um pouco cedo, eu sei, mas…

– Não é cedo demais – interrompeu Alex, abraçando-a com força. – Mal posso esperar. Um filho meu!

– E meu também – lembrou Emma.

– Um filho *nosso*. Acho que será uma filha, uma menina com cabelos cor de cenoura!

Emma balançou a cabeça.

– Não, será um menino. Tenho certeza. Com cabelos negros e olhos verdes.

– Bobagem, tenho certeza de que será uma menina.

Emma riu, envolvida na magia do momento.

– Menino.

– Menina.

– Menino.

– Menina.

– Vai ser menino, estou dizendo. Você vai ficar muito chateado se tivermos um menino? – brincou Emma.

Alex fingiu pensar por um tempo.

– Acho que um menininho de cabelos negros e olhos verdes seria aceitável. Afinal, um homem precisa de um herdeiro. Mas uma menininha bem pequenina, com cabelos cor de cenoura… certamente seria esplêndida.

CARTA DA AUTORA

Querido leitor,

Eu me lembro bem de quando comecei a escrever *Esplêndida – A história de Emma*, meu primeiro livro. Era verão, eu tinha acabado de me formar na faculdade, já tinha lido todos os romances das minhas autoras favoritas e precisava de mais. Passei a sonhar acordada no metrô enquanto ia de Cambridge a Boston e voltava. E se uma americana fosse para Londres? E se ela encontrasse um duque? E o que aconteceria se ele pensasse que ela era uma criada? O que aconteceria quando ele descobrisse a verdadeira identidade dela? Ele ficaria irritado? (Bem, *sim*, claro que ficaria, mas a beijaria de qualquer forma, não?)

Parei de ir ao cinema e ver TV. Parei até de ler! A única coisa que eu conseguia fazer era sentar na frente do computador e escrever até Emma e Alex, e todos os seus parentes intrometidos, ganharem vida, e, claro, se apaixonarem. Tudo o que eu tinha era um amor verdadeiro por histórias e a determinação de um dia ver minhas palavras impressas nas páginas de um livro que seria comprado por alguém que não fosse minha mãe.

Esplêndida talvez não seja tão bem lapidado quanto os livros que publico atualmente, mas há algo muito especial em suas palavras, um sentimento de alegria e exuberância que acredito que só possa ser encontrado em primeiros livros. Eu amei cada minuto que passei escrevendo esta história.

Espero que ela traga tanta alegria a você quanto trouxe a mim...

Com amor,

Julia Q.

CONHEÇA OUTROS TÍTULOS DA AUTORA

Uma dama fora dos padrões

Os Rokesbys

Às vezes você encontra o amor nos lugares mais inesperados...
Esta não é uma dessas vezes.

Todos esperam que Billie Bridgerton se case com um dos irmãos Rokesbys. As duas famílias são vizinhas há séculos e, quando criança, a levada Billie adorava brincar com Edward e Andrew. Qualquer um deles seria um marido perfeito... algum dia.

Às vezes você se apaixona exatamente pela pessoa que acha que deveria...
Ou não.

Há apenas um irmão Rokesby que Billie não suporta: George. Ele até pode ser o mais velho e herdeiro do condado, mas é arrogante e irritante. Billie tem certeza de que ele também não gosta nem um pouco dela, o que é perfeitamente conveniente.

Mas às vezes o destino tem um senso de humor perverso...
Porque quando Billie e George são obrigados a ficar juntos num lugar inusitado, um novo tipo de centelha começa a surgir. E no momento em que esses adversários da vida inteira finalmente se beijam, descobrem que a pessoa que detestam talvez seja a mesma sem a qual não conseguem viver.

História de um grande amor

Trilogia Bevelstoke

Aos 10 anos, Miranda Cheever já dava sinais claros de que não seria nenhuma bela dama. E já nessa idade, aprendeu a aceitar o destino de solteirona que a sociedade lhe reservava.

Até que, numa tarde qualquer, Nigel Bevelstoke, o belo e atraente visconde de Turner, beijou solenemente sua mãozinha e lhe prometeu que, quando ela crescesse, seria tão bonita quanto já era inteligente. Nesse momento, Miranda não só se apaixonou, como teve certeza de que amaria aquele homem para sempre.

Os anos que se seguiram foram implacáveis com Nigel e generosos com Miranda. Ela se tornou a mulher linda e interessante que o visconde previu naquela tarde memorável, enquanto ele virou um homem solitário e amargo, como consequência de um acontecimento devastador.

Mas Miranda nunca esqueceu a verdade que anotou em seu diário tantos anos antes. E agora ela fará de tudo para salvar Nigel da pessoa que ele se tornou e impedir que seu grande amor lhe escape por entre os dedos.

CONHEÇA OS LIVROS DE JULIA QUINN

OS BRIDGERTONS
O duque e eu
O visconde que me amava
Um perfeito cavalheiro
Os segredos de Colin Bridgerton
Para Sir Phillip, com amor
O conde enfeitiçado
Um beijo inesquecível
A caminho do altar
E viveram felizes para sempre

QUARTETO SMYTHE-SMITH
Simplesmente o paraíso
Uma noite como esta
A soma de todos os beijos
Os mistérios de sir Richard

AGENTES DA COROA
Como agarrar uma herdeira
Como se casar com um marquês

IRMÃS LYNDON
Mais lindo que a lua
Mais forte que o sol

OS ROKESBYS
Uma dama fora dos padrões
Um marido de faz de conta
Um cavalheiro a bordo
Uma noiva rebelde

TRILOGIA BEVELSTOKE
História de um grande amor
O que acontece em Londres
Dez coisas que eu amo em você

DAMAS REBELDES
Esplêndida – A história de Emma

editoraarqueiro.com.br